艾雯全集5

散文卷五

未結集散文

未結集書簡

目次

Contents

未結集散文

◎一九四〇年代

11 雨
13 笑
15 悼慈父
17 婦女需要職業！
20 走
22 演說
25 火的舞蹈
28 水，人生
30 這不過是嶺南的冬天
33 狗與其「同僚」
36 絆腳石
39 某種官
41 為公務員經商進一言
44 傻子
46 寫在創刊週年
48 時間的妙用
50 不平則鳴
53 誰在開玩笑？——為〈不平則鳴〉質一平先生

55 汽笛
57 病中寄語
60 閒談「名」
63 門面
65 寂寞及歌
68 陽光
71 簫
73 火·風
76 這一角
78 生命
81 迎著三四年
83 石榴花紅時——追悼一個朋友
86 遊街及示眾
89 《大地》的回顧與前瞻
92 勝利感言
94 建立「心防」——寫在二屆記者節
97 這是求「享樂」的時候了嗎？——由太平洋戰爭四週年想起
100 剜肉補瘡
103 悼一個戰士的倒下
106 告別讀者
108 揭開了生活的另一頁
117 半開化的人
120 春寒——浮生綴拾之二
123 副刊性質的商榷
127 三請女傭記
131 也談貓
133 守宮
135 夜市

137 母親的徬徨——孩子事之一
140 孩子賴地怎麼辦？——孩子之事
二
142 孩子的天性——孩子事之三
144 台灣——第一個印象
146 焦急的期待
149 模仿與薰染——孩子事之四
151 心理上的蟊賊
153 哈代的《黛絲姑娘》
156 靦腆呢，怯懦？——孩子事之五
159 小街
◎一九五〇年代
162 再來一次文藝運動
166 論宣傳應採取話劇
169 頭髮的故事
171 是哪一家做莊？
173 漫談業餘寫作
177 新歲話新舊
179 真耶？戲耶？
181 精神戮戕
183 拉住時代的人
186 生活的考驗
190 花・花瓶
193 軍中義務教育在屏東——記供應大隊補習夜校
197 勝利的號角
201 風雨同舟縫征衣
205 不做生活的俘虜
208 童心的享受

211 婦女衛國數今朝——記婦聯會空軍屏東支會第一次會員大會
216 十年一覺寫作夢
220 主婦的終身事業
223 主婦與文學
225 奈何路
230 選載優秀文藝，多登各種圖片
232 寫在文協二週年
234 綠塚
238 小城大事——省運在屏東激起一陣興奮
241 婦女們舉手起誓
244 文藝節小言
246 門面哲學
249 我的寫作生活
255 孩子的品行
260 虎頭埤記遊
266 七年甘苦
269 雲水蒼茫日月潭
279 日月潭水天一色
285 一分熱，一分光——寫作瑣談
294 母親的矛盾
298 燈月交輝登壽山

◎一九六〇年代

303 筆耕十年
307 我寫作因生活寂寞，也可以說享受生活
310 我怎樣寫散文
315 湖上春不老——大貝湖遊記

327 旗山行
335 玲瓏寶塔春秋閣
341 在這屬於你的季節
344 田園之歌
353 文藝復興在今朝
356 使命與方向——兼致文藝營青年朋友
359 不凋的花朵——兼祝《亞文》一百期
◎一九七〇年代
362 沙漠變綠洲——文壇的回顧與前瞻
365 最好的慶祝
367 誰家好女兒
372 三點小小的意見
374 童心
378 夫妻本是同林鳥
383 美的喜悅・靈的享受——記葉蓓芬畫展
388 巨星不滅，永照宇宙
394 精神砥柱——祝《中央日報》創刊五十週年
402 成長之歌——小男孩的字彙
◎一九八〇年代
407 自強年的文藝路向——原則不變，方向不改
409 艾雯情話
410 心中的島

413 巧婦
415 蘇州水印木刻

◎一九九〇年代

417 舵
420 艾雯自述
433 心嚮往的地方——心之所繫
453 北寺塔——蘇州的標竿

◎二〇〇〇年代

460 文學情緣
463 人在磧溪
469 越冷越開花——磧溪續記
473 青春的里程碑
475 母親與我
477 也是流域——人在磧溪
483 無限美好——慶祝《文訊》月刊創刊二十五年

◎待查年代

485 大庾風景線
491 幽默四則
494 我人應有的職業觀
496 願意和應該
499 發揮散文的感人力量
502 生活角度
505 我看《梭羅日記》
507 行腳偶拾
508 卡片與我

未結集書簡

513 作家書簡一
514 作家書簡二
516 作家書簡三
518 散文是性靈的閃爍——作家書簡
520 艾雯望女成鳳
522 艾雯不見《亞文》之面
523 艾雯宿疾復發
524 書川，安心好走

未結集散文

雨

微風推上了一塊塊沉重的烏雲，填滿了藍色的空隙，又該下雨啦！一絲絲一條條透明體織成的縠紗，漸漸地模糊了凝望著遠山的眼睛，煙騰騰□著熱氣的山巒，一口口被灰雲吞噬著，咀嚼著，終於整個地被吞沒了。那一片低壓著、低壓著的雲霧，幾乎就蓋在人們的頭上，樹村屋舍一切都罩在茫茫的霧幃中，連生命的呼吸，都失安放，胸口彷彿塞了團棉絮一般，窒息引起了無端的煩躁，雨滴像一粒粒金屬的珠子，落在我悒鬱的心頭，一記、兩記……賡續不斷的輕叩著緊閉的心扉，脆弱的時間的塵封，經不住固執的摧敲迸斷了。歷年來禁錮著的苦惱、憂鬱、悲哀、憤恨……像被赦的囚犯，像奔流的山洪，剎時間布滿了全身的細胞，流遍了所有的神經，頹然地，我陷入了麻痺的狀態。

冰冷喚起了神經的感觸，從寒慄中理智甦醒了。臉上、身上，大顆的雨珠在活躍，在跳蕩，雨是更大了。抖著濕淋淋的身軀，樹枝在風雨的凌虐下不甘屈服地掙扎著；經過了一番沖洗，屋頂上瀰騰起一層暗灰似的煙霧，山岡擺脫了雲霧的擁抱，又恢復了它的廬山面目！

東邊那最高峰的左側，何時從□隙擠出了一線微弱的陽光？雖只那淡淡的一線，在無邊的灰暗中依舊顯出了他那眩目的明亮與光耀，像復燃的死灰般，一點希望的星火，燃起在我的胸膛。啊！你那溫暖的燦爛的光輝喲！流浪者荒漠淒□的心房，正期待你溫暖的撫慰，熱烈的鼓勵，黑暗的世界，唯有你才能予以美麗的光明。十八年來，冷酷的人情已凍凝了，我渴望著人類誠摯的熱情的胸懷。無情的打擊，更搗碎了我幼嫩的心靈；輝煌的理想，唯有你，唯有你那偉大熱烈的光輝，還能醫治我那破碎的心胸，重新建立一個希望。快突破雲塊，放出你千萬道金光璨璀的光耀吧！偉大的太陽；我正伸展著兩臂，祈求著你的蒞臨。

民國三十年十一月二十二日

編註：本文未明出處。

笑

提起你，耳邊彷彿就飄揚著一串銀鈴似的笑聲。幼時，你是個愛笑的孩子，一點點事便能引起你一陣憨笑，甚至迸出了眼淚，於是長輩們就說：「瞧憨囡，將來做起新娘來怎麼得了。」但經不住你那笑聲的誘惑，大人們也忍不住地來一個哄堂大笑。

在校裡，你是我們的「快樂天使」，那天真的笑聲，曾奪得了多少人對你的愛護與傾心。有時，愁絲煩網繫住了同學們的雙眉，只要你一來，無不破涕為笑，讓煩愁碎滅在悅耳的音波裡，青春的歡躍是屬於你的。

去年，一個陰霾的冬天，我在一幢森嚴的大宅裡會見了你，那時你已是一個丈夫的妻子了，依然是數年前的輪廓和風姿，可是我卻感到了生疏，像尋覓一枝春天裡的紅花；我用視線在你身上搜索那失去的東西，那是笑，生命的音樂。

「玲，你怎麼不笑了？」

你黯然地低下了頭。

「笑一個，我要再聆聽一下那曾經震撼過心靈的聲音。」我懇求著。

你悃然也笑了，牽一牽嘴角，臉上刻劃上無數世故與悲哀的紀錄。

一股辛酸滲透了我的骨髓，襲上了眼角，再看你時；烏黑眼珠上亦罩上了一層晶瑩的透明體，一手慘澹的光陰消逝在岑寂中，我們分了手。

夜夢隨著晨曦中的露珠幻滅，佳訊卻從朝陽中傳來，聽說你已跨出了那大宅的高門檻而踏上了新的途徑，好的生活是在奮鬥中產生的，我為你新的命運慶幸，盡量地笑吧！在曠闊的天地中，讓自由的美麗飄揚過巍嚴的山嶺，飄揚過浩蕩的海洋，勝利是屬於歡笑的呵！

編註：據艾雯手記，本文原刊於《青年報》，一九四三年一月三十一日。

悼慈父

父親，當我正躲在你為我築成的象牙塔裡，沐浴著你那陽光般溫煦的溺愛，做著綺麗的夢兒，憧憬著燦爛的將來，安樂的生活將青春渲染得更美麗的時候，你卻從一串艱難的日子裡掙扎過來，悄悄地逝去了。沒有一句囑附，也沒有一紙遺言：死神迅速地從我們這兒攫去了你，也同著我們安寧的生活，從此，我便被剝奪了每個兒女應享的父愛，成了個沒有父親的孤女。啊！父親，你是怎樣傷了你女兒的心呀！

從啣接白雲的塔上，我被一跤擠跌在泥潭裡，美麗的夢兒毀滅了。生活的寧靜亦破碎不全，父親，在這烽火遍地，危機四伏的時候，你卻拋下了孱弱的妻子，未成年的女兒，悄悄地走了，啊！父親，在這瘡痍滿目的社會，在這人陌地疏的異鄉，教我一個毫無世故的少女，怎樣挑起你留下的重擔，踏上生活的征途呢？在一籌莫展憂憤交迫的狀況下，淚水浸蝕了母親的雙頰，而妹妹又病了。「一個人不管活的力量能不能搏鬥到底，但一經來到懸崖的邊緣，不得不跳下。」我汎起了屠格涅夫的活，於是毅然割棄了學業，踏進了社會的大門，父親，你試想把一隻羽毛尚未長全的雛雞，放在陌生的人群中是怎樣情形，那你便可推想到我那時的處境。一個新的環境總是不容易慣常的，但慢慢地自命像一條牛一樣習慣於它的鼻環，現在已打發掉三年多平淡而辛酸的日子了。數莖白髮，增加了母親的老態，妹妹也進了學校，而我呢？已不復是那依戀在你身邊撒嬌的小姑娘了，辦公室的空氣，把我薰陶得沉鬱而冷僻，囂鬧、瞎吵的脾氣是無形中被磨滅了，父親，環境是怎樣轉換著人們的性格啊！

「生活的意義就是克復生活。」我牢記著羅曼羅蘭的格言，雖然生活是那樣的艱苦，但在艱苦的大時代裡，困難又算得什麼呢？父親，我學會了忍受，我將再學會抵抗，學會自強不息，不管命運之神怎樣播弄，我們是會得生活下去的，戰鬥下去的。

梅嶺・民國三十二年二月

編註：據艾雯手記，本文原刊於《青年報》，一九四三年二月七日。

婦女需要職業！

每一個生存在地球上的人，除了孩提與老年時代，都得以自己的腦力與勞力來換取生活所需。因此職業便成了人類最適當的謀生之路，這不過是一種解決生活的方式，原不分性別的，可是事實上婦女職業卻成為不成問題的問題，目前，在婦女們開始從事職業生活的資本主義各國，已著手改善婦女的職業環境，而在現階段的我國，拒用女職員與歧視女性的封建餘毒，依舊遺留在一般腐化分子的腦筋裡，這固然是我國文化較歐美各國落後之故，但婦運的推動不力與女界的缺少團結，亦不能不引以為咎。

社會上一般傳統的謬見，以為婦女是天生的能力薄弱，智力低能，這是一種絕對的錯誤，有些婦女因缺少受高等教育的機會，或為家庭瑣事所牽累，以致工作效率較男子差，但這不能就武斷是女子天生的低能。推其究竟，還是受環境的束縛，與國家對婦女特殊情形沒有特殊設備的緣故，工作能力與經驗是要從不斷的工作中培養出來的，把婦女禁錮在狹窄的家庭裡，沒有學習機會，缺乏工作經驗，縱使潛伏著怎樣偉大的力量、才能，又教她怎樣發揮呢？所以要化這雄厚的潛力為實力，只有給女子以工作崗位。「沒有人類半數的婦女參加革命，被壓迫的人們將永得不到解放。」這是一個世界大革命家的見解，由此可見婦女的力量。像俄國婦女的協助完成蘇維埃工作，就是很好的一個例子，誰說婦女無能呢？固然有少數女界的敗類，視職業生活如兒戲，做事不負責任，不求進步，每日只知濃妝豔抹，做花瓶點綴於辦公室裡，陪長官遊蕩於戲院酒樓中，但這只是少數的現象，不能因噎廢食而抹煞大多數婦女的力量。其實男人們中又何嘗沒有領薪而不做事，終日西裝革履，出入於上師之門的花盆呢？這都是新陳代謝時必然的現象，在時代的篩箕裡，終有被淘汰的一天。

「限制人口半數的政治，經濟的動力，不但不公道，簡直就是愚笨。」社會上一般執拗的守舊派，確是有點冥頑不靈，他們不但不認為婦女解放是一種國家文明的進步而給予援助，反在人家求獨立的途徑上加以種種阻礙與打擊，像過去閩省的停用女職員，交通部與儲匯局對女職員的限制，而有些機關招考職員時，又故意不錄取女性，現在渝地各機關緊縮裁員，不約而同都先從女職員開刀起，這不啻是婦女經濟獨立的制命傷，以致一般在失業潮裡漂浮著，在饑饉線上掙扎著，意志薄弱的婦女，不得不挺而走險，淪於墮落，而以結婚為歸宿的現象，亦變本加厲地繁盛起來，無形中實行了反時代者的三火主義，這都是社會排擠、摒棄的結果。不但是女界的不幸，同時亦是國家的不幸。這是什麼時候了？還要以性別來限制人民對國家社會的貢獻，我們的主席說：「婦女同胞占全國人口之半，也就是我們整個民族一半力量所寄。」假使這半數婦女只蟄伏在家庭裡消費而不從事生產，社會怎能太平？國家又怎能強盛？現在是每一個人民都要貢獻自己力量的時候，快打開緊閉著的職業之門吧！婦女們要以自己的力量來開拓自由的途徑，加強國家的實力。

編註：據艾雯手記，本文原刊於《正氣日報》，一九四三年三月八日。

走

為鼓勵一個朋友遠行。

寒風裡抖慄著最一片落葉，秋已隨著消逝了，接著來臨的是淒涼，靜寂的嚴冬，但冬天到了，春天還會遠嗎？

當那「走」字從你口裡吐出來，像一顆火花，從溫暖的炭盆裡爆發出來，濺落在我的心頭，由它引起我的是蘊藏著人類怎樣的情感呀！

同在飄泊異鄉的我們，相識已三年多了，在這一串悠長的歲月裡，我們還未曾有過一個月以上的小別，現在，一個醞釀中的分離，擱置在我們面前，你說：你要到千里以外去，這在友情上對我將是怎樣的一個損失？雖然我們依舊可以假著魚雁，來表達內心的情意，但，那及得上夕陽裡緩緩的散步，溫室內絮絮的談心呢？

你的走雖然使我那樣的難過，但我絕對不會用感情的索鏈來牽住你的行動，相反的，我還要鼓勵你走，暫時的痛苦是能換取更大的歡樂的。想想看，七年多了，井蛙般蟄伏在這古舊的山城裡，二千多個日子逝去在你的苦悶之中，金黃色的夢亦褪去了當初的輝煌，世故雖然教你讀熟了社會，認清了現實，同時亦快把你感化成一個暮氣沉沉的老少年，死水般枯燥，委靡的生活，腐蝕了你的青春，消沉了你的意志，冰凝了你的熱血，惡劣的環境，又迫使你一步一步踏上消極的途徑，趨近墮落的深淵，那確是太危險了，在囚籠裡關久了的鵬鷹，翅膀是會失去原有的力量的，趁你還年輕，快打開你那狹窄的禁門吧！道路是要由人力來闢成的。

走吧！揹起你輕便的行囊，收拾起你惜別的心情，去為獲得更有意義的生活而奮鬥。事業的光芒，正遠遠地照亮著你的道路，去吧！走可以增進你的學識，走可以帶給你新生，我絕不會閃爍著淚珠和你辛酸地話別，我要讓堅毅的握手，信任的微笑，傳達給你我心底的祝福與鼓勵。

編註：據艾雯手記，本文原刊於《青年報》，一九四三年八月十八日。

演說

凡一個稍有名望的人經過某地，或上級機關的人員到下屬機關來，照例要來一套熱忱的歡迎與招待，附帶的就是請「演講」。這是件吃力不易討好的事，演講者要收集材料，擬定講題，作事前的準備，聽講者要荒廢工作，耗費時間，作聽講的代價：要是說得好，聽者認為這點損失是值得的，而演說者亦像完成了一樁功德，心裡感到說不出的痛快，如果抓不住聽眾而宣告失敗的話，那麼人家將因他乏味的言辭而厭惡到發言人。當然，演說得優美的人亦不在少數，像第一類人物他們或者是演說家、文學家、政治學家、科學家，他們各有一貫的主張，淵博的學識，上台能抓住聽眾的注意力，以誠懇、清晰、簡單、生動的語調，侃侃而談。說來娓娓動聽，有條不紊，這才可以使聽眾聚精會神的聽下去。至於第二類人物，那純粹是一種敷衍性質，一方面是表示尊重，請他們發表點言論俾資遵循，而被請者也許是個吶吶於言者，也許是勉強敷衍面子，硬擠出一些無意義、不連貫的話來，也有些是想藉此露露頭角，讓下級機關的人員，瞻仰瞻仰他的風度，但內容往往是空虛而不切實際。客氣點的說幾句觀察得來的皮毛，不著邊際的恭維一番，不客氣的來一點足以顯示自己身分才能的報告，明知總是這一套老把戲，可是通告一出、鈴一響，大家不得不進會場，揀最後面的座位坐下，等待著開場……

演講的成功與失敗，是要看它的開頭，一個新人第一次露面，總是引人注目的，如果他頭開得恰當，又何嘗不能吸引聽眾？但缺少這方面的天才與修養，成功的到底占少數，一開口不是像蚊子叫，就是結結巴巴說不出口，或者拿起演講稿來朗誦，於是，聽眾的注意力漸漸地渙散了，有的以好奇的眼光來研究著掌紋，有的觀察著自己的皮鞋，有的好整以暇地眺望著窗外的飛鳥，或幾莖花枝，有的凝視著壁上的裝飾，有的低下頭偷看帶來的書報，有的伏在別人椅背上假寢，有的低頭著用指頭在膝蓋上寫字。坐在前幾排的看上去似乎在全神貫注的聽講，但說不定他們腦子裡正轉著別的念頭，偶或有一聲抑止不住的笑，「嗤」地迸逆出來，大家連忙拿眼來搜索它的起源。一刻……半點……一點多鐘去了，聽眾已玩厭了他們的玩意兒，精神都有點疲憊，人群起了陣騷動，一串呵欠連續的逗留在各個人的嘴角，這時演說者亦感到舌疲唇焦，於是在一套公式的結語後，一聲「完了」，彷彿是在法庭上聽到推事宣判無罪，或像所受無期徒刑忽蒙恩赦，大家都輕快的舒了口氣，鬆鬆肋骨，向大門口蜂擁而出。

編註：據艾雯手記，本文原刊於《正氣日報》，一九四三年十一月一日。

火的舞蹈

一團渾厚的黑煙，裊裊婷婷地上升著，直上雲霄，漸漸地拉長、擴大，變成淡而稀薄的輕縠，像一個婀娜的舞孃，蒙著玄妙、神祕的紗衫，一路款擺著柳腰舞上來。猛地她撕開了羅衣，顯露出強壯、豐滿、紅潤的胸膛，炫耀的光彩，映紅了半邊天空，照亮了附近的屋脊、樹枝，閃爍著一片絢爛的紅光，夜神從酣睡中驚醒，停止了祂均勻的鼾息，宿鳥們惶惑地亂拍著雙翼，寧靜的大地在沸騰了。

火向著自己造成的奇蹟，起勁的酣舞著：在為她助興的東風懷抱裡，她是那樣不顧忌的大膽而放肆，幾乎整個市空都映紅，熱烈的身體裸露在外面，紗衫裂成一塊塊飄蕩在四圍。她輕狂地揮動著靈活的手臂，從這個窗口進去，那個窗口出來，「嘩！」又攫去一個屋頂。在她急趨的踐踏下，高樓的樑柱，大廈的牆壁，一幢幢像傾瀉般圮坍下來，一捲捲被燒裂的渣滓、煙灰、塵埃，滿天飛舞著，每一個物體的細胞，都烤炙得喘息起來，一股股由橡皮管射出的水，在火那通紅的身軀襯托下，像水銀般閃爍，似乎是人們為她掛上的珠瓔翠珞。東邊拆倒了一幢屋，壓住了她的凶焰，她又偷偷地向西邊遁去，一支新的生力軍，突起在另一幢屋上。南邊推倒了一座牆，衝散了她的大軍，她又頑固地向北邊撲去。火舌一閃一閃地向人們示威，慢慢地又匯合成強大、猛烈的一股。「哄哄」地咆哮著，跳蕩著，染紅了天，染紅了地，更染紅了騷動著的人們。百貨公司的大廈，雜貨商店的小屋，富人的鴨絨被，貧者的破棉絮，一視同仁地燒在一起。人們的哭喊聲、警笛聲、水龍聲、房屋圮塌聲、被燒著物品的爆裂聲、呼嘯聲，再加上火的歡笑聲，融合成一片巨大無比的交響曲，整個的天地都震撼得顛動著。

火舞得更瘋狂了，抖擻出全身的力量，來擴大她占領區的範圍。龐大的身體，像個醉漢般左右搖擺，她熱情奔放地歡躍著，完全熱中於自己創造的偉大、瑰麗、玄奇，緊張的場面。舞著，舞著，疲倦終於消蝕了她強壯的精力，於是慢慢地平靜下來，呼吸逐漸的變得溫和緩慢而低微，清淡的灰色縠衣，又合攏來遮住了她的身體。

啊！火，妳這殘酷的天才藝術家！妳美麗而無情又奪人心魄的舞娘，奈龍為了欣賞妳的美姿，而付與整個神聖的羅馬城，妳為了顯顯妳的身手，就不惜把繁華的城市化為灰燼，項羽為了愛妳的魄力而給了妳咸陽一代帝都的阿房宮，啊！火，妳這個殘忍的美人，妳這條美麗的毒龍！

編註：據艾雯手記，本文原刊於《東南日報》，一九四四年二月九日。

水，人生

人類的存在，是沒有一天不與水發生關係的，因此水的習慣、脾氣，差不多每一個人都熟悉而了解。可是，你們誰會向水學習過嗎？

白開水，那是經過人工製造，於人體最有益的飲料，但淡而無味的生活是沒有意義的，不論是甜酸苦辣，總要有一點兒調劑調劑。

溫吞水，那亦是適口的解渴品，但這樣的個性是人類應避忌，我們應該有滾水般沸騰的熱血，冰雪般冷靜的頭腦。

一泓靜水，漂浮著數莖綠苔，看上去表面是多麼幽美呀！可是在它肚裡，也許正醞釀著臭毒的元素。如果生活太死氣沉沉了，是會腐蝕生命的，我們縱不能像瀑布般奔騰、激烈，但至少要學小溪般不斷地前進。

你看過浪花嗎？那是怎樣地增加著水的力量呀！如果生活不經過波浪，是不懂得艱難的。

水的氾濫是可怕的，人類情感如果不加管束，讓它氾濫，同樣能夠惹禍招殃。

海洋是多麼寬大呀！人們的胸襟，亦要像它一樣寬宏，能容納一切。

你看過水的奮鬥吧？不論阻擋的是岸、是山，它是會用自己的力量來開闢出道路的，人們應該效仿它不畏困難的奮鬥精神，鏟平一切生存途上的障礙。

我們將從偉大倔強的水那裡，學習它大無畏的精神，再加上人類特有的聰明、理智，造成一般浩大的生命。

一往直前，無畏無懼。

民國三十三年二月十日

編註：本文未明出處。

這不過是嶺南的冬天

天哭喪著臉愁苦了幾日，晚上終於忍不住灑下了大把的淚水，北風作著鬼嘯，從壁罅探進冰冷的手指，摩擦著我露在被外的臉孔。空氣中每一顆細胞都在抖慄著。在這樣淒厲的冬夜，是誰用顫抖的聲調，憧憬地唱起了一支〈踏雪尋梅〉……

烈強的光線把睡意從眼睛裡驅走，敢是天晴了？一骨碌翻下了牀，浸人的冷氣使我一連打了幾個寒噤，掀開窗簾，眩目的白光逼得我睜不開眼來，該不是進了月宮吧！我迷惘地望著那皚白的一片，滿地的泥濘與污濁都不見了，九棵衰老的枯樹，竟也變成了玉樹瓊花，天際白茫茫的，還在飛舞著羽毛般的雪花，一塊荒蕪而淒涼的園地，經大自然的美術家一夜的布置，打扮成了一個美麗的白銀世界！

一隻不滿週歲的小狗惺忪地來到門口。剛跨出前腳，馬上又縮了回去，瞅著米一般的白東西，小小的圓眼裡交雜著迷亂和驚惶，困惑地夾著尾跑了。

「□雪會晴，明朝該天好了。」老阿媽放下臉水，咕嚕著。

雪慢慢地停了，像一群籠裡放出來的麻雀：孩子們一陣風竄進了園地，追逐著，跳躍著，用凍紅的手指搓成一個個堅冷的雪球，彼此投擲著。不知是故意還是無心，一個孩子仆倒在雪上，均勻的平面立刻嵌上了一副清楚的模型，為了好奇心的引誘，同伴們都仿效起來，於是滿地印上了錯雜的人形。

我打開窗子，一股涼沁卻是清新的空氣，洗滌了宵來的窒悶，手指才一接觸到那白色的結晶，一種麻辣辣的感覺，由指尖滲進了心肺，我小心地拈起了一撮，白色在我的審視下消失了。只剩下一點清水，滴落在窗台。

孩子們勝利地歡呼起來：一個雪菩薩在他們的合作下脫胎了。憨態可掬地蹲在中間，龍眼做的眼睛呆瞪著前面，頭上披著孩子們從祖父那裡偷來的兜風，說是「觀音」還不如說是「羅漢」，□□在創造者看來不啻是雕刻家手中的塑像，看他們呵著□硬的手指欣賞自己的傑作，臉上呈現著一副怎樣得意的表情啊！

籬笆□邊紅光一閃，像白緞上滾落了一顆紅豆，那是瑜，披了件猩紅披肩姍姍而來。

「瞧，《紅樓夢》裡的薛寶釵來了！」誰頑皮地嚷著，引起了別個附和的哄笑。

瑜狠狠地瞪了一眼，逕自踅向這邊，手裡原來還拎了一只精巧的小籃，裡面安放著一把宜興茶壺。

「彬，我們來學學古人雅事。」她微笑著向我揚了揚手。

換上鞋子，我把自己帶進了銀宮，臂膀扣著臂膀，我們迎著凜冽的朔風前進，雪在腳下發出「切嚓切嚓」的聲音，路旁，擁著草衣過冬的山茶，像白色的巨人，巍巔巔地屹立著，繞面結著薄冰的小河，一縷幽香直達腦門，清癯的梅花今天忽然長得很豐腴了，勁拔的枝枒被雪壓得低低地依偎著，誰說它們是冷酷的呢！

瑜讓我捧著籃，將花瓣中的積雪輕輕地抖落在壺裡……薰陶在濃郁的香氛裡，不知經過了多少時候，亦不知抖過了多少花朵，壺裡居然有了半成白雪，可是我的手指卻痲痺了，忽然，「轟隆」地一聲，籃子從我手裡脫落□在地下。我還沒有聽清瑜在嚷些什麼，接著又連續了好幾個「轟隆」，一急，醒了，「隆隆」之聲仍不絕於耳，雨如注地拍打著薄瓦，陰風淒淒，室內是黑黝黝的，一線慘澹的晨光從板窗縫裡漏進來……這不過是嶺南的冬天呵！

編註：據艾雯手記，本文原刊於《青年報》，一九四四年二月二十一日。

狗與其「同僚」

「狗」之所以稱為「狗」，一如「人」之所以稱為「人」，一個固定的代名詞，並沒有含絲毫其他作用。

自人類與「狗」共存在以來，「狗」的忠心於主與重義氣是「有口皆碑」的，茲節錄某君筆記小說選內的〈義犬〉一文，以資參考：

咸豐二年，上海土匪作亂，縣令袁公死之，屍橫堂上，一犬臥側，晝夜不去，土人徐隨軒買棺殮公。停柩堂中，其犬仍臥靈前，與之食不食而斃。

事雖略嫌誇張，然由此可見「狗」確是獸類中難得的好心動物，可是不知何年何月何人作惡，竟在「狗」字上加一「走」字，作為一般「沒骨蟲」的名詞，這真是屈辱了那善良的「狗」。

「狗」有「野狗」、「草狗」、「家狗」之別，前兩種與人不發生關係的且不談，只說「家狗」，那是從小就被人所喜愛而豢養的，牠與主人守衛、服務，搖頭擺尾地同主人親熱，純粹出發自一種由共同生活來的真摯情感，一種單純而出於衷心的知恩報恩，絕對不滲有其他虛偽的成分。可是「走狗」就不同了，表面是奉承、殷勤，心裡卻處處想占人的便宜，滿口肉麻的「唯唯」「是是」。一臉皺紋堆疊起來的假笑，對上是「彎腰曲背」地獻媚，對下則「狐假虎威」地裝腔。

本來「狗」之愛「臭」似「人」之酷「香」，是生來的天性，可是「走狗」們居然會效顰說主人的屁如蘭似馨。

「狗」效忠主人是不論貧富的，且看有些乞丐雖貧至沿門托缽，但他豢養的「狗」仍忠心耿耿地跟隨著：至於一隻「走狗」，絕對不會皈依一個倒運的主人，只要誰的權勢大，財富足，於自己更有利，牠是不惜忘恩負義「從新棄舊」的，甚至還可以「賣主求榮」。

「狗」急會跳牆，「走狗」急了卻只會打躬屈膝，所以真真的「狗」是有血、肉、筋骨的，而「人」為的「狗」卻完全是由自私、虛偽、欺詐、卑鄙、齷齪、無恥等充填的臭而厚的皮囊，實在還及不上「狗」的腳趾頭。是誰人誣良作踐，將「狗」來譬喻那喪失了志、恥的「沒骨蟲」，如果「狗」有知的話，一定要叫屈不已。

編註：據艾雯手記，本文原刊於《青年報》，一九四四年二月二十七日。

絆腳石

嬰孩，多可愛的小生命！

當一個白胖的孩子向你伸出了嫩藕似的臂膀，頻頻送著嬌笑，你能說不愛嗎？當你把他抱在懷裡時，他用那帶著乳腥的小嘴來吻你的臉頰，用那柔腴的手指來摸你的眼鼻，你能說不愛嗎？可是為著培植這枝民族幼苗，犧牲了多少的事業，埋葬了多少的才能呀！

一個孩子的出生，是愛情的結晶，父母的寶貝，家庭的天使，也是將來國家的公民，在一大串鏗鏘名字下，做母親的當然更鞠躬盡瘁地愛護那在自己體內寄生了十個月的小生命，於是慢慢地她將消沉了她的壯志，委靡了她的雄心，安分地做個道地的良母了。

「我著重事業，但我並不反對結婚，我要建成兩者平等的地位，不能為了事業犧牲幸福，也不能為了家庭而放棄事業。」這是菀一向的論調，她是×校的高材生，學識豐富，人亦能幹，在校中算得個佼佼者，畢業後不久，她就結婚了，一方面依舊在社會服務，可是還不到一年，孩子就把她拉回了家庭。

一天，我去探望她，在一堆奶瓶、奶匙中，她正逗弄著孩子，手裡舉著一□娃娃。

「雯，看我們的寶寶多可愛，」柔軟胎髮覆在豐滿的額上，白嫩的臉龐襯著烏溜溜的大眼睛……我忍不住接過來放在膝上，忽然熱熱流流的一陣，旗袍上濕了一大塊。

「啊！寶寶拆爛污，把阿姨的衣服都撒濕了。」菀一面歉然的遞手巾抹，一面又忙著拿尿布來換，孩子經過一番顛弄，哭起來了，小嘴巴張大著，晶瑩的淚球從緊闔著眼睛裡擠出來，菀連忙解開了紐扣，將小腦袋緊貼著胸膛，不住地搖著拍著，嘴裡還唱著催眠曲：好一偉大慈愛的母親呀！

「菀，妳真是個十足的良母！」

「有什麼辦法呢？奶娘請不到，又沒有地方好寄託，只有自己在家裡苦一時，抽得脫身仍舊要出去做事的。」她苦笑為自己分辯，大概是誤會了我在譏諷她吧！我不禁笑了笑。

「不用笑我，將來妳也總有這一天的。」一朵淡紅雲掠過了她的雙頰，順勢在孩子臉上印了一個吻。

啊！可敬又可憐的母親；在妳懷中的寶貝，亦正是消耗妳心血的累贅，無形的桎梏，將從此絆住妳的行動。而那社會上的一切活動都將與妳遠離了，十幾年來，一個遠大的戰鬥的理想，難道就這樣埋葬了嗎？這究竟是誰的過錯呢？

編註：據艾雯手記，本文原刊於《青年報》，一九四四年三月八日。

某種官

做「官」固非易事，「官材」亦甚難得，「材」為「天才」與「人工」之合產物，凡天資高，功夫深之「材」，謂之「良材」，可官至一品，其次為「中材」，不大不小，最□腳的是「劣材」，如芝麻綠豆官等。

「官材」的基本條件是，頭皮要堅韌臉皮要厚，眼光要遠而大，耳朵要靈活，嘴巴要會說，手腳要能幹，膽量要大，腦筋要敏捷，心地要狡猾、陰險、自私、唯利是圖：如是，則「宮才」具也，可以深造。於是再各加以人工之磨練擴充，以至頭則具有橡皮之伸縮性，能尖能圓，臉皮則像鄧祿普輪胎，眼光遠時，似兩盞探海燈，四面八方，一望無遺，小則能鑑貌辨色，雖微至塵灰土屑，無一不留神，耳朵則時能聞達千里之外，時又佯裝聾子，嘴巴則甜如甘蜜，鋒若利刃，開口則滔滔萬言，閉口則噤若寒蟬，手則既能拍馬作揖，又能碰檯拍桌。腳則能屈能伸，跑踼如意，膽大能偷天換日，量大可容納一切，滿口仁義道德，一付君子風度，令人肅然起敬。混得文憑數張，資格數打，裙釵隊裡獻殷獻勤，當當差，門路有也，顯貴之家且誓諂諛，鑽進鑽出，如遇「高官」提攜，得一官半職，則媚上欺下，圓裡帶方，暗中則排擠誣□，為自己樹黨植派，一旦大權在握「官運」亨通，赫然顯貴，趾高氣揚！誰不豔羨，於是在「官場」假「官俸」擺起「官架子」行「官樣文章」蓋「官章」，打「官話」，「官腔」十足，只要不因舞「官私」而吃「官司」，在「官場現形」，這碗「官飯」確是其味無窮，難怪世界上有那麼多「官迷」在做著「官夢」：想著發「官財」。

編註：據艾雯手記，本文原刊於《青年報》，一九四四年三月。

為公務員經商進一言

查商業的意義，本來是「商其遠近，度其有無，通四方之物，故謂之商」。既可使財貨流通，又能富國庶民。可是流傳到今日，其原意已喪失殆盡，經商者只知一味的操奇計贏。尤其在國家一心禦外，無暇顧及內政之時，市儈商賈之流就趁機趁火打劫、壟斷市場，以致物價在他們操縱之下，肆無忌憚地高漲起來，而一般民眾則叫苦連天，生活程度被逼降到水準線以下。那班利己主義的奸商固然可惡，但他們大多是無知之徒，缺少國家觀念，情尚有可恕之處。可痛的是一般「利令智昏」的公務員兼商，從古以來「士」都重「氣節」，尚「清高」，現在的知識分子卻「見錢眼開」、「唯利是圖」，不恥與「販夫走卒」之類「同流合污」，終日在「利」上打算盤，在鈔票堆裡翻觔斗，買賤賣貴，囤積居奇，不惜用種種欺騙、險詐、卑污的手段來爭朝夕之利，政府法令置之度外，公事是潦草搪塞，不求上進，學業是荒廢了，修養更無暇顧及。三朋四友相聚，一變從前政治、學術、公事的討論。而大談其生意經。私生活更腐敗，奢侈到了極點，賺了幾個造孽錢就吃、喝、嫖、賭、放蕩形骸。於是「人格」宣告破產，「精神生活」亦一落千丈，《漢志》云：「周人之失，巧偽趨利，賤義貴賊。」做此班之寫照，有過之而無不及。不但彼等本身淪於墮落之壑淵，危害更波及社會經濟，有教養的人如此，無知無識之人更如此，財富分配紊亂，人民生活不能解決，社會又怎得太平？國家又怎能強盛？值此抗戰期間，正是每個國民貢獻自己力量的時候。安居後方不從事生產，協助抗建，反擾亂□□秩序，浪費國家物力，其罪不啻是漢奸，匪徒。

晉陶淵明不為五斗米折腰，今之知識分子卻不恥以身分，人格換取「錙銖之利」，真是「人心不古」，「斯文掃地」。《隋書．地理志》上說：「小人率多商販，君子資於官祿。」君子而甘心為小人，志氣已喪盡，金錢固然可貴，但要從正途得來，受之無愧。用心計，使手段謀得的非義之財，又何異於賊之偷，盜之搶。何況錢財究竟只是換取生活所需之代用品，只要豐衣足食就夠了，生既不能帶來，死又不能帶去，何苦將短促的一生不花在有意義的事上，而為幾個銅板奔波、勞碌，惹得滿身銅臭，做一輩子金錢的奴隸？

拋開那薰壞心術的生意經，將那份精力化在更有意義的事業上吧！要曉得人的幸福的基礎，是建築在健全的國家裡的。當國家正在自由與滅亡的關頭上掙扎，奮鬥的時候，縱是獲得了暫時的私利也是枉然的。

編註：據艾雯手記，本文原刊於《青年報》，一九四四年四月十六日。

傻子

「傻子」本來可分先天與後天兩種，先天的，如生下來就呆頭呆腦的白癡，後天的，受了過分的刺激或病後神經失常，這兩種「傻子」原是十足道地的老牌貨色，可是在某一種人眼裡，卻有了第三種「傻子」，這既非先天又非後天的「傻子」究竟「傻」在那裡呢？據說就「傻」在「好管閒事，愛找麻煩」。拿這樣富麗堂皇的帽子給別人戴，不消說得自己當然是一個聰明人囉！

這第三種「傻子」，「傻」吧，確是有幾分「傻」勁，譬如聰明人吃飽了飯就吟吟風花雪月，遊遊白山黑水，孤高自賞，這又是怎樣的逸情雅致！可是「傻子」們卻「有福不會享」，百忙偏要抽點工夫來組織什麼團啦會的，終日奔波，計畫、籌備、苦幹、碰釘子不算外，往往還要自掏腰包，弄得不好，又招怨受責，而聰明人則冷眼旁觀，見有隙可趁，就冷冷地譏諷一聲「傻子」！偏偏「傻子」們的腦筋除了職務外，又直得轉不過彎來，要是他們稍些聰明一點，恭恭敬敬的把不負責，不做事的名譽××長之類，為聰明人加一加冠，成功時，則芳名高標，尊居首位，若事情□□順利，他是會馬上一口否認，如是至少可以塞塞聰明人的口舌。

自古迄今，「傻子」亦實在多。「前人種樹，後人食果」，從前如果沒有那些「傻子」來種植，如今我們又哪來的果食？聰明人安登在傻子開闢的天地中，坐享現成，每日只要在自己的生命史上作下脫鞋穿鞋的紀錄，彷彿這都是他們的聰明所產生的環境，然而「傻子」儘管「傻子」，國家社會進化的巨輪，尚待他們以「傻」勁「繼往開來」的推進，「傻子」們「傻」到底吧！讓我們來歡呼「傻子」萬歲！

編註：據艾雯手記，本文原刊於《青年報》，一九四四年四月三十日。

寫在創刊週年

一個偶然的機會，讓我進了神聖的門檻——新聞界，一次不偶然的榮幸，又使我參與了一個有意義的紀念日——《凱報》創刊週年。

（八一三）這鮮花般燦爛，驕陽般灼熱的日子，它展開了偉大的全面抗戰，奠定了勝利的基礎，像一支輝煌的火炬，耀亮了歷史的一頁，《凱報》誕生在這神聖一天，可說自呱呱落地就負起了重大的使命，我們知道，一個人的生存是不能脫離社會的，而報紙的責任正是聯繫起人與國家社會的關係，這是一個動盪的大時代，一切都界在好與壞的轉捩點上，如果沒有正確的報導，人們一定會像躑躅在漫漫黑夜裡的行者，茫然地摸索著，迷失了自己在這混亂的時代裡應走的道路，因此報紙不但是報告新聞的工具，同時亦是導引人民走向正義的明燈，為了使這燈長明，報人們不斷地將自己的血汗、腦汁，當作燃料來維護它的光輝，報人的工作是艱苦的，但只有從艱苦中，能顯出力量的光芒！

勇敢地挺進吧！孩子，雖然你只出世了三百六十多個日子，可是國家賦予你的重任，民眾寄予你的期望，正待你努力衝破一切障礙來完成。沒有禮物也沒有頌詞，只有一顆熱忱的心與一枝禿筆，獻在你可貴的週年，讓我們一致舉起我們的武器，來揭破黑暗，爭取光明，為神聖的工作奮鬥到底！

編註：據艾雯手記，本文原刊於《凱報》，一九四四年八月十三日。

時間的妙用

鐘錶在中國是永遠走不準的。

某人請客，帖子上註明六點鐘，要是你按時達到，那你準會連主人都不見，別人不把你當作傻瓜，也看出你是初次涉足交際場所的阿屈，還沒有學得社交的經驗與習氣。因為成了不成文的公律，在宴餐會中，赴場延誤時間越久，架子越足，一般老交際家寧可穿著整齊，打扮妥當，坐在家裡望著時針的搬移，絕不肯按時出席，如果你要充充名人，擺擺架子的話：六點鐘的宴會不妨延到七點五十五分駕臨，於是主人率眾來賓迎駕——

「何以姍姍來遲耶？」

「對不起！實在分不開身來，」只一句，就足以顯示你不是達官，便是要人。

不過，要是說「從容不迫」是中國人天生的性格，卻又不然，試看不對號的戲院，六點鐘開演，儘管外面高掛著時間未到的牌子，四點鐘準有一大群人擁擠在門口，等門一開，就你推我攘，蜂擁而入，搶最舒適的位子坐下，於是萬事安心，東顧西盼，冷眼瞧著後來者急於尋覓座位的迫切惶亂的神色，心裡更加得意，你能說這也是「從容不迫」嗎？

同是時間，卻有種種不同的產物。性情躁急的人，必要時，或者說，為了顯出自己與眾不同來，也要裝裝斯文，搭搭架子，但一屆緊急關頭，斯文再沒有價值了，就現出一臉的凶相，「面子」也棄之不顧，不惜勾心鬥角，圖其一逞！

時間像一面折光鏡，任何人站在它的面前，立刻會現出「原形」來。大人先生們，士紳淑女們，盛平安靜時節，他們是何等的令人歎為觀止！緩緩而行，輕輕地歌，嗤嗤地笑！可是，戰局一有改觀，大炮之聲，遠在數百里外，卻就雞犬不寧，夢魂不定，前後判若兩人，這不是「時間」的「折光鏡」下的真面目嗎？

時間的妙用，當然尚不止於此，「斯小焉者也。」小焉者已如是，則「大焉」者何遑列論。《論語》有云：「孔子于鄉黨，恂恂如也，似不能言者，其在宗廟朝庭，便便言，唯謹爾；朝與下大夫言，侃侃如也；與上大夫言，誾誾如也！」聖人如孔子，其尚此一時彼一時的臉孔不同。我輩凡夫俗子，又何能了了呢？

編註：據艾雯手記，本文原刊於《凱報》，一九四四年九月五日。

不平則鳴

《屯溪通訊》：最近，物價運銷社與稅務管理局，大舉裁員，被裁者，均係女同志。物運社裁退馮瑩女士的理由，據馮女士自述是，我本是一個理直氣壯的女青年，心地坦白，平時不願與他們同流合污，最近是因為拒絕××祕書（介紹者）所贈予的衣料，而使我這個流浪在祖國的懷抱裡的孩子，弄得無處立足。

關於稅管局楊盛鳳女士的被裁，更屬荒唐而趣味，原因係該局與另一機關，同時組織歌詠隊，楊女士竟捨棄本局的組合，而參加了另一個歌詠集團，遂引起了本局同仁不滿，而致群起包圍主管，促其克日解職……

八月三十一日《正氣日報通訊》：提高女權，男女平等的口號，已呼喚了數十年，而實際上女性在社會上的地位永遠是差人一肩，更有一班封建殘餘的渣滓，頑固地排擠女性，在婦女求獨立的途徑上，埋伏了種種障礙，名義上他們是民主國的公民，骨子裡不啻是反時代的希魔的信徒，假借著各種堂皇的名義，把職業女子擠進家庭，擠進廚房，甚至擠到街頭，直擠得一班知識女子走投無路，徬徨歧途，於是笑顏逐開，冷視別人的沉淪，此種不平等無理性的事實，又何其令人痛心疾首？

大人先生們口聲聲節省開支，緊縮裁員，目標卻始終在寥寥無幾的女職員身上，為了不接受祕書的贈予，為了不參加本機關的業餘組織，都成了裁汰的理由，說句良心話，像陪都這樣都市，所有的職業婦女亦不過占公務人員百分之十強，全國公務人員共有三十二萬六千九百十六人，女子占百分之十為三萬多人（實際上恐怕還不滿此數）。就算每人月支平均三千元，全體女職員每月所耗的薪津，只要幾個柳恕人、焦國楹、莫縣長之流就抵得過了，為了節省開支裁員當然是理直氣壯，但女職員究竟有限得可憐，杯水車薪，又濟得何事？而那批真正的社會吸血蟲，國家的蠹賊，卻反而逍遙法外，盡量的吸收著人民的金銀財物，孰大孰小，明眼人自然知道，而所謂婦女解放也者，在此類吸血蟲的幫凶眼中，早已直視不見了。

「一邊是真理與正義，一邊是荒淫與無恥」，真理正義受難而荒淫與無恥行道，社會也就夠遭殃了！文人學士正在高談闊論「提高女權啦」、「男女平等啦」、「先從社會觀念的改變做起啦」——諸如此類等等，但正人君子卻一聲不響，幹得非常乾脆：先以利誘，終為威逼，威逼不逞，那麼就裁員開刀，「理論與實際」，其距離何遙呀！

由於許多事實的告訴，求婦女解放問題不單在婦女本身健全與否及覓取社會觀念解放，而此是一個社會問題中的一環，求婦女入社會，參予國事，爭取人權，必要從整個社會著手！去社會而談女權乃求末捨本，結論早已放在眼前了。

編註：據艾雯手記，本文原刊於《凱報》，一九四四年九月。

誰在開玩笑？

——為〈不平則鳴〉質一平先生

凡是有正義感的人，看到不公平的事，情不自禁會挺身出來打抱不平，或說幾句公道話。筆者讀了《正氣日報》的屯溪通訊，因不平而寫了〈不平則鳴〉，不料一平先生竟說是「同男人開了大大的玩笑」。如果說因為被指責的是男子而傷了男子的尊嚴，那麼憑著封建的積威，將女子排擠出求生的途徑，那又是「同女子開了多大的玩笑」呢？站在「公理」的立場上，筆者絕對不衛護哪一邊，況此一問題並不是男子與女子的問題，而是整個的社會問題，婦女解放固然婦女本身要健全，但這只抓到問題的一面，如《正氣日報》「屯溪婦女就業暗礁」與本報十三日「泰和新秋」所寫婦女被裁情形，在這種惡勢力的危浪下，縱使女性意志再堅強，生活再嚴肅，也還不是照樣要被淘汰？難道說這不是「婦女解放問題，不單在婦女本身健全與否」嗎？（請注意這「單」字。）至於先生說筆者「否認」「意志薄弱，生活墮落，不是婦女解放一條可怕的枷鎖」。這簡直跟筆者「開了個大大的玩笑」。不知先生從哪兒看出了我的「否認」？就退言之，物有好的一面，也有壞的一面，意志薄弱，生活墮落的女子不能說沒有，但那不過是像出了些貪官污吏賣國賊之流，而不能抹煞所有的男子一樣，那都是部分的現象，少數的敗類，不能以片面的觀察就妄加臆斷，硬說白的是黑的，這是要不得的。

寫一篇文章不容易，評一篇文章當然更不會那樣簡單，首先就得懂得它的內容意義，和寫作目的，再以實事求是的態度，加以公正的批評。「斷章取義」，「吹毛求疵」，硬將別人的文章曲解了，隨便用罪名栽在別人身上，這不叫批評，是誣賴，是漫罵。不過話又得說回頭，一平先生與筆者無怨無仇，當然不會「無理取鬧」，這篇大作的總題是「燈下隨筆」，上猶沒有電燈，油燈下難免昏昏蒙蒙，看不明事物的真相，於是就糊糊塗塗，開了別人的玩笑，還說別人在開玩笑吧？

編註：據艾雯手記，本文原刊於《凱報》，一九四四年九月。

汽笛

尖銳的呼嘯，顫抖著：劃破了寧靜的長空；

千百個夢魘□碎！

從晨雀的翅尖，滑了一片柔和的朝陽；

那清新的空氣，有如初開百合的芳馨。

伸一個懶腰，讓昨宵的困倦疲勞，隨著草端凝結的露珠在晨曦中消逝。

窒悶了一晚的樓房、庭院，從漫長的黑暗中甦醒過來，揚起了騷動；緊閉的窗與門打開了！

赴早市的農人，匆匆地趕著路程。從曠場上，飄來壯丁們早操的口號！

大地活躍了。

呵！忠實的晨呼者：

你喚醒了沉睡的人們，

召來了輝煌的光明。

一九四四年十月十日

編註：本文未明出處。

病中寄語

你知道我是愛花的，尤其是在病中，在這貧乏的山城裡，雖沒有我最愛的玫瑰與紫羅蘭，但只要是花，我總是喜愛的。因我的要求，母親為我在窗櫺上擺了一瓶桂花，妹妹為我擷來了茉莉，那馥甜的桂子香與清雅的茉莉香，交織成一片濃郁的香霧，終日繚繞於枕畔，房中是靜謐的、岑寂的，只有窗外的細雨輕彈著芭蕉，我猛地憶起：

身事豈能逐，
桂花又已開。（桂原作係蘭）
病令新作少，
雨阻故人來。

可是，朋友，阻止你來的並不是雨，卻是那漫天的烽火。

「有母親在身邊，就是病了也是幸福的。」記不得是誰這麼說過，的確，病了自己倒不在意，母親可忙壞了。搬動著一雙解放腳，不時地噓寒問暖，為我弄這樣那樣，沐浴在她那春日般溫和的愛撫裡，有如拿根鵝毛在你臉上輕輕地拂拭著，心中有一種癢酥酥地說不出的感覺，會誘使你癡憨的向她撒嬌也只有在慈愛的母親面前才會顯露純潔的童心，天真的稚氣，童心原是誰都有的，只是有的給世故埋沒罷了！當母親舉起愛的鋤頭時，便給赤裸裸的掘發出來了。

正對著我的牀，是一扇窗，嵌在那上面的景物，六分之二是兩支塔頂似的屋脊，六分之一是一座墳堆似的山巒，其餘的空隙，卻完全為一片漠楞楞的灰色雲層填滿了，我愛天，愛那深邃的、神祕的、翠藍欲滴的藍天，當一朵潔白的浮雲在無邊的藍海中優遊時，又是怎樣的飄逸，怎樣的輕盈！可是駐留在我窗外的，永遠是那片凝滯而僵冷的灰色。「即使有一團烏雲也好，暴風雨後是不難有明朗的天空的。」我這樣祈盼著。但執拗的灰空並不因我的祈盼而起變化，依然冷冷地板著臉孔，我惱起來恨不得在它麻木的身上搗一個窟窿，讓寶石似的、藍瑪瑙似的淺絳，葡萄似的紫，玫瑰似的紅……一股腦兒地傾瀉出來——

最難得是幽靜的環境，這次我卻在病中覓得——一室之中，花氣氤氳，萬籟無聲，而殷勤問訊的，唯有縷縷幽甜的芳馨。窗外，西風疾捲著桐葉，一雙蒼鷹翱翔於高空，我拋書凝眸，肅然寂然，此時此心有如皓月之超然絕塵——寂寞原是恬淡可愛的，雖說堪與它作伴的難免會給人形容為孤獨冷僻，但比起庸俗的囂鬧來，我還是選中了它。

睡著寫字，就跟在校時初握鋤頭墾地一樣，總有點彆扭，而母親又要來干涉了。就此擱筆吧，當你接到此信時，可以猜想到我又拿起紅筆與剪刀了。

民國三十三年十月十三日

編註：本文未明出處。

閒談「名」

「人怕出名豬怕壯。」這是老話頭，實際上人是不怕出名，不但不怕，甚而愛還來不及哩！兩人初次見面，第一句恭維話就是「久仰大名」，「名」能為別人所仰，心裡實在有點快活，於是聰明人就根據一般人的心理，創造了這句處世的名言，而且一直傳至今。還仍給人們廣泛地採用著。

記得有一個故事說什麼皇帝與一個高僧登樓閒眺，只見滿街熙熙攘攘的行人，皇帝回顧高僧道：「卿知路上之行人有若干？」

高僧不假思索的答道：「兩人。」

皇帝覺得很奇怪，連忙問：「何以故？」

答曰：「一則為名，一則為利，豈非兩人？」

其實單純為「利」的還是庸碌無能之輩，聰明人則首先要圖一個「名」：十年寒窗，埋頭苦讀為的是「功名」；咬文嚼字，絞盡心血腦汁為的是在文壇馳「名」；今日演說，明朝開會為的是在社會聞「名」；調嗓子、練表情，為的是在藝壇出「名」。立貞節坊為的是「名」，爭權奪利為的是「名」，吻著長官的腳踵（當然是有相當地位的），大做其「香哉！」「美哉！」的捧拍文章，讓報紙給他登賠錢的廣告，也為的是出「名」，還有副刊報頭刊上編者的姓名，不管是報紙利用人做招牌，還是人利用報紙做宣傳工具，概括地說一句，總不外是「名」的問題。至於等而下之的，更有故意要別人罵，要別人打，而至成名，不惜下苦功，下本錢，真是形形色色，花□繁多。要是一旦「名」成，則威風凜凜，牌子響亮，不但身價十倍，也就利市百倍。例如「名官」刮地皮無妨，「名作家」就稿費高版稅多，「名妓」則客人多，「名師」就徒子徒孫多，「名醫」就病人多，「名商」就主顧多，「名票」就看客多。還有「名士」，「名人」，「名流」，「名婦」，「名媛」，「名匪」，「名盜」……總之頭上有「名」字銜的，至少也要比凡人高出一肩，當提起某人「大名鼎鼎」或「赫赫有名」時，往往大姆指一翹，表示了不起。「名」實在太惑人了，因此世上耽於「名」的人，比糞窖中的蛆還要多些。

曹操嘗說：「不能留芳百世，也應遺臭萬年。」英明如孟德公，其亟亟於名而不惜這億代之諷譏，今人的釣名沽譽，亦何足奇，亦何足奇哉！

編註：據艾雯手記，本文原刊於《凱報》，一九四四年十一月十七日。

門面

中國素稱大邦，因此國人最注重的是「門面」，最愛的是「面子」。一般中落的書香豪紳之家，那怕巍峨的大房子裡只剩下了棟樑與門窗，仍得裝模作樣地把牆粉白，大門漆黑，遇有婚喪喜事，押當了衣褥都得擺出闊綽的排場，還有些愛撐體面的人，裡面不妨塞一些破棉絮、爛布塊，卻一定也得包一件長衫或蹩腳西裝，名之為禮服。牀底下、抽屜裡，儘管是垃圾箱、老鼠窩，可是外面卻陳列著書櫃，鋪著潔白的牀毯，明明是傖夫俗子，廳堂上卻列滿了書畫，骨子裡儘管卑鄙、齷齪，表面上卻作古正經。更有些旅舍、商店，門面裝璜得富麗堂皇，裡面卻陰沉沉、黑黝黝地糟成一團，所謂「金玉其外，敗絮其中」，真一語道破了這「門面」哲學的面目。

個人的處世哲學既然講究「門面」，社會上的一切當然如此了。譬如清潔運動注重的是大街小道，小街僻巷中總是糞便狼藉，死鼠死貓塞滿了溝壑也無人顧問。上面來個命令應該建築些什麼什麼，於是一座座美觀的大廈裝飾品般堆砌在交通要衝的公路旁、馬路邊，主要的是外表醒目、漂亮。至於建築的材料是否堅固，支架是否合理，卻沒有人去理會，以致像最近××縣的剛造好的大禮堂就崩倒了。新贛南三年計畫五年建設計畫，原是要給新中國的一環打下鞏固的基礎，造成完美的新的贛南，可是像此種敷衍疏忽，有何成效可言呢？

炮火的洗禮，固然已無情地沖刷掉一些虛偽的「假面」，可是在社會上專門做「表面工作」的人，卻依舊像耗子般布遍在每一個角隅。這是個實幹硬幹的時代，需要的是不折不扣的工作態度和效能，再不能容那些耗子逍遙自在，貽害無窮了，為了新的事業與未來，我們應該一致起來，戳破那些紙糊的「假冠」！

民國三十三年十一月二十九日

編註：據艾雯手記，本文原刊於《凱報》，一九四四年十一月二十九日。

寂寞及歌

寂寞

你永遠地永遠地追逐在我身後，像一個幽靈般；無聲無息。

在蔚藍的天空，凝翠的遠山，潔白的牆垣，燙金的書面……到處都閃爍著你那狡猾而深湛的眸子，是怎樣地攝人魂魄的眸子喲！我閉上了眼，你卻悄悄地溜進我靈魂的窗櫺，占據了我的心坎。

是怎樣深沉的寂寞呀！連髮絲都染了淒涼。

雖說你曾助我產生靈感，寫下了詩與散文，雖說你曾默默地偎著我，伴我打發一些平凡的日子，然而煩悶點燃起無端的憤怒，我又恨不得把你撕成片片，捏成齏粉。

閃爍著輝煌的燈炬，一座鍍金的宮殿屹立在不遠的路畔，那奔放的歡樂，震撼了棟樑，一支歌曲串起了嬌豔的紅笑，一點什麼引起了沸騰的喧譁，□被那惑人的熱鬧誘引著……指尖抖抖地觸及了門環，驀地一聲沉痛的歎息，澆冷了我□奮的情緒，你瑟縮地站在老遠的角隅，抑鬱的眼光直注入我靈魂深處，想起過去的一段悠久的情誼，我不忍抹煞你無聲的請求，於是握起你冰冷的手指，悄然地踏上了歸途。

有一次，我終於掙脫你的懷抱，闖進了歡樂之宮，呵！那刺目的燈光，那污濁的空氣，那瘋狂的囂鬧……哦！那虛偽，那荒淫，那卑鄙，那無恥，那貪婪，那罪惡……哦！哦！我的頭作痛了，心作嘔了，全身的神經像蜜蜂螫了一日似地痙攣，像一隻鬥敗的公雞，狼狽地逃出了宮殿，漆花的大門在我背後「碰」的一響，關在裡面的是一陣輕蔑的冷笑……

在澄清的藍天下，璀璨的陽光裡，你依舊以冷漠卻是誠摯的態度來接待我，冷靜地醫治著我的創傷，冷靜地伴我踱蹀人生的路程上。呵！可愛又可惱的寂寞……讓我永遠地皈依你吧，你究竟是孤獨者唯一的忠實伴侶！

歌

我沒有清脆的嗓子，也沒有抑揚的聲帶，可是我愛唱歌：

我愛歌裡有光明的啟示；

我愛歌裡有正義的閃爍；

我愛歌裡有沸騰的熱情；

我愛歌裡有活躍的生命；

於是我放開喉嚨，縱情地歌唱，直到聲嘶力竭。
有人愛輕哼旖旎的小曲；
有人慣作激昂的高歌；
而我，只會笨拙地吐弄音波，播揚著人類缺乏的光和熱，愛和憎；
不管內行人的譏嘲，
我只把音階看成一條直線。
呵，我歌唱：我歌唱自然，我歌唱美的人生，我歌唱火和春天……
呵，我歌唱：我歌唱勇放，我歌唱善良，我要喚醒沉睡的人群……

編註：據艾雯手記，本文原刊於《凱報》，一九四四年十一月。

陽光

一連幾星期來，像荸薺糕般凝結得灰凍凍的雲層，今天居然融化了，碧藍的天宇點綴著幾朵白雲，太陽伸出了千萬隻璀璨的手指，溫煦地愛撫著樹梢、屋脊、街道……是怎樣爽朗的天氣喲！被雨珠壓倒的小草，欣欣地挺直了腰，從泥土裡，從山崗上，蒸發出一陣陣不知名的芳馨，播揚在清新的空氣中，太陽畢竟是可愛的，它給一切帶來了活躍的生命力。

主婦們是最懂得利用陽光的，在狹小的天井裡、欄杆上、走廊中、大門口……到處都給著上了毛織物、棉織物、絲織物……星羅棋布，五色繽紛，一進屋子，就像走進了衣莊店，不是長衫撞了鼻子，就是額角碰上了被單，陽光被篩成零零碎碎，彷彿給地面灑上了斑斕的花朵，瞧著舒腰展臂，浸浴在陽光裡的衣被雜件，心頭不禁癢癢難熬，於是端一把竹椅，在棉絮與絨衣中間找到了一個空隙，且舒展一下為「案牘勞形」的身軀，讓自己躺在溫暖的陽光裡……

哦！我是變得怎樣的健康和強壯呀！紫外線槍斃了一切細菌，紅外線染黑了蒼白的色素；拋棄了剩餘的魚肝油，摔碎了所有的藥瓶。我像一匹脫韁的小馬般，撒野地奔馳在燦爛的陽光下，奔馳在廣闊的草原上。各種淡紫嫣紅、翠綠、金黃的野山果，瓔珞般懸結在樹端、巖崖，無數不知名的奇花異草，嫵媚地遍布在山野。森林是我的寢室，江流是我的浴盆，山峰是我的瞭望塔，原野是我的運動場，而我最愛聽的音樂是松濤海嘯。白雲在我頭頂疾馳，我看見駕駛它的是一個絕色的天使，太陽用千萬條金線為他織成了羅衣，明星綴成的項圈閃爍在他可愛的胸膛，彩虹在他腰間飄舞著，在他優美的頭上，正戴著一頂華麗的花冠，輕拍著潔白的雙翼，用和藹的微笑照耀著大地。哦，哦，大自然的女神：我迷戀著妳的姿態，我陶醉在妳甜蜜的微笑中……

哦！美麗的大自然！豐富的大自然；我要告訴終日伏案的文化工作者、小公務員……以及關閉在小天地中的人們，於是我攀登上高山之嶺，城垣河泊螻蛄般蟄在我腳下，煙雲靄靄地繚繞於山腰，我挺起強健的胸膛，開始縱情地歡呼，縱情地歌唱，千巖萬峰，聞聲而向我奔來——

陽光早為對面高聳的屋脊所阻擋，我僅穿著襯衣的身體已給凍得麻痺了。現實的木棒搗破夢幻的紙窗，我不禁詛咒起高牆來，啊！你這泥塑木雕的笨東西：你不但壟斷了新鮮的空氣，你還剝奪了人們的光和熱，太陽原是大同博愛的，都是你們這些所謂都市的文明，破壞了一切大自然的賜予。

上猶・民國三十三年十一月

編註：本文未明出處。

簫

夜半，大地安息了，何處愛月眠遲的雅人，吹弄起幽揚的洞簫？
那撩人的、撩人的音波喲！好似飄曳在空中的游絲，緊緊地、緊緊地扣定了我的心弦。
悱惻、悽婉，有如新孀低訴哀怨；
柔和、悠慢，像慈母輕哼著催眠。
呵！苗條的簫孃：
妳生長在綠蔭的山野，
妳慣聽森林的私語，小溪的低吟；
還有，還有那婉轉的鳥唱，清脆的蟲鳴；
一切大自然的聲音，妳都熟悉：
人們巧妙地把妳砍下：翠衫換上了斑衣——
指頭頻頻地愛撫；

嘴唇密密地親吻；
於是妳陶醉了，於是妳抖動著惑人的悠音；
是怎樣縱情地歌唱呀！
顫抖地、激動地，將生平所學的一起吐向人間。

民國三十三年十一月

編註：本文未明出處。

火・風

火

為了驅逐房中的寒冷，生起了一盆火。

那黑色而醜陋的小東西是怎樣地神奇呀！「咄咄」地噴著氣，熱情地燃燒著自己，以致渾身都呈現著紅赤，火舌在空中撩撥著，暴怒使骨骼軋軋地發響，黑的變成紅的，紅的又變成白的粉灰，於是新的黑的生力軍又開到了，像猩紅熱的傳染般，新夥伴立刻感染上了老夥伴的熱情，站立在夥伴們的殘骸上，勇敢地執行它們的任務……

寒冷給嚇慌了，像一隻挨了打的餓狗，猥瑣地瑟縮地退到角落裡，悄悄地溜走了。

我默默地諦視著火的幻變，心坎起伏著思想的潮汐……

有人說：冬日的火像愛情，它那強烈的、熾熱的擁抱，使你有一種酥軟的、略帶昏眩的感覺。一股熱流迅速地由髮尖通到腳趾，心靈給迷糊地陶醉了，神經像缺少機油的發條般鬆懈下來；而所有的意識彷彿都散到空中去了，那時你會忘卻嚴寒，忘卻現實，忘卻世上的一切醜惡！

有人說：火像友誼，它那溫暖的撫拂，宛似一隻柔腴的手掌，輕輕地、軟軟地撫摸著你的全身心，使你每一個細胞都像浸浴了一次溫泉般輕快而鬆暢，而一種和諧恬愉的情緒，似春草般在你心頭滋長，那時你將忘卻酷冷，忘卻憂煩，忘卻殘酷的生活的鞭子。

可是在火給予的溫暖中，我卻依舊體味到嚴冬的氣氛。

風

從天際颳向大地，又從大地颳向遠處，風像失去了理性的醉漢，顛狂、潑賴而撒野。

大地抖索著，灰沙蒙蔽了天日……

樹木無可奈何地搖晃著，彎腰、作揖，可是依舊逃不了可怕的厄運，肢節摧斷了，僅存著遮體的些微黃葉，生生地給揮拔下捲向天空。

溝渠裡的積水吹凍了，結凝成僵冷的一片。

店鋪收下了招牌，半開著板門；市街像年初的清冷。

行人們聳起肩膀，縮下了頸脖，瑟縮地疾走著：然而頑強的風不是迎頭趕上，用堅冷的巨掌搡著推著，打得人眼花氣噤，便是從沒面兇猛地追撲著，彷彿要一股勁把你捲上天去。

用稚嫩的身軀抗拒著北風無情地凌虐，孩子們勇敢地奔向學校，鼻尖、兩頰，紅似五月的鮮花，一雙小手乃像爛熟的柿子了。

風頑皮地抓起了灰沙，在空中旋舞著，我躲進自己的防線——室內，聽紙窗在辟拍，北風在示威，而忽然門環「的塔」地響了。

「是誰呢？這麼冷！」

我遲疑地打開了門，「呼……」喲！這可惡的東西：又是鬼風！它正狡猾地窺候著，門一開，便趁勢撲了個滿懷，冰冷的手指直探過了我的項背，並且強暴地闖進了室內，我哆嗦著，嚥下了一口冰水，狠狠地碰上了大門。

「唿！唿！唿！」風勝利的獰笑著，像一個魔鬼。

大地抖索著，灰沙蒙蔽了天日……

十二月二十日

編註：據艾雯手記，本文原刊於《凱報》，一九四四年十二月二十日。

這一角

七年來，戰爭給中國的領土劃分成三個不同性質的區域：前線、大後方以及淪陷區。然而東南的這一角，人們卻不知該安上怎樣的名稱。這裡嗅不到炮藥的氣息，也未曾有過侵略者的獸跡，可是它卻讓這些那些圍困成一個口袋。最後，當蔓延著的烽火封鎖了唯一的出路——袋口時（衡桂棄守），這一角便像一節被截斷的壁虎尾巴，給擱在一邊；雖然是脫離了母體，但它還是生存著，然而它是孤立了。

這是個特殊的區域！

在這裡，人們渾渾噩噩地生活著；有的編織著緋色的美夢，有的貪戀著紙醉金迷的生涯，有的逐鹿於名利場中，有的為自己平凡的生活忙碌，也有在牛角尖裡吹法螺，在象牙塔中琢磨藝術。隔離了海的人會忘卻海的澎湃、海的怒吼、海的奮鬥……關閉在這一隅的人們，彷彿亦淡忘了祖國在浴血抗戰，只有於享受感到缺乏時，才記起這是什麼時候。

然而，在一個海洋裡是避不掉風浪的，這兒亦不是絕對偏安的一角，當戰爭的飀風稍微吹過來，謠言像濃霧般瀰漫了整個角隅，恐懼、驚惶、緊扣著每一個人的心扉，人們慌亂得宛似一群摘了翅膀的蒼蠅，從這一角遷到那一角，而那一角又避向這一角，人人都認為自己正處在火山口，而別人登的是安全土。但結果除少數大亨闊老能以金銀換來雙翼飛出這一角外，人們忙亂了一頓卻依舊像池塘內的魚：跨不出雷池一步。直到颶風換了方向，人們才從烏煙瘴氣中喘過一口氣來，慢慢地又恢復了從前的生活。

這一角，是特殊的區域，人們給封閉在口袋裡，平心靜氣地等待著外力的解放。可是有人想到用力來撕毀這口袋嗎？

編註：據艾雯手記，本文原刊於《凱報》，一九四四年十二月二十四日。

生命

一座住宅如果缺少了庭園，就如人患著傷風，呼吸總有點兒不舒暢，我希望有一個廣大的園子就像希望有一個強健的肺一樣，可以容納大量沁甜的新鮮空氣。然而這是個建築物在空間競爭的時代，廣大的園子實在和強健的肺一樣不易得到。

我們新遷的屋子是一幢中式的小洋房，前面有一塊不到二丈見方的空地，中間擠滿了花壇，花架，花盆……沒有樣子也沒有格式，只是密密叢叢地堆疊著，從這裡，我們可以窺見主人的風格，也許他正想效顰一般風雅清高之士栽菊籬畔或種花圃中，然而又沒有藝術的眼光及欣賞的能力，於是從花匠手裡購得些盆景、樹苗等，填滿了這一塊空地，美其名曰「花園」，這與懸掛在廳上幾副不三不四、亦古亦新的對聯字畫，描出了那位觀摩它們的「雅」主人的知識與修養。

在青青綠綠的葉叢中，嵌著一口陳舊的七石缸，外面塗著污泥，因為生滿了青苔，看不出裡面的水究竟是暗綠色還是深褐色，除了雨珠跌下時激起了圈連圈的漪漣，平時總是靜靜的，有時水面遠飄浮著幾片落葉。

孩子們總是好奇的，初來時這口古老的缸曾一度引起了他們的興趣，於是竹竿、篾片，像掘發寶藏般在水裡攪了一頓，結果是什麼也沒有。

「這是裝什麼的呢？」

「種荷花的。」

「那麼荷花呢？」

「枯了。」

孩子們從大人處得到了輕描淡寫的解釋，失望地放棄了攪弄的工作，從此，再沒有人予這口缸以青睞了。

北風一緊，小園就變了顏色，原來擠得密密叢叢的年輕的花木，現在一起顯得稀疏而衰老了，憔悴地在寒風裡抖索著，七石缸赤裸裸地給剝露在外面，只有幾根光禿禿的枝椏還眷戀地依偎著它。清晨，水面凝結著一層薄冰，那透明的結晶體閃閃地在朝陽下閃爍著，像一面晶瑩的明鏡。

太陽是大眾的愛人。她的和煦的愛撫，帶來了溫暖也融解了冰雪，浴著陽光我在小園裡躑躅著，無意地撥開一叢枯枝，突然眼角上那麼一亮——喲！一尾，二尾，二尾美麗的紅金魚正在缸面優游著，輕擺著百褶裙似的尾巴，漾開的小翅像紅色玻璃紙般透明可愛，牠們不時昂起有兩顆鼓突的圓眼珠的頭顱，透出水面來，兩鰓有節奏地啟含著，我給這奇蹟怔住了，如果是孩子們一定會大聲嚷起來，宣布自己的發現，可是我卻噤著聲，只是木然地注視著。這不是奇蹟嗎？誰料得到這口陳舊古老的缸裡竟有著活躍的生命！捱著冷，挨著餓，然而牠們卻硬朗地活著。是怎樣的神異呀！那潛伏著的倔強的生命力。

民國三十三年聖誕日

編註：本文未明出處。

迎著三四年

隨著地球不停地轉動，三百六十五個日子又在日曆上撕去了。在勝利的預兆中，人們以歡欣的熱忱迎來了民國三十四年。時間的逝去，沒有聲音也沒有痕跡，只在中年人臉上刻下了一些皺紋，老年人頭上增添了數莖白髮，而經過一年的磨練、認識，青年人是更堅強果敢了。

「新」給人的印象總是醒目的，美好的，為了慶祝新的一年，人們紮起了新鮮的彩坊，穿起了新的衣服。見人就道著「恭喜」……然而，「新年仍是舊年人」。外表的「新」是不足輕重的。我們需要的是內在的革新——一種蛻去舊習慣，建立新志願的革新。在一年的開端，正是新陳代謝的好機會；朋友，請鎮靜你的腦筋，平靜你的心胸，讓我們一同做一番自我檢討吧！過去一年中生活得怎樣？忠實嗎？積極嗎？學業上自否進步了呢？道德上呢？還有修養？……

歷史邁開了勁□的腳步，時代的巨輪正飛快地躍進著，這是個競爭的時代、戰鬥的世界，要生存只有迎頭趕上，不然，社會的畚箕會把你篩走，時代的巨輪會把你拋下；朋友，讓我們把一切腐敗、頹唐、委靡墮落的生活渣滓，像割棄一個贅瘤般棄遺吧！迎著一九四五——勝利年的來臨，我們要建立一個崇高的信仰，一個偉大的志願，一個健全的身心！

編註：據內文推斷，本文應寫於一九四五年初，未明出處。

石榴花紅時

——追悼一個朋友

五月，暮春時節，時間沖淡了緋桃留下的嬌豔，而素淨的柚子花亦不復散布它幽甜的芳馨；默默地，為秋天安排下一頓豐收。這時在光澤的濃綠叢中，開始點綴著一朵朵鮮紅的花朵，像一球球熾明燦爛的烈火凝集在枝葉間，那是榴花。沒有桃花的俏媚，也沒有柚子花的秀雅；可是渾凝端莊，別具一番富麗堂皇的風度。宛似一個靚妝的大家閨秀，佇立在一群爭妍鬥媚，搔首弄姿的小家碧玉中。

——也是石榴花紅時，你我逗留在芊綿的纖草地上，一道小溪在身邊湲潺地蜿蜒著：兩岸綠濃紅嫣的倒影，盪漾在碧色的水面，偶然有幾片綠葉給淘氣的小鳥撣落，便給溪水推著擠著，帶去遙遠的國土。

像一座凝結的石膏像，顰著眉，你一個學者似地沉思著，榴花映紅了你蒼白的臉龐，更染紅了你如暈的笑靨，可是你沒有笑，困惑的神情瀰漫在你整個臉部。

穿過石罅，越過草堆，溪水永無休止地前進著；激流偶然抵住了頑石，便急憤地挺著，撞著，晶瑩的水珠放花般迸濺開來，一鼓勁，再鼓勁，終於越過了障礙。於是它勝利的笑了，顯露出那樣深邃地笑渦。喘著氣奔跑過一段路程，再緩緩地合上了隊伍，那一場惡鬥是怎樣地苦了它喲！看它拽開了淺碧的羅衣，潔白的胸膛還不住地起伏著。

「人生就彷彿是這道小溪，終日追逐、奔波，為生存向一切障礙宣戰。可是人生的真諦究竟又是什麼呢？」你迷惘地拆散一朵榴花，讓片片的花瓣飄落在□□的水面。

「陽光照遍了宇宙，卻照不見太陽本身，生命不過是由人暫拿著的一支蠟燭，我們只要把它燃亮，又何必去根究它的因果？」

「你是叫我懵懂一世？」

「可是懵懂已造成了數千年的歷史。」

「難道就不能開闢新的史頁嗎？活著而不知活的意義，就跟走著路卻沒有目的一樣，是盲目的。我一定要用生的力量來求出生的真諦。」興奮燃亮了你的眼睛，一個願望像一顆種籽埋進了肥沃的土地，懷著堅毅不拔的決心，你開始踏上尋求的征途。

從書本、自然……你宵旰勤勞地尋求著，尋求著人生的意義，各派的學說理論，混淆了你的思想；玄奧微妙的宇宙，更費盡了你的考究，一長串光陰逝去在你不得要領的苦惱中。你還沒有弄清楚「生」到底是怎麼一會事，「死」卻把你帶到了另一個世界，從你僵凝的臉部，緊闔的唇畔；我依稀讀到一個固執地？——我懂得倔強的你是不會在死神面前屈服的。

「人以生而欲了解人生，無異想用自己的力量把自身提懸在空中。這是怎樣地一樁錯誤喲！朋友，你誤了自己了？」一個來悼你的朋友惋惜而帶責備地呢喃著：獻一個美麗的榴花圈在你墓頂。鮮豔的紅光正映著他洋溢著生命力的臉頰。

我哀默地藏過一朵紅豔的榴花，為的是紀念堅強而執拗的你。

今年榴花又開了。那鮮明的色彩，正象徵著生命的燦爛，我打開書本，找出去年保留的那一朵，哦，那是怎樣地枯黃而憔悴啊！我想起埋在黃土中的你，一片淚水模糊了我的眼睛……

改舊作・民國三十四年五月五日

編註：本文未明出處。

遊街及示眾

近年來，在熱鬧的街道或市區的中心，時常可以看到一些蒼白著臉或羞紅著臉的人，□□敲著鑼，嚷著：「諸君休要學我的榜樣。」等語，踉蹌地在街上遊行著，後面照例有幾個揮著鞭子的人押著。不然就是一群三四個人，反綁著手，戴著紙帽跪在路中間，羞愧地低著頭隨觀眾嘲笑著、侮弄著。這情形不禁使人想起平時看的連環圖畫上所繪，騎著騾子，插著草□，打著鑼由一些帶紅纓帽的差人押著遊街的畫面，接著又聯想到古老野蠻的□足、剉腰、斬首等酷刑，這是什麼朝代什麼時候的刑罰，我卻弄不清楚，我只知道現在是文明的民國，專制野蠻的制度早已成為歷史上的紀錄了。在國家力求進步，趕上時代的今日，還搬出這樣陳舊腐朽□醜□來重演，這是國家的悲哀，也是人民的悲哀。

我沒有學過法律，不懂得這種刑罰究竟是屬於專斷主義還是法定主義，但我翻開民國二十四年政府公布之〈中華民國刑法〉，上面只刊載了死刑、無期徒刑、有期徒刑、拘役和罰金等罰法，並沒有示眾這一條，想來這大概是屬於□者的了。這實在是一種無人道而不收成效的處罰，受罰者精神上所負的痛苦與自尊心的被傷害，我相信一定比肉體上施刑受鞭笞還要難受，一個人除非到了麻木不仁的地步，良知總還是有的。這樣一來，犯罪者的臉皮當眾揭破，他的人格也毀壞無餘，在社會上的名譽、地位、信用統統都跟著毀滅了，還有什麼不敢做，還有什麼做不出的呢？同時在這「壞事傳千年，好事一盞煙」的社會裡，那怕他已改過了、自新了，別人總記著他是犯過法示過眾來，不是遠而避之，就是向他擲去輕蔑的一瞥或諷刺的嘲笑。人總是愛受人尊敬的，至少也盼望同等看待，試想在這種狀況下，誰又忍得住？於是小偷扒手就變本加厲，鋌而走險，當強盜、當土匪、賭犯、姦淫犯，公糧拖欠者沒有勇氣走險，又沒有勇氣忍恥偷生，那麼就只有尋死路了。施這種刑罰而收改過自新之效的，可說是寥若晨星。

刑罰原是報復犯罪者過去的犯罪，卻並不是任意摧毀一個人的人格與尊嚴，當然，為了維護社會秩序，預防將來之犯罪，對於犯罪者，□應嚴□地予以處罰。但這必須看犯罪的性質，而加以拘押，苦役、罰金等刑罰，一方面則設法感化教育，促使他悔過自新。遊街示眾，這種古老野蠻的酷刑，是文明國家所不取的，除非犯罪者是罪大惡極，喪心病狂的漢奸！

於平富・六月十六日

編註：據艾雯手記，本文原刊於《凱報・大地副刊》，一九四五年六月十六日。

《大地》的回顧與前瞻

本報誕生已整整二週年了，而由我兼編《大地》還只六個月。

一年前，本報副刊是個什麼樣子，我不大清楚；記得去年也是這個時候，我才結識了也接近了在革新中的《大地》，那時前編者以「篳路藍縷」的精神，悉心竭力地為本刊開拓著出路。逐漸地，《大地》居然在東南這一角建立了信譽，也在讀者那裡獲得了愛戴。我真正為它迅速地進步而感到歡欣。可是災難來到了！贛南驟然犯□，上猶陷入圍困的狀態。交通斷絕了，一切稿件的來源亦完全中斷，這一□嚴重的打擊，使《大地》這枝脆嫩的幼苗二個月沒有站起來。就在這時，我在前任編者手裡接過了一束剩下的舊稿，慘澹地耕耘起這塊□□荒蕪的園地。

鬥士是不會屈服不知妥協的。憑著我們不變的決心與熱情，在諸般困難中，《大地》巍巍巔巔站在自己崗位上又已半年了。

作為一個良好的副刊，它應該是對一切醜惡作戰的鬥士，正義的扶植者，民眾的導師，與□□面首的社論是具有同樣的重要性的。只不過表現的手法不同：社論好比是板著臉，一本正經站在講壇上說教的長者。而副刊就像是一個活潑熱情的朋友，他親摯地傍著你說笑著，然而在輕鬆的笑談裡卻蘊藏著真理，使你聆聽後有深永的影響與回味！假如說稿紙本身是重炮、巴楚卡，那麼副刊該是手榴彈、勃朗寧；在文化戰線上，它們是應該配合著作戰的。而在這東南與大後方文化交流被阻斷的今天，副刊更負起了過去大□文藝時期所負的任務：就是盡量地刊載純文藝性的作品，以發揮文藝的戰鬥性和充實東南的文藝陣容。在過去一年裡，本刊一直都在這方面試作著努力，乃產生了《詩藝術》，《文談》，《文藝評論》這幾種小型的半月刊（現暫停），最近又印了純文藝性的《大地文藝叢刊》，這一點微小的成績，我雖不敢說是對「東南文藝運動」的貢獻，我們只是秉著文化工作者「有一分熱發一分光」的忠誠、熱忱，盡著自己的力量；不，是匯合起廣大讀者們的力量。

由於各方面的需要，本報為達報刊雜誌化之旨，絡續出刊兩種：一為專供老百姓閱讀的《人家看》週刊，一為綜合性的副刊《民聞》（九一刊），□是可能的話，還想開闢一塊以供一班愛好文藝的青年學子學習，研究的園地。這樣一來，《大地》就可以依照原來的編輯方針，成為純文藝性的讀物了。純文藝性是一個目標，提高作品的水準，也是我們始終不忘的要求。「特性的所在不是迎合讀者的趣味，而是領導讀者的趣味」，而空洞的大塊文章、詞藻的堆砌、新風花雪月的詠吟，不但其本身缺乏文藝的戰鬥性，同時還是危害新文藝運動的毒菌。因此，本刊所樂於刊載的作品是：能反映現實，富有戰鬥性而文筆生動，簡潔的小說、散文、戲劇、詩歌，建設性的文藝理論、文藝評論，以及潑辣、幽默、針砭黑暗、闡揚真理的雜感等。總而言之，我們需要的是立體的「質」的改良、提高，而不是平面的「量」的多產、濫造。

《大地》原是一塊公共的園地，編者不過是一名負責管理的園丁，我不想在這裡多說要完成怎樣的任務、達成怎樣的目的；忠實的工作者該是「只問耕耘，不問收穫」的，在這裡，大膽地，然而是熱誠地，我向愛護本刊的諸君伸出了待援的手；萬里長城不是一人一磚的力量築成的，《大地》的充實、繁榮，尚有待大家切實的援助與培植！

編註：據艾雯手記，本文原刊於《凱報》，一九四五年八月十三日。

勝利感言

呵！今天終於來臨了，今天，這個數萬萬心靈熱切盼望的日子，這個使人歡舞欲狂的日子，像一條美麗璀璨的虹霓，突破濃厚的黑雲，呈現於東方，橫貫了整個的蒼宇。

八年多了，是怎樣悠長的一串時光！人們在黑暗裡躓仆著，在困苦中掙扎著。多少意志不堅定的給黑暗吞噬了，多少人沒有毅力接受困苦而出賣了良心、靈魂；可是光明總歸要來的，並不因為黑暗的阻礙而遲滯其壯健的腳步，有堅定的信念，能與苦難對抗的人有福了。

當勝利的號角吹送出歡樂的曲調，當黎明的陽光劃破了雲塊；從工廠中，從農場上，從辦公室……人們踢開了困苦的枷鎖，撕去了悲哀的外衣，響應著號角的呼聲，來迎接第一道輝煌的陽光——那是一隻溫暖的巨掌，它撫慰了千萬顆創痕累累的心靈，那是一面交織著自由、平等、博愛的三色旗，招展於愛好和平古國的上空。一切醜惡在它面前銷聲匿跡，一切黑暗在它面前遁逝潛伏；正義伸張了！真理在激動中昂然抬起了頭，強權終究是要遭覆滅的，橫暴的結果是自食其果。

天亮了，漫漠的長夜業已死亡。黑暗是不敢正視光明的，它們只有悄悄地潛遁或無可奈何的死去，然而尚有許多惡勢力的渣滓，狡猾地刷上金光燦爛的外殼，混淆在黎明的原野裡，阻斷了無數支矚望著遠景的眼光，障蔽了億萬顆渴望著光明的心靈。中國這古老的民族，在這三千多個堅苦作戰的日子裡，有的是邁進了一世紀的腳步，有的卻反而蒙上了灰暗的色彩，陷溺在污濁的淤瀦中，忠直的人民在物價的高漲、生活的重壓下，折了腰背，斷了脊骨。個個都染上了沉重的蒼白症，在前線作戰的英雄將士們亦面菜肌黃，輾轉於飢寒線上，而一班大商賈由國貨築成的皇座卻越填越高，貪官貪得變本加厲，□弊的花樣也層出無窮。「一面是嚴肅的工作，一面卻是荒淫與無恥」，這是多麼令人痛心的事！

抗戰八年，戰士們用正義的槍桿，文化人用正義的筆尖，誅伐了侵略者。如今外侮已去，我們應該迅速掉轉槍桿筆尖，配合著實施民主憲政的先聲，肅清自己的陣線，掃除黑暗的渣滓。

編註：據內文推斷，本文應寫於一九四五年八月十五日，未明出處。

建立「心防」

——寫在二屆記者節

二屆記者節適在這萬民同歡、共慶勝利的今天來臨，乃使我們感到加倍的興奮與歡欣，八年來一切都在艱苦中支持，新聞界當然亦不能例外，尤其是在□□以及形成孤立的東南，油墨、電池、紙張等種種物質條件都不夠，加之交通的阻塞，郵遞的遲滯，更增加了一張報紙刊出的困難，可是在這重重疊疊的艱難困苦中，報紙不但沒有挫折得一蹶不振，反而像雨後春筍般在各處堅硬的、未經開墾的土地上萌生了新芽，一個個響亮的、激烈的、典雅的報名，似一支支奇軍般突起在新聞戰線上，雖然在各方面由於條件的限制，現在還差強人意，但這已充分地表現出新聞從業員堅定的戰鬥性，與「威武不能屈，富貴不能淫」的工作精神，這一點，我們是堪告自慰的。

自聖戰開展以來，新聞界最顯著的轉變，就是新聞文化的進展與普及，在戰前，一些報章大都集中在有限的幾個大都市、大商埠裡，所報導的也只是些瑣聞雜錄、風花雪月等歌舞升平的文字消息，以供一班大人先生當作茶餘飯後的談話資料，可是盧溝橋的炮聲一響，這古老民族的一切都有了急轉直下的改變，「武化人」掮起了槍桿，「文化人」亦一變早日咬文嚼字、細敲慢斟的斯文性子，掉轉起筆桿瞄準我們敵人，筆桿不遜於槍桿，紙彈亦不亞於子彈，多少衣不蔽體、食不得飽的新聞文化工作者，堅苦的□劃著光明，針砭著黑暗，揭發種種奸偽、貪污的黑幕，多少新聞記者追隨著將士們的足跡出入於槍林彈雨中，採訪著可歌可泣的抗戰史蹟。如報界先驅者朱惺公、金□亭等至死不屈、捨身取義的精神，更在抗戰史上寫下了輝煌的一頁。

經過八年的苦鬥，抗戰已經勝利了，然而還有更艱鉅偉大的建國工作，正待我們去完成。「無科學即無國防，無國防即無國家」，中國這次抗戰這樣的艱苦，就因科學不利發達，與國防工作的欠缺，為免重蹈覆轍起見，戰後建設的第一步當然是應該鞏固國防。這是單就物質方面來說，與鞏固國防具有同樣重要性的，就是建立精神上的「心防」，抗戰初期，全國上下都敵愾同仇，民心振奮，大有氣吞□島之勢，可是不到幾年，不堅定的人就消沉下來，有懷疑自己國力的，有患恐日病的，甚至有些肝腦塗地的懦蟲，自命為識時務者，不惜向敵偽屈膝求和的，這些都是心臟衰弱的重患者，沒有堅定的信念，缺乏自信心，唯一對症妙藥，就是要建立起他們的「心防」，也就是建立「自信」，報紙原是宣傳國策，喚醒民眾，鼓舞士氣，闡揚正義的社會工具，而啟迪民智，培養民德，感化民眾，改造社會心理，更是新聞從業員的職責，建立「心防」這一樣使命是我們義不容辭的任務，親愛的同業們：不管「我們吃的是草□的是乳。」不管別人尊我們是「無冕之皇」或貶為「不祥之人」，讓我們秉著先驅者大無畏的精神，本著新聞從業員的忠誠、熱忱，一致朝向新的目標「建立心防」前進！

編註：據艾雯手記，本文原刊於《凱報》，一九四五年九月一日。

這是求「享樂」的時候了嗎？

——由太平洋戰爭四週年想起

且不管勝利是用什麼代價換來的，在水深火熱中煎熬了三千個日子的中國終於從苦難中解放出來了。人們大大地鬆一口氣，抖落了八年的困頓：讓時間慢慢塵封起那些艱辛的歲月，沉痛的教訓，又開始活躍起來：是啦！這還不該高興嗎？沒有人欺凌，沒有人侮辱，中國的土地是我們自己的了。而且，而且平常被列強輕視的半殖民地的國家，已躋入「三強」而成為「四強」之一咧！「國」進了級，人民當然也要高升了。不說別的，單就「強國」之「強民」的身分而論：也該要求與列強人民同等享受。於是機靈慧黠的中華大國民們，當國家尚在計畫著怎樣「復員」、怎樣建國的當口，他們卻已自動地實踐起「復員」與「建業」了。不是嗎？試看一般抗戰期中靠混水摸魚發了國難財的，以及躲在戰壕後面稱英雄的人，不都買棹欲歸，計畫或動手建築象牙之塔的住宅，原子時代國家的設備，貴族化的排場，劃時代的享樂……總而言之，是使享受比戰時，不，也許比戰前更明朗化，尖銳化。而一般小市民、小布爾喬亞們，亦一一挺身摔去了戰時因物質缺乏而沒奈何養成的一點樸質之風，實行起所謂「脫我戰時破舊衣，還我平時華達呢」，逢人便津津有味地述說過去以及即將重新獲得的奢華、逸樂的生活：

「熬了這八年的苦，還不要盡量地樂上一樂！」

或是：

「勝利了，不但要復員，還要變本加厲哩！」於是一瞇眼，神往著紙醉金迷、燈紅酒綠的生涯，禁不住孜孜地去追求、獲得。

是的，苦鬥了八年，中國總算獲得了最後勝利，這不但是值得，而且是應該慶幸歡樂的，但回顧國內，瘡痍滿目，遍體鱗傷，又豈是我們享樂的時候？位列四強，強又在何處？有什麼稱得上強、趕得上列強的？人家已經進化到原子時代了，我們休說離機械時代還差得遠，就比戰敗國日本還差一截呢！捫心自問，正該慚愧警惕，刻苦趕上又豈容個人講究受用，追求享樂？固然我國人生活簡陋困苦，普遍地改善生活素質，提高生活水準，亦是建國聲中亟待解決的民生問題，但那並不是說穿布衣的一定要換華達呢、絲嗶嘰，住平房、吃米飯的，一定要蓋高樓大廈、吃牛奶土司等少數人的超越享受。

健全的生活是建築在健全的國度裡的，譬如一張畫片，不管它怎樣精緻、美麗，沒有堅牢完美的鏡框，不久定會褪色，湮沒，直至腐朽，如果畫片有好的框保護烘襯，則美益彰稱且能永恆保持。人與國的關係亦彷彿如此，只要國家能與列強並駕齊驅，則個人生活自能與強國□□媲美於世，否則定要跋扈超前，那就似沙灘築屋，再好也是徒然的。

國難甫除，正是痛定思痛，勵精圖治的時候，還不是歌舞升平，個人講究享樂的辰光！

於上猶

編註：據艾雯手記，本文原刊於《正氣日報》，一九四五年十二月八日。

剜肉補瘡

各縣屬機構奉得上峰明令，馬上又要縮編調整了，聽說這次調整的原因是使一部分公僕的待遇可略為提高，當局為體恤旰宵劬勞的公務員而定下這種「減員增薪」，「移東補西」的妙策，想必煞費了一番苦心。

八年浴血抗戰中，在後方埋頭苦幹的是公務員，忍飢耐寒的是公務員，茹辛含苦的是公務員，在百物飛漲中頂不值錢的是公務員……而公務員中最苦的又是縣級公務員。他們謹守著自己的崗位，啃著糙米粗蔬，像一支支鑽鬆泥塊的蚯蚓般，默默地勤勉地在廣袤肥沃的土地上做著基層工作。沒有人曉得他們的苦艱，也沒有人會體念到他們的艱苦——砌成一幢高牆的光榮是屬於安置在頂端那少數的磚塊，而負重最重的填腳磚一向就無人理會得，勝利了，做官的官更大，發財的財更多，可憐的小公務員他們當然不敢妄想榮獲勛章或撈一批財物，他們只盼望從此從窮困中解放出來，捉襟見肘的窮酸相，似乎該整頓一下，面黃肌瘦的孩子們亦該有一點營養……然而，沒有。八九年希望的結果是仍得束緊皮帶，陷在貧苦的泥窪裡，悵望那些扶搖直上，離自己越來越遠的米、布、油、肉……他們受不住生活的壓榨，亦曾向各界呼籲，向上峰申訴；但同情本身是沒有力量的，微弱的呼聲又難能透過那些厚德厚福綿綿的耳朵。如今好了！明令下來，當局居然開恩顧及下情，小公務員正想舒一口窮氣，然而卻發現在「調整待遇」之後，還拖著一條悲哀的尾巴：「裁員」。這就是說一部分獲得溫飽，一部分卻必須另找生路，且想想他們平日的生活一直都陷在半飢半飽的狀態中，在這交通困難，動輒十萬百萬的時候，教他們到哪兒去找生路？賣東西，又無東西可賣，做小販，幾個遣散費還不夠本，如果沒有好運氣，那就只好預備做餓殍。

從這一個政策來看：顯然地，中國是進步了。這古老的國家直到最近，一逕都是謹守著聖人傳下的中庸之道，不論做人做事，一向都採取適中庸之道不趨極端，許是受了「舶來精神」的影響，如今居然亦打破成例，不能不說是一種革新，一種好的現象；不是嗎？免得大家半飢半飽，不生不死。這樣既然救拔了一些人才，又不為貧困的國家增加一些負擔。至於那些被裁的當然是職位微小，能力薄弱的庸材、飯包。「適者生存」，為求國家富強，社會進化，唯有「去莠存良」；只可惜中國做這一著太遲了，未能像德國之及早提倡「生育制限」，根本不讓那些庸材低能兒流闖進這世界來。現在「半路出家」，所謂庸材飯包每人亦已生了一張甚至數張口，一個甚或幾個肚子，曉得吃而且不能不吃，同時他們至少亦曾盡可能的為國家支付了薄弱力量。人民違背國家利益是要不得的，那麼政府抹煞人民權利又對嗎？不錯，中國是窮，國庫確貧，但貧窮不是光讓小民們的腰肢給皮帶束斷所能填補的，多槍斃一些貪污舞弊的官吏，多懲辦一些發國難財、勝利財、接收財的大員以及一些操縱物價官商兼任的「商官」，國家就不至這樣貧窮，財政也不會這樣紊亂，老百姓更不會苦得焦頭爛額，肋出骨露了。整頓一個國家，一個國家的財政，應該從大處著手，而不是在小處牽轉。受戰爭損害的萬千災民還奄奄地急待救濟，建國該不至於又造成一批飢民！

中國的科學是這樣落後，醫學也沒有學習到美國那種神奇的外科修補術；我懷疑那剜下來的肉是否補得好瘡，肉會不會腐蝕，瘡會不會更潰爛呢？

編註：據艾雯手記，本文原刊於《民主世紀》第五期，一九四六年六月，頁十二。

悼一個戰士的倒下

一封封來自不同區域的信件，帶著憔悴與疲倦的神態，靜靜地排列在玻璃板上，歷盡了艱辛，任務完成了，像一個殉道者般，靜候著人們的安排。

憑地址筆跡，我揣摩到寄的人，這是寫詩寫得那麼熱情奔放的CT，這是美麗的散文作者××。這是……廈門大學，這準是金鼎文，愛寫辛辣的雜文的，該又是一篇稿子吧！然而展開在我面前的卻明明是半頁報紙，「追悼金……」這，這會是真的嗎？上星期我還讀了他的來信。

我們並未見過面，但由於他是愛護我所編的那個副刊群中的一個，我們便熟悉了，他的短文辛辣、簡練，很能針砭現實，但正如他自己所說的「火氣太直」了點，因此，言論自由的報紙有時不得不顧全這份「自由」而割愛了一些他心血的結構，湮沒了一些不平的呼聲。

從他的作品中，我們可以看出他是個熱情、血性，稍帶點魯莽而被一般大人先生稱為沒有涵養的、敢說敢叫的青年人，這文化陣營中，在向一切惡勢力、反民主、法西斯餘孽宣戰的戰線上，是一個勇敢的戰士，他持著拙劣的武器，卻面對著醜惡的現實，不屈不撓地堅守在民主的崗位上，用他手中的小刃向敵人挑著戰鬥著……然而他卻違反自己本意地倒下了，在偉大的壯志未能完成，青春力正朝陽般旺盛的時候。

這年頭，「死」本來最容易不過的事，且不算外戰內戰，兵災旱災……這一串連續不斷的天災人禍奪去了多少生命，就是在乾坤朗朗地青天白日下，也還有大多「死」於炸彈，失蹤……這也難怪，世上原難求十全十美的事情，「言論」得到了「自由」，「自由」也取得了「保障」，但生命的保障卻渺茫得像沙漠中的「海市蜃樓」，看起來那麼瑰麗堂皇，待你去接觸時，立刻變成虛無所有，記得契珂夫曾說：「××不是上帝，牠沒有權力來奪取人家永遠不能再得的東西。」真的，是誰授與牠們的權力呢？尤其是對一般純潔的有血性，愛正義的青年；但幸好鼎文——這位民主隊裡的小兵，不是與他的同伴一像死於這種光榮裡，而是默然地為病魔所掠走，這是死者的僥倖，也是死者的悲哀！

我哀悼一個文藝作者的消逝，我痛惜一個民主戰士的倒下，然而哀悼與痛惜本身有用嗎？

死的已經死了，活著的該活得更硬朗，更堅強，在黎明的霧翳中，我們唯一的志願是用那拙劣的武器不斷的耕作與戰鬥，唯一的共同進軍指標是民主。安眠吧！你，善良的靈魂，你的志願與希望也就是人民大眾的志願與希望，魯迅先生說：「死者倘不埋在活人心裡，那才是真地死了。」你是永遠活著的。

編註：據艾雯手記，本文原刊於《正氣日報》，一九四六年七月三日。

告別讀者

按季節，原說是烈日高照，萬里無雲的爽朗天氣，然而灰雲愁雨卻連日封鎖著大地，璨璀的陽光給遮蔽了，卑濕的低氣壓直窒息得人心慌。伴著那揮撥不開的濃厚的黑暗，我奮然握住了筆，是最後一次了，以園丁的身分在這園地上說話。無限的離情別緒緊扣著一顆沉重的心，雖然一種抵達最高潮的情感是筆墨無法表達的，但我卻願寫穿長夜，讓黑暗在筆尖下一絲絲地劃去，直到黎明喚醒了大地。王爾德說：「不哭穿長夜的人，不足以語人生。」不望穿黑暗的人，亦不懂得光明的可愛的。

快二年了，我在讀者們的鼓勵與指導下耕耘著這塊小小的園地。記得我初來時，園地正遭受了烽火的波及，那荒蕪與貧瘠，幾乎使初來耕耘的人束手無策，然而只要咬緊牙鬥幹下去，困難是沒有過不去的。慘澹的時期過去，慢慢地報紙由四開而三開，由三開而對開，眼看著自己墾耘的園地一天天地擴展、蓬勃，高興和快慰直從心底泛上來，而更使我興奮的是愛護本刊的讀者們熱忱的來信，本著青年人的赤忱與爽直，你們遙遠地給我送來了高貴的禮物——鼓勵與批評，它們使我更有勇氣去克服困難，正視現實。

在這不算短的五、六百個日子裡，我雖然竭盡了綿力，但不敢言什麼成就，計畫與實現往往是兩樁事，按照我的理想還差了一大截，只有一值得一提的……就如高×君最近來信所說：「……各報副頁都在努力復員小市民文學，《大地》仍屹立不動；這是深得讀者敬重的。」是的，《大地》一直堅持到現在的立場，就是不投合，不阿諛，始終迎著民主的潮流前進。這是我可以自信的一點成功，也是失敗，但栽樹的人原不望吃到果實的。

雞啼了。是黎明的號角，讓我們握手道別吧！可敬的讀者們與可愛的園地：我熟悉你們的筆跡與作風，我更熟悉那親手墾植了二年的園地，每一粒泥土，我將永遠忘不掉你們，但願讀者們亦能本著過去的熱忱、來加倍愛護這塊園地，來指教這業已退休的園丁！虔誠地為你們祝福！

寫於淒風苦雨・仲夏夜

編註：據艾雯手記，本文原刊於《凱報》，一九四六年七月二十六日。

揭開了生活的另一頁

更多的工作開始了。這不是為他做的，也不是為你做的，而為你們倆所共有的快樂幸福做的。

前奏曲

愛是真、是善、是美，而結婚是真善美的化身，是事業的原動力，是一種新的、美滿的、奮發的生活的起點。

是深秋了，然而青春的活力更充沛於我的體內，灼熱的血液加速度地在血管裡奔流，我怡然地坐在充滿了溫暖的秋陽的小室裡，在玫紅呢子的旗袍上，鑲上黑絲絨的花邊，黃澄澄的陽光從洞開的窗戶裡湧進來，散落在雜放著化妝品、衣物的桌上、牀上，和我手中嫣紅的衣服上，反射出一片鮮明炫麗的光彩；小狗恬靜地蜷伏在我的腳下，正對著窗口，一隻纖秀的小鳥停留在屋脊上，輕輕地擺擺優美的尾巴，唱著，又停下來欣賞自己的音樂。我悄悄地讓針線在指頭漫舞，領略到一種從未有過的寧靜和安舒，想得忒遠和希望得太多了，接著是有一段空白的，就像一個未出過門的人忽然要去到遙遠而陌生的地方，頭腦裡充滿了計畫、希望和些微的恐懼，但一待車票打好，僅在等車的片刻，腦筋倒反而澄清了，只剩下單純的等待。

只有一天了喲！明天，明天我就將在眾目炯炯之下完成所謂終身大事；明天，我那二十三年來相偎依的生活中就將羼入一種陌生而新鮮的因素；明天，我那可愛的少女時代喲！就將終結。雖然將來在那裡揚射著光輝，雖然將來布散著芬芳、甜蜜，但我終不能忘情過去和現在，那恬靜、那羞怯、那嬌憨、那驕矜，那易於感觸的微妙的心情，那詩一般的幻想，夢一般的生涯哪！這構成少女們的神祕的一切，我又怎能忘情?!

我珍惜那一段單槍匹馬的鬥爭，我眷愛那一段如詩如夢的生涯……然而縱是惦戀萬千，如今已無暇顧惜。有人說：我們必須開花，道德，無私心便是人生之花。但他卻遺忘了最美麗的一朵：那是「愛」，人間第一的活動，在春風煦陽裡，原沒有永遠傲然凝蕊的蓓蕾，我只有珍重收拾起往事，暫且握一角心地安排。

暮秋的白日是短促的，夜很快就襲進了庭院、房間，更柝響過二遍了，四圍靜寂，伴著燈光，我和華仍孜孜地埋頭於針線中，趕製明天要用的披紗，媽在一畔絮絮地述說結婚的逸聞。時間悄悄地在鐘面上溜去，白綢的一端已在華手裡疊起層層精緻的波浪，緋色的茜紅的閃著金光的絹花，纖巧地綴上紋褶，像承著陽光的白雪般炫耀皎治的雲裳完成了，白色象徵著純潔、光明；紅色蘊藏著熱烈、赤忱，一襲輕紗對一個新娘是如何地重要喲！不但半掩粉龐半遮羞，且增婀娜添風韻。一個新娘假如缺少了披紗，就似孔雀失去了牠美麗的羽毛，誰個創始者真是個別有心裁的可人兒！她將承受永世的頌讚。

夜色越聚越濃厚，直凝雙眸。華回去了，我獨沐燈輝將剪就的紅、金色大小星星，輕灑紗角。這時非從禮堂來，樣子是疲憊的，然而卻煥耀著健朗的笑，他讚賞著紗的玫麗，又幫我綴上星星，我猜想他一定很困乏了，因為我自己亦正感到一點，但緊張的情緒是能支持熱的發揮的。忽然我記起了媽適才的話，她說：「……現在的新人也真可憐，什麼都要自己操心操勞，像我們從前，樣樣都由大人預備得舒舒齊齊，自己只要躲在房裡等著做新人好了。」我們真的可憐嗎？我覺得應該可憐的倒不是我們，幸福又豈能完全依託別人，用自己的心力掘取的一切才是可貴的，哪怕是一朵花、一幅畫，都含有莫大的意義，無窮的歡愉。至此，我深深體會到歌德說的「自栽白菜，味兒更覺甘美……」。

進行曲

曚矓間，只聞一片聒碎妙鬧的鳥聲，急忙睜眼時，滿室強烈的光線立刻驅走了日夜所擔心著的第一件：是個大好的晴天哪！不見輝煌的陽光正氾濫了大地，藍天上更無一絲雲翳。昨日非折來的幾枝大麗菊嬌嫣地伸展豔容曼肢於金光中，為著減卻它們離枝的怏怯，昨晚是被懸插在廊柱上的。我彷彿自生以來第一次看見陽光有這麼可愛，花朵有這麼鮮妍，一切都是那麼美好而清新。一個晴朗的天氣對任何人都是愉快的，更何況是日夜盼禱著的人？

潤妹是擔任花使的，一早華便給她鬈髮敷脂打扮起來，驀然一看，娉婷玉立，嬌憨多姿，已儼然一小姑娘了。而媽與我總以為她猶自偎依膝畔的小女孩，生長迄至成熟，這一段路程是何等渺忽、短促！猶記我與潤妹這般大時，嬌癡向慈父（祝福他在天之靈）索栗催故事的情景，依然歷歷如在目，曾幾何時，父親已靈歸天國，而我亦摸索跋涉過一大截坎坷的道路，正待跨過另一個路碑了，那迷離縹緲的年華喲！正是：

來是春夢不多時，
去如朝雲無覓處。

有人說美麗同和善並存，那麼慎重該和幸福同在。沒有一個人不在自己生命的節日那天特別裝扮的，哪怕平時是怎樣地灑脫不羈。我梳著又捲著那磨人的三千煩惱絲，陽光從簷下移近了鏡畔。那時間越來越迫近了喲，潮水已到高漲的時候，卻仍不見半點動靜，延誤安排定當的時間，原是最蠢不過的事，一生究竟有幾多辰光哪！然而延拓一直到現在還習慣地流行著。我知道非是沒有中下這毒的，但究竟為什麼還不來通知呢？是什麼事耽擱了，我不由得記起了《安娜‧卡列尼娜》中列文與吉蒂結婚的那一幕，可憐的小吉蒂她在等待中是焦灼得怎樣蒼白呀！誰知列文會為了一件襯衣逗留在家裡……時間一分一秒地過去，我不安著，為即來卻又恐它遲姍的時間，除了過來人誰又體會得到這時那忸怩局促的心情哩！

禮堂是旖麗而鮮明的，四角招展著疏朗的綠竹，門口柱畔，竹梢軟垂，盈盈成一拱門，枝葉間更錯雜懸綴著小紅雙囍、金銀星、彩色棉花球等等，就像外國人在聖誕節裝飾的大聖誕樹，玲瓏別致，蔥翠生姿，配著四壁的紙彩喜幛，使整個屋子裡不僅喜氣充沛且生氣橫溢，尤其到晚上燈光紅燭相映生輝，綠影婆娑，金碧輝煌，在其中猜拳行令，自有一種說不出的逸趣豪興。

我們沒有用那大吹大擂的軍樂，婚禮是嚴肅而摻著詩意的一種典禮，它的情調該是莊諧柔美，軍樂隊雖然熱鬧畢竟欠柔和些，因此我們選用了婉曼的風琴。世上再沒有像音樂般能控制情緒的了，平時我最豔羨外國教徒們在教堂隆重舉行婚禮時的音樂，當那鋼琴聲鏗鏘而起，一片悠揚的歌聲便從看不見的唱歌班裡溢然升揚，婉曼的歌聲、嘹亮的琴音，飄達圓拱的屋頂，再飄颺四散，縈迴盪漾於室內，餘音嫋嫋，真有繞樑三日之概。當然這裡沒有這種巍峨的教堂和完善的唱歌班，我們更不是教徒，我們只有用一架風琴來伴奏。當我款步在喧天的爆竹聲中緩緩進入禮堂時，一陣熱烈的掌聲，把我捺住的心札激動了，數不清的目箭，一支支鋒利而紛亂地向人射來，我相信不論是怎樣老有經驗的舞台演員，在這面臨著人生的場合中亦不能不心跳的。花束在我懷裡顫慄著，腳步是一步比一步艱澀，平常那麼坦然直視的眼睛，現在卻像有一種看不見的壓力捺住了眼簾。當我走到那綠毯的會合處，我遇著了非的眼光，穆靜、嚴肅，稍微過分的矜持似乎使他更魁梧了，就在這一瞥間，我恢復了鎮定。風琴奏出了柔和婉揚的婚禮進行曲，我們齊步踏上軟綿綿的松毯，是那樣悠徐地悠徐地臨近了禮壇，儀式是一貫的，但凡身受的人總會領略到新的韻味，在肅靜中，證婚人用低宏的中音朗誦了證書，媽抖慄地在證書上蓋下印章，激動著，眼裡閃著淚光，我覺得我的胸脯有什麼在膨脹上升，我的眼眶熱了……

婚禮在肅穆緊張的氣氛裡完成，開始了另一個新的路程！

哦，從今天起，在崎嶇的生之途程上，我不再孑孓伶仃，我將不再懼那路上的嶙石荊棘，當我躓跌時，會有一雙有力的手臂扶助，當我被刺出鮮血時，會有兩隻溫柔的手掌撫拭，我有了新的力量，這是愛情鼓勵與互助。

抒情曲

就似沙漠中歇飲得綠洲，在疲勞後獲得的休息是最恬甜的了。早晨，我逗留在夢的邊緣，睡神尚未從眼裡起身，一種習慣性地警覺像輕度的電流般掠過惺忪的意識，「要上班了！」然而才一伸展，手臂卻碰到了另一條手臂，我不禁恧然莞薾，今天是我們專有的日子吶！沒有工作打岔也沒有雜事打攪，一切日常的瑣事，人世的紛擾，今天都將摒之門外，有的只該是恬怡和甜蜜。

非還在微微地作鼾，我望著刷花的四壁，嶄新的陳設及桌上紅紅的餘燭和證書，感到人類有時的忙碌真有點滑稽，不管經過是複雜或單純，結婚總不過是一段人生必經的路程，一齣恆常的小喜劇，然而人們總拿來當作自己生命中的奇蹟，往往花那麼些精力、時間，懷著莫大的喜心與希冀來扮演這角色。盧梭說：「倘有人能把愛情和幸福併進婚姻裡，便是得到地上的天堂了。」「天堂」，這多麼誘人的所在！儘管有人把結婚叫作愛情的墳墓，把「家」叫成「枷」，而少男少女們誰個又不憧憬「天堂」！雖然少女們是比較珍惜那一份瀟灑，總也敵不過住「天堂」的誘惑與愛情的鼓勵，不是嗎？不久我還在做著「一支筆就如我的丈夫，一串故事就是我的孩子」（《小婦人》作者奧爾珂德語）的夢，不久我還譏諷嘲那把自己埋葬在瑣碎家務和孩子身上的主婦們，如今，如今，如今……「醒啦！」非醒了，在我耳畔輕輕地問著。

傭人來打掃，恭敬地喚了一聲，哦哦，天！我渾身的汗毛立刻總動員起來，年齡彷彿頓時老上了十載，非在一旁得意地笑著說：「如今妳是我的『太太』了吧！」我忍不住啐了他一聲。

蜜月，這誘人的字眼，這惹人神往的良辰，當少男女們羞怯地想到結婚時，沒有一個不涉思到這神妙的歲月：有一份柔美諧和的心情，有一個可以訴說的人兒，有一段悠閒恬甜的時日，有一個溫暖小巧的新窠……再沒有比這個幸福的了。在這庸碌坎坷的人生途上，善於享受「生」的英美人士們，在這時更為自己安排下一個愉快的蜜月旅行，一無牽掛地雙雙遊歷佳境，瀏覽名勝。倦了，愛人懷裡是最安舒的休息場所，陶醉於熾熱的愛，陶醉於優美的自然，這才是真真的「良辰美景」、「美景良辰」。生在一個一切牛步化的國家，且又寄居在這樸質的山城，那一份物質文明的享受是休想，但蜜月總還是蜜月，縱不能滲入牛奶，蜜也還是沁甜的哪！

妝罷，我倆併肩倚著欄杆，靜靜地，以一份恬然無塵的胸襟來領略樓外的景色，流水在腳下歡躍著，河畔三兩枝楓葉正從樹隙透出一點紅俏，對岸是一片麥黃，在驕陽裡翻騰，是收穫的季節啦。我微笑著，他也掀起了嘴角，情侶們那稍帶矯揉的甜言蜜語，已不適於一對夫婦了。兩顆有著默契的心是用不著更多的言語來做橋樑的。我國人原是最懂得靜與默契的可愛的，現在我更體味到它的美了，正如所羅門說的「愛情滿足，蔬食已佳」。從融洽中獲得幸福，是不需藉任何外力的。

和風拂拂，鳥語啾啁，秋天裡的春天！我倆相視著，從彼此眼睛裡閃出同一個希望：願希望與寧靜永在。

繕正於結婚二週紀念・民國三十五年秋

編註：本文為艾雯未刊手稿。

半開化的人

首先得聲明，這裡所指的半開化的人，並不是粗獷的擺夷苗子，也不是思想單純的非洲土人，而是道道地地、實實在在的大中華民國的國民。在這二十世紀五十年代的今天，中國雖然不能像先進諸國家的使用原子能，一切機械化，但他們的名稱、功用、厲害，中國人是識得而且五體投服的，懂得這些而不致像土人看見飛機當鐵鳥，看見汽車當爬蟲，說是爬蟲樣的瞠目拖舌，自是算得文明人了。然而正像米裡難免滲著砂粒般，尚有一些腦筋遲鈍，思想滯凝的人滲雜在裡面，他們受過現代的教育，在現時代的社會上工作，在現時代的人群裡生活。他們亦會說滿口的新名詞如「民主」、「男女平等」、「社交公開」、「自由」、「獨立」（當然他們只照字面的筆劃來念，並不會體會到字與字聯起來的意義）。然而，就跟一塊不可鑄的頑鐵一樣，他有他獨特的固僻與拗執，是沒有那種純青的爐火可以鎔化的，像這樣一類人稱他為「開化」了的人，似乎抬舉了，不叫他作人又有罪過，故名之曰「半開化的人」。

半開化的人有一種通病，就是患有不可藥救的短視和愛戴有色眼鏡，因此他們看起事物來不是只看到膚淺的表面，便是看成有色彩的。這和他們那種腐舊的阿Q心理配合著運用，便造成了他對人生、對世界、對一切事物獨特的觀念，尤其是關於男女之間的問題，他們的感觀、反應、遐想更來得特別的敏銳，一座人體模型或一幅人體美，裸露的手臂和腳踵，都會引起他們猥褻的非非之想，而一男一女在一起，不是談情準是說愛，甚或有什勾當，於是本著他們那愛造謠生非的性格，喜胡說亂道的口舌，東播西揚加油添醬，不說到別個一塌糊塗、身敗名裂，是不肯住口的。這在他們也許是一種心理上的麻醉。據說當一個人身心上有暗疾時，他一定要把所有的人都認為有暗疾，唯有這樣如此而得來的苦，才能得到解放和寬慰！

造物者造下的人萬萬千千，共只有男女兩種性別，而好事的人偏歡喜把這一點差別擴張成無比的淵壑，築下深邃的溝渠，夫婦果係神聖五倫之一倫，朋友亦為一倫，本是極平常又平凡的人事，而孟子立下朋友一倫時，亦未曾將男女之友誼摒出倫外。寄語少見多怪的大人先生們，這是個急進猛前、千變萬化的大時代，別把眼光、心思盡用在男女之間，望望寬曠繁雜的世界吧！時代的畚箕是不留情的。

編註：據艾雯手記，本文原刊於《民國日報》，一九四六年。

春寒

——浮生綴拾之二

窗外縹緲著迷濛的細雨，沒有聲音也沒有線條，有時只是一片黯淡的灰暗。

多少多情的文人為它寫下了灰色的句子，多少善感地詩人為它引出了淒涼之淚，而我，望著那抽不完的愁絲般綿綿地春雨，捺不住從心坎泛起了的厭煩，真討厭喲！為什麼不讓太陽照照這即將生霉的大地呢？

木履清脆地敲著滑濕的磚石，來到門口，是妹妹放學了哩！我們沒有三島倭民拖木履的習慣，亦不是生長在早熱的南國，而在這春寒凜冽，斜風細雨的初春，更不是貪涼的季節。貧窮原是抑止不住生長的，舊皮鞋小了，新的在微薄的收入中，還列不出預算。天也只會給機會摩登女郎的玻璃雨衣露了頭角，那會顧慮到窮人的困苦！沒奈何，只有讓她熬冷穿上木履，說一句好聽話：「人是要從小磨練出來的」。

「冷得很哩！」丟下書包，便來不及地摩起腳來，「姆媽，明天開會，老師叫一律穿短裝」。

「冷天有什麼短衣？學校裡又沒規定校服。」媽在廚房裡舀了盆熱水來，望著兩隻凍得紅紅的小腳擱下去說：

「不穿要扣操行分數的。」

「這年頭，中學都得看情形，你們倒不能馬虎？而且這樣冷，穿一條單薄的綢裙也會受涼喲！難道老師就不顧憐你們嗎？」

「老師要罵哩！」眼圈那麼一紅，淚水馬上又要奪眶而出了。

每逢有一點違抗，妹妹總是怯生生地拿老師要罵的話來抵擋，究竟是服從老師的命令還是怕老師責罵呢？聽話的孩子，我沒有榮幸認識你那些可尊敬的老師，但從你嘴裡，我約略地知道了一些他們的為人，不是嗎？有一次，你的一位同學排隊沒有排好，挨了老師一個嘴巴，有位老師習慣用腳踢人，有一次你們放學走遲了些，一群候飯吃的老師們罰你們在操場上立正了。大家你一句我一句地嘲罵著，還說留你們吃晚飯，結果這新奇的處罰使你們哭了回來。不用見面，我也拜識你們那些可尊敬的老師了。

記得夏丏尊先生在《愛的教育》序言裡說：「教育好像掘池，而池裡的水就是情、就是愛，教育沒有了情愛，就成了無水的池，任你四方形也罷、圓形也罷，總逃不了一個空虛。」我們可尊敬的老師們在這初鑿的池裡是不是注下了這種水呢？讓我拿亞米契斯的Coure介紹給你們吧！也教大家流些慚愧之淚。

縹緲地細雨變成淅瀝的雨珠了，那樣清冷地落在屋脊上，熟睡的妹妹翻了個身，含糊地說著囈語：

「老師，……要罵哩。」

編註：據艾雯手記，本文原刊於《中國新報》，一九四七年六月。

副刊性質的商榷

我國報紙自同《文週報》創刊副頁以來，由於內容大多屬於遊戲筆墨，一向被人忽視而有報屁股之蔑稱。自「五四」以後才算逐漸步上正途，在品質和形式上，都有著顯著的改善與進步，尤其是在這次抗戰中，受著偉大的啟示和號召，各報副刊均奮發一陣，提出加強副刊的戰鬥性、建設性、社會性以及做到普及新文藝，文藝大眾化……這幾點。確也有好些副刊為抗建，為正義發揮了高度的力量，為新文藝運動開□鑿道。它的身分逐漸在正直的人們心裡有了分量，熱忱的青年更對它發生了信仰。然而勝利的鞭炮一響，人們才培植起來的一點正義感與嚴肅性，又給虛榮和逸樂吞滅了，大半的副刊為了投合遺老遺少的興趣，又悄然退回牛角尖，自作它風花雪月，趣味色彩以博讀者一粲的妙文。當然，我們不能說綜合性副刊都是登載些諧文、幽默、逸事、雜感、歌謎等趣味性較重的作品，但真能完全達到雜而不亂，趣味而不低級，嚴肅而不呆板的程度，卻很少見。如果說是取它的多樣性，則以有限的篇幅來容納包含各種性質的作品，更難免斷章取義，一鱗半爪，不痛不癢地給人以一知半解的感覺。因此，大多數想四面討好的所謂綜合性副刊，往往會收到相反的效果。至於說到報紙雜誌化，這也不是單在一個小小的副刊上星羅棋布就化得了的事，而是要整個地配合起來，假如都能像條件比較充足的大都市的報紙一樣：有文藝性、綜合性、學術性……等幾個副刊的，那還比較接近些；但事實上可不盡然。我們當然很希望這雜誌化的願望能早日付諸實現，但在條件還不夠充分的目前，卻不願副刊僅僅以零星殘斷的面目相示，必要時，寧可輪流出些比較專門性的週刊，而只有一張天天與讀者見面的副刊，必須有它自己的性格與風度，在這新文藝未曾普及（尤其是台灣），社會問題又被一般人漠視的現在，我認為副刊的性質，最好是偏重「文藝性」而能反映現實的。

這裡所指的文藝，它並不是單單囿於象牙之塔，囿於沙龍，囿於牛角尖，而是教養群眾的武器，認識現實的工具。一個文藝性的副刊，它同樣地可以配合新聞，反映現實，一篇潑辣精練的雜文也許會比一篇洋洋大觀的社論來得有力，一首短小的諷刺詩的效力，遠勝於論述的大塊文章，在一篇小說裡得到的啟示和反應，更非一則新聞和消息所能比擬的。而在今天，這個爭取民主的世紀中，更應使文藝普遍發揚，使服務於民主事業，為人民表現，為人民爭取，為人民希望，成為整個民主潮流中的一支激流。但怎樣使文藝發揚？怎樣使文藝服務民主和民眾？副刊該是最好的媒介了。報紙的流傳比任何刊物都廣泛迅速，它的效能自然比任何刊物要高。綜觀以上數點，我們更明瞭文藝性副刊在當前的重要性。

單就一般文藝性副刊來說，大致也可分列為兩種性質：一種是抒情成份較濃厚的，注重詩的氣氛，文字的和諧和詞藻的美麗，而忽略了現實；另一種能針砭現實而重理論的，卻又缺乏文藝氣氛。一個少「真」，一個缺「美」，而「真」與「美」偏偏又是文藝的靈魂與精神，再好的作品沒有了靈魂與精神，亦不過是一堆空虛的詞藻，一疊沒有生氣的字句。因而偏於任何一方面的副刊，也只是一種畸形的產兒，還不夠發揮文藝的整個力量。

什麼是文藝的「真」呢？就是從實生活中獲得的知識，從鮮血淋淋的戰鬥中獲得的經驗，能把握時代意識，能刻劃現實的作品，都是「真」的。所謂「美」，不僅是題材的美，文字的美，而更要從散漫凌亂的現實組織起有系統的本質來，同時最善的也就是最美的。作為一個建設性的文藝副刊，就該在「真」與「美」這兩項原則下擇稿和確立編輯方針，它所包括的作品應該是，辛辣、有力的（不冗長，不是牢騷）雜文、雜感，生動、精悍的小說，活潑的速寫，諷刺或抒情的小詩，健康雋永的散文（不是無病呻吟），和些許精練的理論（人生的、文學的），書評，介紹（以簡略而能扼要為主），及小幅精美或暴露現實的木刻，漫畫。長篇連載每天最多一篇，一天有上一篇「待續」和「續昨」，是最使讀者生厭的，間或更發動些學術的辯論，一場有理性（不漫罵攻擊）的筆戰，往往會使真理更形彰顯。選稿標準一訂，風格自然產生了。憑良心講：這些要求本沒有什麼獨特的標新立異，主要的只不過是融化「反映現實」和「發揚文藝」於一個副刊上而已。當然，限制了性質和範圍，在開始集稿時自難免有點困難，但一部建國大綱也不是一朝三日能夠完成的，待慢慢地地建立了權威之後，那麼一切困難自會迎刃而解。

副刊的責任原是提高讀者的興趣和水準，而不是迎合。憑著編副刊時從讀者們獲得的意見，以及個人所感到的青年們的需要，特地提出這個問題來和讀者編者們共同研討。

編註：本文原刊於《中央日報・副刊》，一九四九年五月十日，第六版。

三請女傭記

記得那一位哲人說過：「人生是什麼？人生不過是瑣碎小事的總和而已。」誰說不是呢？只要有上一份家，個把孩子，事情就彷彿永遠不得完結了。它不是一樁事業，會有輝煌的功績；也不是一樁工程，有眾目共睹的成就。它只是些道說不出、記錄不下、瞧著不見的，零零星星、拉拉雜雜的小事，像牛蠅牢叮著牛般，整日價廝纏著主婦們；直到妳覺得實在不勝厭煩時，於是不得不想法找一個助手。

這兒僱女傭可不比內地，只要跑一趟薦頭店，粗細老少盡你揀。這兒第一個原則是不住宿，還有結了婚的不幫傭，出來的全是些十幾歲的小姑娘。我們三托四請找來的一個，自然也是標準的荳蔻年華，不過樸樸實實也還過得去。可是，不懂話，她會說一口流利的日語，卻聽不懂一句中國話，不能用言語傳達意思還做得什麼事呢？不要她吧！又據說懂話的難找，沒奈何，且留下再說，人家還跟啞子談情，教啞子扮戲哩。

我相信世上沒有一個導演，會有扮演這啞劇那樣嚕嗦和麻煩的了，什麼都得以身作則，實地演習。更有許多不能用手勢表演的。譬如說：洗衣服你可以拿件衣服搓給她看，可是要她洗乾淨點又怎麼辦呢？燒飯你可以拿米煮給她看，可是要硬要軟又怎麼辦呢？你說她是算盤子不撥不動吧，有時你告訴她這樣這樣，她偏要那樣那樣，要她帶帶孩子抱著就像箍了箍子，最好笑的有次叫她替孩子穿鞋，結果穿了半晌，只聽得孩子直嚷，原來她把腳跟先穿了進去，正在那兒揉捺腳背就範哩。教她做事不算，還得兼任啟蒙先生，告訴她盛飯的叫作「碗」，燒水的叫「壺」……可是過了好久，她還連餐餐吃的粥和飯都弄不清楚，而教導的人卻已精疲力竭了。

由她吧，抱著得過且過的心理，就這樣挨過了三個星期。總算洗衣、打掃、提水等粗事可以省去了幾斛力氣。但你可以馬虎，她卻偏不能將就了。說是要借錢燙髮，我就先支了一個月工資給她，那天下午半天沒來，第二天居然鬈髮如雲，花枝招展地回來了。

中午正湊著油鍋不能離手，孩子偏又撒了屎，看看鉛桶裡沒一滴水，而阿巧（下女）不見影蹤。喚得我火都上升了，才見她嘟著嘴進來，原來又在央同行的梳理頭髮哩。人在氣頭上不免嗓子響了點，她提了水來重重地一擲，便又什麼都不問地走了；直到去找她吃飯，鄰家的下女才告訴我說：「她不要在你家裡了。」

第二個又是活躍愛玩的小姑娘，只不過是做了一個星期推說有病不幹了，實際上是另一家比我們多出五萬塊錢。

鑑於太年輕的性情過於浮動，我們決計要覓一個年歲大一些的，隔了幾天，回音來了，說是有一個二、三十歲的，懂普通話，可是有條件：工資要比一般的高，早晨八點鐘上工，吃了晚飯就回去，中午亦得回家休息，單管燒飯洗衣，不帶孩子。我們考慮了一番，天熱，才會走的孩子又一眼不能放鬆，於是決定接受條件。

翌日早晨，煮好稀飯，上班的上班了，上學的也上了學，卻見一個拿著皮夾，帶著手錶，燙髮搽脂，綠綢、西裝、白皮鞋，打扮得娉娉婷婷的女郎走進來，正待動問她是找誰的，她已先打起了生硬的國語說：

「你是×太太吧？××叫我來的。」

就是那位有條件的下女，相形之下，可使這一早起來忙得頭不梳，衣不整的主婦有點慚恧。究竟老幫人家的，樣子透著精明，早飯她雖沒有責任煮，可有權利吃，吃過飯，接著洗衣，揀菜……教上幾句，也還做得有頭有腦，這天算吃到了一頓不用自己流汗的飯，雖然豆子裡的油可以當湯澆，肉絲裡的扑鹹得喉嚨痛。

因為昨晚趕著縫好了一件孩子的衣服，朝晨一大早起來，身子覺得倦倦的，而那本還只看了一半的《文藝心理學》又快滿期了，想趁中午這一段空閒讀完它，淘氣的恬兒偏又不肯睡，正想叫下女帶一會兒，卻見她已脫掉了圍裙，依然頭光面滑地提著把小傘進來：

「太太，我回家去。」

我猛然記起這是條件之一，只有默然地點一下頭，抱著孩子瞧著她的背影消失在門口。

編註：本文原刊於《中央日報・副刊》，一九四九年六月十七日，第六版。

也談貓

接連在《中副》讀到兩篇寫貓的文章：一篇是把牠當作工具，一篇卻是貓的厭惡論。對我們這溫馴可愛的小動物，除了責備和誹謗，竟沒有一句稱道讚美，這不禁使我這愛貓者替牠抱起屈來！

除了祛除對衣物被齧壞，食品給撒上細菌的憂煩，貓還是你寂寞時的良伴，一個美滿家庭不可缺少的點綴物。當黃昏日暮，書盡人倦時，輕撫著懷中柔滑纖軟的貓毛，讓幻想追逐著落霞奔馳，讓給現實囚禁的心靈在大自然中獲得片刻的解放；那時節，那纖柔的觸覺更會促使你墜入忘我的境界。

你有小寶貝嗎？他是不是在烈日當空正值午睡的時候，要吵著到外面去呢？

「你看咪咪多乖，咪咪睡得像不像隻蝦米？」

於是，孩子定會去端詳一番貓的睡相，摸摸牠軟綿綿的毛兒，話題一轉，他躍躍欲動的小心思也就換了方向；也許不要十分鐘，他已伏在你膝上沉沉地睡去了。

「看咪咪洗臉洗得真乾淨，真是隻好咪咪。來！你也做個好寶寶。」賴著不肯洗臉的孩子聽這麼一說，他準讓你把臉上的鼻涕，手上的污泥，洗個一清二白。兒童心理學家說「馴養小動物是孩子最好的伴侶」，不是嗎？還有什麼再比貓兒順良雅馴呢？

我們家鄉有句俗語：「會捉老鼠貓勿叫。」善於捕鼠的貓是個優秀的軍事家，牠不會到處宣傳牠的作戰計畫，誇耀牠的剿捕方針，牠只是肅默地，像歷史上的大軍師諸葛亮般，在內心裡運籌謀劃，靜靜地潛伏，鎮定地觀望，一待時機成熟，便飛躍突進，就那麼輕而易舉的俘虜了牠的目的物，如果你曾觀察過牠捕鼠的經過，包準曉得牠還懂得使用「七擒七縱」的戰術哩。

小動物都各有各的可愛，我愛貓，就愛牠那「靜若處女，動若脫兔」的性情兒。

編註：本文原刊於《中央日報・副刊》，一九四九年八月二十一日，第五版。

守宮

一點腥紅耀玉臂，
留待檀郎挑燈睨。

守宮原名蝘蜓，俗稱壁虎。雖然牠擅長吞食蚊蚋，該是有益人類的了，但在我們家鄉卻一向被看成毒蟲的。原因是大家都懼怕那節節會脫離、會跳躍的尾巴，傳說一竄進人的耳朵裡，馬上有生命的危險。

由於幼時受下的影響，我一直對這軟體的小爬蟲，有著深刻的憎嫌。不想來了台灣竟得與牠朝朝相見，日夜為伴了。只要一抬頭，一舉眼，便見一條條灰黑色的身子在天花板上矯捷地遊行，一條條肉紅色的胸腹緊貼在玻璃窗上窺視，有時高昂起三角頭把身子彎成直角，有時又把頭尾相接，圈成個半圈；興來時桌上椅上，甚至人的足上頭上，牠都肆無忌憚地優遊自在，撒尿撒屎。

小東西是夠狡猾的，你看牠捕食時還懂的運用埋伏誘敵等戰策，尤其是那條具有再生力的尾巴，遇見強敵時可用來掩護脫身，逢到弱者時，那就是誘騙的食餌。不是嗎？有好些飛蟲分明長著二個或四個翅膀，看見牠趕來時不思飛逃，倒反迎上去飽牠的饞吻，要不是受了牠的蠱惑，難道是懾於牠的積威嗎？

記得家鄉的壁虎一向是沉默的，這裡的卻那麼善於叫囂，那乾澀的聲音，就似誰用力在擦一支受了潮的火柴。而在寂寥的深夜，在有風雨的日子，聽來更像一顆心給它刮刷著似地教人難受。

就是這麼一個醜陋可憎的小東西，不想牠還有看那麼旖旎的韻事，那便是用牠作「守宮砂」，用以試驗女子的貞操。據說，只要捉得壁虎來天天飼以朱砂，等遍體完全成為赤色時，便拿來搗爛成泥狀。用來貼在處女臂上，晶瑩紅豔，任怎樣也洗刷不去，除非待少女成了少婦。蝘蜓之又稱守宮，傳說便是由此而來的。

編註：本文原刊於《中央日報・副刊》，一九四九年八月二十九日，第六版。

夜市

每天，每天，當嚴酪的統治者——太陽，帶著疲倦的神情，掩入山那邊的寢宮後，人間的一切高尚、嚴肅的氣象，亦隨著蒸騰的熱霧飄忽散失了。不管是星月璀璨的夜，藍色幽靜的夜，抑是濃得撥不開的黑夜，黑暗總是掩飾著醜惡，蘊蓄著神祕，忌懼著陽光的；這時，卻活躍了。在陽光下顯得平凡笨滯的事物，這時卻變得那樣千嬌百媚，忙碌換上了悠閒，工作變成了消遣，夜市以另一種姿態展開了。

那些燈，那些夜的美麗的眼睛，有的揚射著明澈耀目的光亮，有的閃爍著詭譎的虹彩，它們給黑夜帶來了生命，它們替一切沐上了美妙的光色。百貨店炫耀得撼人心魄，綢緞店是大規模的圖案展覽，那幽雅舒逸的冷飲室讓人有詩一般的情緒，那裝飾得嬌滴滴的水果店真是人見人憐。這裡黑壓壓鑽集著的人頭，是在玩著賭釣魚的遊戲。那裡一群蹲著倚著的人，圍聚在戲院前聽白戲。路畔銀牛們叮噹一片響著光洋聲。這裡是蓬拆蓬拆，那邊是弦管竹笙，洋溢著淫蕩的笑語，靡靡的歌聲。拍賣青春者正用諂媚誘惑她們的主顧，闊人們駕著別克汽車滿街兜風，少男少女騎著自由車到處炫耀自己。轉彎抹角處的小攤上，苦力們津津有味地吞一碗魚麵，抽一支「樂園」煙……各種的聲音匯成了一道喧譁的巨流，無數的燈光融成了霧雲似的光海。人們忘卻了周圍的黑暗，在流中浸沉，在海裡優游……

夜悄悄地、敏捷地進行著，黯淡的燈影下，遲緩的腳步印上了歸途，店鋪也懶懶地拉起鐵門木柵，只有酒家藍色的燈光是顯得更神祕了。此外，按摩女的口笛，依然淒涼地在冷卻了的街道上嗚咽著。

編註：本文原刊於《中央日報・副刊》，一九四九年九月二十四日，第六版。

母親的徬徨
——孩子事之一

隨著意志的日夜長增，孩子脾氣、性格亦跟著起了轉變，恬恬這一向不僅動輒打人、掐人，還變得狗似地張嘴來咬人了。多惱人喲！

她——恬恬現在還不過是一歲另八個月，在這大院子裡剛會走路的孩子群中算是最小的了。可是她那小小的心眼特別多，脾氣也特別強橫，為搶塊石頭爭只小椅子，先動手打人的常常是她，等到打不過了便搬出她的拿手戲——咬。當她那皚白尖利的小牙齒咬住了別個的手或臉時，妳越是喝她拉她，她越是緊咬著不放，非得她搖搖頭把這一股蠻勁發過了才肯鬆嘴，望著被咬的孩子嫩皮膚上一塊紅腫或是一圈細密的牙痕，已經是怪不忍心的，而孩子的母親擺著一副「子不教，母之過」的青臉孔面衝妳：

「這孩子真要不得，」

「要是我家阿弟咬人，著力打他一頓嘴巴。」

氣和惱襲擊得我失卻了理智，儘管兒童心理學上說：體罰會養成孩子的憂鬱和自卑，她的小屁股上常給打得高起一條條紅痕，明知恐嚇將造成孩子無端的懼怕和怯弱，我亦用盡了可怕的名詞和動詞，雖然她的理解力和判斷力還弄不清理喻和勸告，而我亦費盡了口舌。

「下次不許打阿弟，阿弟痛哇。」

「好。」她像煞有其事地點點頭。

「妳再咬小妹，姆媽不喜歡妳了。」

「噢。」她一本正經地答應妳。

然而隔不到二個鐘頭，她又故態復萌了。

「恬恬妳又咬人！」我怒不可遏地斥責她。

她看見我連忙像沒有事似的，用小手摸摸被咬哭的小伴說：

「小妹，不要哭。」

孩子是禁止不了、隔絕不了的，只要一見面，還不是一起嬉戲，一起打架。因為她讓大人們有了「成見」，有時縱使是摸摸別個，大家說是打人咬人，有時是挨了別個的打而還手，人家也總認定她是老犯，是最頑劣的孩子。

「這孩子真要不得。」

誰個做母親的願意聽到別人貶損她的孩子？可是我已試盡了我所能做的處理方法，當真是孩子特別頑劣？還是我做母親的經驗不夠？抑是病態的發作？……我覺得徬徨無措了。

編註：本文原刊於《中央日報・婦女與家庭週刊》，一九四九年九月二十五日，第七版。

孩子賴地怎麼辦？

——孩子之事二

就彷彿是一個師傅教導出來的，孩子一過週歲，便學會了「賴地」，要吃糖吃不到，往地上一坐，跟小伴伴搶洋娃娃搶不過，往地下一坐。甚至貓咪不同她玩，椅子軋住了腳翻不轉身，也是往地下一坐。也不管是爛泥地上，垃圾堆裡，便一屁股蹲了下去。別看他們小，別說他們不曉得人情世故……他們還懂得手腕哩，不是嗎？明知大人生怕泥巴弄髒了衣服，心疼砂礫戳痛了小屁股，他們就捉住了這個弱點作為要挾，作為要達到某種目的手段。妳不許他這樣，他偏要這樣，妳越禁止他，他越做得起勁，坐下不算，還要睏下打幾個滾。有時妳聚精會神在看書什麼的，忘記了注意他，他還會逗妳哩。

「姆媽，我坐地下。」

妳一定會說：

「不許。」可是他已經坐下去了，這樣妳不能不能不放下書下來哄他或抱他了。

為了不讓恬恬賴地，我嘗試了不知多少方法，有時軟聲軟氣哄勸她。

「恬恬乖，恬恬聽話，起來姆媽買糖你吃。」

有時衷心嚇唬她：

「快起來，蟲蟲來咬屁股了。」

有時又移東作西地誘導她：

「一二三，起來！看那個跑得快？」

有時火起來，在小屁股上重重地拍幾記，有時索性不理睬她，由她在地上滾個夠。這些方法有的出自本能，有的得諸書本，但沒有一個是永遠有效的。縱使她起來了，也不過是已經賴在地下讓她起來罷了，又有什麼方法可以禁止她，糾正她這種要挾性的壞習慣呢？書上沒有，自己亦想不出。

「看妳家恬恬又坐在地下了！」是隔壁呂太太在喚，我趕緊丟下筆跑出去，恬恬又一屁股賴在樹底下的泥坑裡。原來是爸爸上班沒帶她去坐車車。好容易抱了起來，潔白的衣服上卻已沾滿了污泥，你說氣人不氣人？

十月於屏東

編註：本文原刊於《中央日報·婦女與家庭週刊》，一九四九年十月十六日，第七版。

孩子的天性

——孩子事之三

孩子都帶著點原始人的野蠻，不是嗎？做父母的總想用小西裝、跳舞衣、小皮鞋什麼的，把孩子打扮得漂漂亮亮，像美麗的安琪兒（其實畫中的安琪兒幾時又有過衣服）似的，可是孩子卻偏愛一絲不掛，野兔兒似地亂竄亂跳，恬恬這小東西腳步還不怎樣穩扎哩，也是鬧著一味要打赤足，勸她，不懂，罵她，不在乎。為迎合她好新鮮的心理給買下的小皮鞋、橡膠鞋，丁兒大的小木履，還有外婆縫製的搭配鞋，都冷落地丟在牀底下，卻讓雪白粉嫩的小腳掌去與粗硬的地皮對抗。起初還只敢在地板上走來走去，慢慢地滿地的砂礫也不怕刺痛，太陽曬得發燙的水門汀上也不怕烤炙，小腳跟敲得咚咚地，滿有精神，妳要哄著她硬穿上鞋吧！隔一會她就出了主意：

「我要穿小板子。」可是小木履穿上走不了二三步，腿一揮，又是二隻光腳板。

要不就：

「我要牀上睡覺覺。」自然，上牀當然不能連鞋子踩，等妳給她脫了鞋子，在牀上翻幾個身，打幾個滾，把枕頭被子攪得亂七八糟，於是嘴裡嚷著：「下來，下來。」小屁股一撅，赤著足又鰻魚一般地溜下來了。

不著鞋子不算，還不愛穿衣服，跟她穿件衣服，總得鬧點彆扭，脫衣服卻歡天喜地，捉一個空便光著身子跑得遠遠地，拍拍肚皮，擠擠肚臍眼，跳跳蹦蹦，怪自在的，或者在一浴盆裡浸上二個鐘頭，指頭全泡得打了褶，還得軟哄硬拖地拉起來，如果她（他）們有思想的話，我相信她（他）們一定會這樣想：真討厭，穿什麼衣服呢？那麼些別別剝剝的鈕扣，拖拖曳曳的帶兒，還有什麼燈籠袖鬆緊腰，裹得人怪不舒服的，要不穿衣服玩起來多痛快！裸露著純潔的身軀偏又講人家羞呀羞的。這又有什麼羞呢！亞當與夏娃在未吃那壞果子之前，不亦是赤身裸體的嗎？……

「咚咚咚」才洗好澡哩，恬恬又用什麼法子讓外婆替她脫了鞋子？望著她那扒叉開的五個腳趾，小腳趾還往外翹翹的，我真覺得好笑又好氣。

十月十八日屏東

編註：本文原刊於《中央日報・婦女與家庭週刊》，一九四九年十月二十三日，第七版。

台灣——第一個印象

在大陸上正是家家忙著預備迎接春節的時候，我們踏上了寶島的土地。一上碼頭，衝臉迎著你的便是一個個滾圓綠翠、一片片澄黃嫣紅的西瓜，叫賣枝仔冰的直著嗓子繞著你打轉。如火如荼的陽光下，島國女郎個個袒胸露臂，紗裙飄曳；我傻了，在家鄉不正是踏雪尋梅、圍爐取暖的隆冬嗎？僅僅二天的水程，怎地就似從北極到了南極？

走上街道，這兒迎面撲來，那裡又倏地擦臂而過，全是腳踏車。腳踏車上，有主婦揹著孩子攜著菜籃；送貨員負著山一般的籮籮筐筐，幼童把短腿從車槓下彎過腳踏，少女們就如穿花蝴蝶，腳踏車之多真是多如「過江之鯽」，疾若「驚鴻游龍」。

記得過去最流行的一支名曲〈桃花江〉，開頭就是「桃花江是美人窩」；我說應該改為「台灣島是美人窩」。不是嗎？你只要放眼一觀，個個女郎都是臉杏唇紅，鬢髮如雲，細腰凸胸，如花枝招展，令人眼花撩亂。「島國女郎最風情」，果然名不虛傳。

寶島風情人物，無一不異於內地，但初涉島上，這長春的氣候，優良的交通和窈窕女兒，就在腦海中留下了第一個深刻的印象。

編註：本文原刊於《中央日報・副刊》，一九四九年十月二十六日，第六版。

焦急的期待

每天，每天，只要是沒有颱風暴雨的晴天，吃過晚飯，照例搬一張椅子，坐在門口，守候著送報的光臨。在飯後和臨睡前的這段時間，我們總得同《中央日報》廝守一陣子。

雖然白天還是炎熱炙人，晚上卻已秋風颯颯了，眼看涼意將一堆堆納涼閒談的人趕進屋子，報紙還不見來，盡坐在門口不有點癡嗎？還是進屋子裡等著吧！

九點鐘了，還沒有點聲音，我們這院子裡十五家人家，有六家訂著《中央日報》的，平常送報的一來，腳踏車總是歇在我家門口的，因此車子停下時那種破舊機件發出的聲響，早為我聽熟了，今天怎麼還不響呢？

九點半的時候，破輪子的聲音響了我連忙站起來探出頭去，唉！原來是個不相干的人。

院子裡好多家都熄燈安息了，我打著哈欠掩上了門，一面脫衣服一面對非說：

「你去等吧，我要睡了。」一闔上眼，心裡彷彿覺得還有一樁事不曾做似的。

第二天，一睜眼就想到報紙該已來了，過去有幾次脫了班不也是這時送到的嗎？雖說是隔夜報，一面吃早點，一面看報紙，卻也是稀有的一種享受哩。

然而還是沒有來。

中午了，非下班回來，一進門就問：

「《中央日報》來了沒有？」

我正在寫稿，只做了個沒有的表示，他也不管飯開在桌上，又騎上腳踏車跑了，一會兒，就聽見他的聲音嚷進來：

「糟糕，中央日報社燒了。」

「真的嗎？」我趕緊擲下筆把報紙搶過來，可不是，就在第一版上，顯明的刊著：「本報不幸遇火」，接著是「本報緊急啟事」，又是馬社長的「為本報遭火告讀者」……我眼前立刻晃動著大火的烈焰，雖然遠隔數百里，自己的心也像被灼燒了。

「妳留在《中副》的幾篇存稿，怕也同歸於盡了。」他說。

又何止我一人的存稿？正不知多少作者的心血結晶，還不曾與世謀面，卻已葬身火窟了。

火，它只能摧毀可見的軀殼，卻搖撼不了無畏的精神，和永生的靈魂。不是嗎？在破瓦殘垣中，《中央日報》依舊出版，依舊以英俊親切的面目，與無數擁護它的讀者見面。

沒有毀滅，沒有新生，沒有奮鬥，也就沒有前程，輝皇的巨廈，將很快的在廢墟上重建起來，我們期待著《中央日報》新生命的長成。

中央日報被焚之次日於屏東・十月二十一日

編註：本文原刊於《中央日報・副刊》，一九四九年十月三十日，第六版。

模仿與薰染

——孩子事之四

羅羅把和了小便的爛泥揉著，攪著，末了搓了一團放在嘴裡，正想辨辨什麼滋味；不想他媽媽惡狠狠地跑來就是一頓痛打，還惱得自己連中飯都沒有吃。才學會講話的敏兒，出口就是罵：「媽的，媽的。」林太太一氣刮了他二個嘴巴子，心裡卻又作疼。

但這是孩子的頑劣，孩子的過失嗎？

不，自然不是，這不過是孩子天性喜歡學樣罷了，他們看見大人剪刀那麼絞幾絞，一塊布變成衣服，覺得奇怪，他們看見大人用根小棍子東戳西畫，畫出斑斑駁駁的塊子點兒來，覺得有趣。而拿一支毛桿兒在嘴裡攪出些白沫沫來，又覺得好玩。恬恬那天不就爬上桌去，把一瓶墨水攪翻，衣服、書籍、相片上都沾滿了藍的。前天她又用剪子剪破了桌布，今天卻把一支刷皮鞋油的舊牙刷塞進嘴裡去。妳罵她她還委委屈屈地哭哩，別人不都這樣做的？

真的，別人不都這樣做的！羅羅看見門口那些缺少教養的野孩子，成天在泥堆裡打滾，成天塗得一嘴一臉的泥，為什麼他便不能玩呢？本來嘿，近墨者黑，近朱者赤。孟母還三遷訓子哩，既不能選擇環境，又不去控制孩子，這又怪得天真無知，不辨是非的孩子？

敏兒的爸爸成天把「媽的，媽的」掛在嘴上，為什麼敏兒又不能說呢？孩子稚嫩的小心是一頁潔白的紙，沾什麼就有什麼顏色，也是一面晶瑩的明鏡，父母的行動卻在那裡反映，前些日子恬恬她爸爸發脾氣摔了一只飯碗，接著一陣子，恬恬一不高興就摔掉碗、摔匙，甚至摔整堆的玩具，這不由我生了一種警惕，大人的一舉一動，一言一語，是怎樣深刻地影響著孩子純潔的心靈！苛求孩子做個好孩子，卻不知檢點自己是否是個好父母，這不該慚愧嗎？

在孩子單純的小心眼裡是沒有什麼利害好惡的觀念的，他（她）們只有強烈的好奇心、摹仿性，什麼都想嘗試一下，大人的榜樣果然要學，小伴侶的行為亦要仿效，只不過壞的習慣好比精神上的疫症，傳染得更快，好的教養卻得日積月累地薰沐和陶鑄。

摹仿心和好奇心，全是進取力和智力向上發展的表現，用不著強制地壓抑和阻禁。只要懂得利導懂得示範作用，孩子又豈是天生頑劣不馴的？

編註：本文原刊於《中央日報・婦女與家庭週刊》，一九四九年十一月十三日，第七版。

心理上的蟊賊

人在窮極無聊，或是欲望不能達到時，往往會產生非非之想。想發財的人，幻想忽然掘到了窖藏；懶惰者，癡想偶然的機遇使他顯赫；畏葸之輩，卻妄想突然的天崩地陷毀滅了敵人，而讓他成為無比的英雄。如今正有些缺乏信心、認識不夠的人士，居然把剿共的戰爭寄託於這類虛無縹緲的所謂「奇蹟」上，把國家成敗興亡的大事，寄託在近乎神話、近乎虛妄的推測上，這簡直是荒謬絕倫，而且一筆抹煞了將士們的壯烈犧牲，和輝煌功績。

不錯，有很多事情的成敗得失，往往決定於一剎那的機緣，但這一剎那卻是突然的時機，促使那潛在的因子爆發的結果，絕不是什麼天賜神降的「奇蹟」。就說這次剿匪的戰爭吧，放眼一觀，彷彿是困難重重，加之有些人缺乏信心，所以戰事開始便步步「轉進」，節節失利。直到最近，有了金門和登步勝利的先聲，人們才清楚匪共煊赫的聲勢，野蠻的人海戰術，也不過是這麼一回事而已。於是，人心奮發，信心確立。我們並不希冀什麼「奇蹟」的出現，使匪突然的崩潰（縱使突然的崩潰，也不會是奇蹟）。我們但求堅定加強自己的信念和信心。什麼「成事在天」，只是懦夫的論調，「奇蹟」是沒有的，成敗關鍵，全在人力。世界上最美麗的莫過於堅強的意志，和堅定的信心。我們要讓美麗在每個人心裡開花結果，唯有人民恢復信心之時，才是強暴崩潰之日。

沒有勇氣相信自己，只是專待「奇蹟」的降臨，這種癡心妄想，這種無稽之談，全是心理上的蟊賊，盜竊信念的匪徒。如果文化戰士的武器真能橫掃千軍的話，我們應該掉轉剿共的筆尖，先消滅這些心理上的盜賊！

編註：本文原刊於《中央日報・副刊》，一九四九年十二月四日，第六版。

哈代的《黛絲姑娘》

最近，我讀完了英國著名小說家哈代的代表作《黛絲姑娘》，在這裡，可以看出他結構的特長，也就是英格蘭人的性格——嚴謹而慎密，尤其是技能上的高超，這本書是值得推荐和效法的

這是以一樁犯罪的開始而以另一樁犯罪結束的故事。主角是黛絲姑娘，和她認為肉體上的丈夫杜百維，合法的丈夫安琪克萊爾。

安琪看來是富有智慧、理想，而實際屬於思想不曾定型，性格有點游移的青年。他的愛戀黛絲是崇拜偶像和近於柏拉圖式的，「對於愛情的觀念過於注重精神而達到錯誤的地步，過於著重想像而趨於不能實現的程度。」他有時覺得無形體的存在比有形體的存在更能感人，然而在這裡卻有著顯著的矛盾，他既是輕視肉體而側重精神，那麼對黛絲肉體上所犯的□瑕就不該那樣地吹毛求疵，而該注重她完美純潔的意□和柔情盈盈的心靈，「她真正的價值應當根據她的意向，而不得根據她的成就來估定。」但他卻總因她不由己犯下的過失而離

棄了她，因此不管純真的黛絲怎樣地信仰他，認為他是全德的豁達大度的人，但他何嘗又理解過真正的黛絲，終究不過是一個習俗的奴隸，脫不了社會因襲的觀念。

杜百維的戀愛恰恰與安琪相反，只是片面的注重於情欲，他玩弄女性，耽於色欲，利用黛絲的環境，用盡心機的勾引誘惑；無疑的，黛絲一生的不幸多半由他一手造成。他雖然中途忽然由花花公子轉變為教徒，想以苦行為自己贖罪，但一旦復燃起對黛絲的情欲，頓時又放棄了宗教，在這裡，作者借他諷刺著，有些人信仰上帝不過是一種自欺和遁世的行為。

歷盡人間酸辛，而為一般世俗人等鄙視的黛絲姑娘，她原有著倔強的意志力，重大的責任感，和一付柔性熱腸，然而惡劣的境遇屢次驅迫而違抗了自己的意志，她被魔星——杜百維的玷污，起因何嘗不是由她家裡想攀一門富有的本家。她的意志使她再生後，偏又與執拗得近於殘忍的安琪結合了。她的良知不許她對愛人隱瞞一切，卻不想坦白反換來了無情的遺棄，以致更造成了二次的失足，在愛與恨的交迫中，她終於刺死了杜百維，在所愛那裡獲得剎那繾綣，安然領受了死刑。她的種種不幸，原應歸根於社會因循的對女子的苛刻，一面是陷阱遍地，一面卻是嚴酷的責備和要求，一個純真的少女行在兩者之間，是難求其兩全的，然而哈代在這裡卻只強調著他的定命論，他雖然不信仰上帝，但他卻認為冥冥之中，自有主宰，非人力所能與之抗爭，所以他在全書的末尾說：「正義是彰明了，萬神的主宰也終止玩弄黛絲了。」同時在他思想中還迷信著一種因果律，所謂「惡有惡報，善有善報」，譬喻他指黛絲的死大半是贖她家穿了盔甲的祖宗，在戰鬥後回家的時候，曾經姦污了許多小姑娘的罪而死。與杜百維為非作端終不免慘死，全是出於一貫，總之，哈代在這部書裡雖然亦刻劃出世上的醜惡，宗教的無用，但他所用來表揚的，還是他在定命論思想。

哈代的作品，向來以結構嚴整，布局緊湊，情節幻變著稱，而這部小說便充分地表現了他的特長，人物突出，情景宛約，雖然有時脫不了英國作家一貫地冗長描寫，但它緊湊謹嚴的筆觸，對從事寫作或預備寫作的人，還是可以推薦的一部藍本。

編註：本文原刊於《公論報》，一九四九年十二月十二日，第八版。

靦腆呢，怯懦？

——孩子事之五

恬恬從前一點也不「認生」，現在不知怎的，忽然變得那麼躲躲閃閃了。要她叫聲人，她趕緊就遮著面往回跑，人家要說一句：

「恬恬，我帶妳去玩去。」

或是：

「恬恬，要不要買糖？」

她就更箍緊了我的大腿，慌得連哭帶嚷地要抱。有時晚上來了客人，那她連放在客房裡的牀上都不願睡了，一天兩個路人笑著讚她一句「漂亮！」她卻像突然見了魔鬼似的，擲掉手裡的石子，就哭著亂跑亂竄。直到我穿過馬路去才把她抱回來。請了下女，左哄右騙，她總是一百個不要，到後來，索性看到女客就當下女要抱她，老早就急得哭起來。本來她頂喜歡爸爸騎車帶她出去玩，可是因為去了兩次辦公處，那麼些人，這把她嚇壞了，寧可不再去坐車車。氣得她爸爸說：

「哪來這樣沒見過世面的鄉巴佬！」

真的，多麼不討人喜愛的孩子，難道我們的兒童教育不夠嗎？可是莉莉的媽媽亦老這麼說她女兒：

「莉莉真是個鄉巴佬，見不得生人。」

可不真的，莉莉總是成天黏住她媽媽，只要一看見來個陌生人，就嚇得連忙閃在媽媽身後，再不就往房裡一躲，你要逗她二句吧，準得咧開嘴哭將起來，還有金家的小慶也有這個彆扭性子，除了自己的爸媽，任什麼人都不讓抱，甚至任什麼人都不許接近。這樣的孩子老牛皮糖似地糾纏著做媽媽的，不曉得給忙著料理家務的媽媽帶來多少麻煩，並且，並且還得擔心著：「他（她）大了要還是這股靦腆性子，那怎進得社會呢？」

孩子的天性原是坦白的，孩子的小心眼裡也不該有懼怕，但孩子為什麼「認生」呢？如果說這是因為平常少出去，少與人共處的習慣，只要慢慢地訓練訓練，一習慣，就可以袪除這種傾向。那麼恬恬也不是藏在屋子裡的，你講她怕生吧！她有時去孩子多的人家家裡，還玩得樂不思蜀哩！可是她就怕見大人，跟莉莉和小慶一樣；這究竟是天生的懦弱，抑還是心理上必然的過程呢？

編註：本文原刊於《中央日報・婦女與家庭週刊》，一九四九年十二月十八日，第七版。

小街

小街蜿蜒地伸展著，擁著二排不整齊的，孩子用積木堆起來似的棚屋。靜止的路只是一條僵冷的死蛇，那屋子和屋子裡的人，卻給荒涼的路帶來了生氣，帶來了活躍。

二月前，小街還只是一片大漠荒野哩。除了牛車蹣跚地蹀踈，汽車過時揚起濃厚的灰沙，總是死沉沉冷清清的。散居在附近的人家，就似給繁華世界遺忘的一些山墾的蝸牛。可是曾幾何寺，一幢幢鱗次節此的小房子，便像春風暖日下的青草般萌出了。沒有工程師畫圖設計，也沒有鋼骨水泥，大興土木，只是你那麼錘幾下，我那麼刷幾刷，編編竹子蓋蓋草桿，再抹一層泥堊，新屋便落成了。別小覷它那麼簡陋，照樣也能遮風避雨呢。那次颱颱風，大家都擔心著小屋不知怎樣了，可是第二天一瞧，還不是屹立無恙，只有一間尚未完成的，傾斜在一邊。

「地勢不好，回頭要遷一遷。」屋主人說。

「是拆了重建嗎？」

「不。搬一搬就得了。」他輕鬆地比一比手勢。

哦！屋子還可以搬家？除了在雜誌上看過美國大事吹噓的金屬活動房屋。我還不知道活動房屋早就在我國流行了。下午去看時，可不是左邊多了個空罅，右邊果正端立著吹歪了的那幢棚屋。

棚屋可真小，不到一丈見方，一家飲食起居還帶著賣買。方方的窗子便算作櫃台，貼一張紅紙，便算作是招牌。擱上五六個玻璃瓶的是雜貨店，擁有二三張小桌子的是點心鋪，開茶館的就門口放幾把竹靠椅，賣跌打傷藥的卻只有一幅布幌子。有著二面鏡子的理髮鋪是最輝煌的了。小街上可還有小街的文化哩，幾家租書社出租著言情武俠小說和連環圖。這些全是家庭店，店主婦照顧著生意，還得偷閒洗洗衣服煮煮飯。店主人管著店務，也得帶帶孩子劈劈柴。然而他們卻給小街帶來了生命和繁榮，給人們帶來了方便和親切。而在晚上，當人們赴夜市回來時，歸途上再不是無垠無涯的黑暗，遙遙地望見那一簇簇燈光，心裡就泛起一絲快抵家門的溫暖之感。

「怎麼，怎麼一下子就變得這麼熱鬧了？」闊別三月的友人，一進門就嚷呀嚷的。

「一下子嗎？」我訕笑著：「是的，任何一種建築物的完成，都會使人完全忘卻了時間的觀念。這都是人的力量哪！你還不知道人力的偉大嗎？人們可以從斷垣殘瓦裡發掘新生命，也可以從廢墟荒郊上開闢新天地。你看，你看那小街的盡頭，新的棚屋不又在默默地建立，悄悄地展延。」

編註：本文原刊於《中央日報・副刊》，一九四九年十二月二十一日，第六版。

再來一次文藝運動

讀十二月二十三日《新生副刊・關於當前文藝政策》一文，頗有同感，的確的，這二十幾年來中國的文藝潮流差不多全注入紅流中去了。除開那些從唯物論的觀點出發的作品，那些鼓吹極權獨裁的東西，文壇上還留有些什麼？就說在反攻基地的台灣，出版界似乎手是凍結了。流行的一些雜誌全是內幕性、學術性或是娛樂性的，各報副頁亦多半偏於綜合性，有關文藝的作品刊物，簡直是鳳毛麟角。在反侵略戰爭最劇烈的時候，在人民最感苦悶動搖的時候，我們卻忘卻了最犀利的武器，忽略了堅定信仰鼓舞人心的法寶——文藝。

直到如今，居然還有些人認為文藝是太平時代的點綴，戡亂時期不該搞這些句斟字酌的東西，有些人卻又認為文藝採取了反極權的內容，總不免淪為戡亂八股。這都是缺乏對文藝稟性的通盤理解，一個國家的政治、經濟、文化該是並重的，就似陽光、空氣、水對於人一樣，不能說偏重甲方而將乙方擱淺，相反地，倒是應該互相輔助，配合發展。文藝既是文化中最有力的前鋒，豈又能棄置不用？何況我們所指的反極權文藝，並不是詞藻的堆砌，纏綿繁複的描述，而是有血有肉，有真實有愛與恨的報告，是鮮明、醒目，有號召力、感染力的描繪，主要的風格便是單純和生動，一首短小精悍的詩的效力，遠勝於標語和口號，在一篇簡練生動的小說裡將□的啟示和反應，更非洋洋乎大觀的論述所能比擬。至於八股文章，那也是可以避免的事，寫的範圍不一定限於描繪戰士的英勇，反映魔鬼的醜惡，凡是發生在這時代，而不是消極頹廢，而有戰鬥性、建設性、啟示性、□物性的事事物物，我們都可以寫，寫的路子那麼寬，個人的體念、個人的見解與認識不同，與領受不同，個人的表現與手法又不同，只要不採用宣言標語式，何至於就會淪為八股？文藝的樣式體裁自然日復一日地在演變，但它的本質是不變的，文藝的方向雖然在轉移，但它必須是配合時代的。過去有什麼「普羅文藝」、「抗戰文藝」，以及「民主文藝」，只是因為反映的方面不同，或是用不同的觀點去衡量它的作用罷了。那麼現在為什麼不能有「反極權文藝」，成立「戡亂文藝」呢？

是的，我們需要再來一次新文藝運動。

過去在抗戰時期，東南文壇曾經展開的那一次新文藝運動，各地報紙副刊紛紛響應，一掃過去迎合遷就的作風，以新的姿態配合著戰爭，領導著讀者。尤其是一班青年和學生，寫作熱忱可真高，其中很有些有分量的作品。雖然東南一角那時也只剩下那麼一點自由的土地，但效果卻非常之好（如果那次文運能延續到現在，□□的文藝領域亦不至這樣空虛了。

遺憾的是勝利的爆竹一響，嚴肅的工作者不多洩了氣，便立變了質）。因此我認為要展開這次文運，有三個原則：第一個原則便是利用副刊的力量推動，因為報紙的流傳比任何刊物都廣泛迅速，報紙擁有更多的讀者群眾，它的發揮作用，自然要比一切刊物都強。而在目前物質條件都受著限制的時候，這第一著棋，也只有靠報紙的力量了。

既以副刊作為這次文運的基地，除要求副刊盡量刊載文藝作品外，最好再闢一個文藝週刊或半月刊，專載比較成熟與長篇的作品，另外又增闢一個學生或青年園地（目前□□各報雖亦有青年之頁，但常常刊載大塊文章或老牌作者的論述，都不能算作純粹的青年園地），專載新進作者的習作，鼓勵青年們從事寫作，這裡還可以附設一個文藝信箱，特約前輩作者，專事解答文藝方面的各種問題。這是第二個原則，發動青年。第三個原則是文藝工作者必須聯繫起來，組織一個文藝協會，定期集合檢討、批評、研究，收集寫作題材，彙集優秀作品刊行叢書，以求擴大充實反侵略反極權的文藝運動。

因見《新副》最近展開了當前文藝問題的討論，提供拙文數點以作拋磚，末了，希望每一個文藝工作者都能拿出良心來，每一個副刊編輯先生都能不辭辛勞地架造橋樑，在維護個人自由，反抗極權獨裁的大纛下，參加這個莊嚴偉大的運動。

編註：本文原刊於《台灣新生報・副刊》，一九五〇年一月四日，第八版。

論宣傳應採取話劇

日前讀《中副》連載〈論宣傳宜利用國劇〉一文，關於國劇的長處和功用，先生可說極盡褒揚之能。但強調宣傳唯有利用國劇這一點，筆者卻以為不然。

戲劇，本來是一種綜合的藝術，它包羅了文字、書畫以及音樂。而使它們具體化了，用真實的動作，真實的語言，再呈現在觀眾面前，利用它來作宣傳，無疑的，該是各種文藝形式中最受歡迎，也是最容易被接受，最迅速收成效的一種形式。但首先我們要弄清楚宣傳的對象是誰，是智識分子，是小市民，抑或是人民大眾？如果說反侵略最大的動力是民眾，亟待加強反侵略意識觀念的也是民眾，那麼宣傳的對象自然是廣大的人民大眾。在教育還不曾普遍到農村僻鄉的今天，艱深時，超越於人民智識水準的戲曲，與實際生活過於隔閡逾遠的劇情，是不是會被民眾了解、消化，是必須顧慮到的。

就說國劇，果然，由於它採取的劇情大半係歷史性的，為民間比較熟悉的故事，表演時又有歌舞、音樂、武技、打諢諸類，再加上千百年來流傳的力量，給一般國人留下了深刻的印象。但這不能就說人民大眾絕對歡迎國劇，因為它那過於抽象的表演，總不能將形象親切地傳達給觀眾。深奧曲折的唱詞，也只有少數的國劇較有研究的人才了解，同時因為它過於注重音節的挫揚、運腔和吐字，它給觀眾的觀念已不是對故事的同情，對劇情的感染而只是推敲小節，閉目靜聽的欣賞了。因此搬演的永遠是那幾個陳舊不變的劇本，縱使摻入新的因素，亦未見得能剷除觀眾心裡的成見，而激發起戰鬥意識，或起啟示作用。如果說明舊劇改演時事，穿軍裝制服走台步，耍水袖果然不成話，要替現任總統院長加上蟒袍紗帽，更有點不倫不類。國劇一向的作風是褒貶忠奸，加強善惡因果說，或是宣揚忠孝仁愛等，這果然亦可以作一種宣傳，但不是「宣傳」「宜」利用國劇。真正能為反侵略反極權作宣傳而效果又最大的，那還得推話劇。

話劇採取的題材來自現實，因此更接近民眾，適合人民的生活環境。話劇表演的方式具體而生動，因此給觀眾以親切熨貼的感覺。話劇的言語樸實、明瞭，是民眾自己的言語，因此容易抓住觀眾，打動觀眾。在各種宣傳形式中，也只有話劇最富於感染力，富於號召力。而且話劇需要的工作人員較少，不但在組織和訓練上省力得多，且行動方便，到處可以巡迴宣傳；今天赴前線，去軍中，明天又可以深入農村，深入民間，那些簡練有力的街頭劇、獨幕劇，更是隨時隨地可以演出，街頭巷尾便是舞台，白雲紅樹就算布景，既簡單，又迫真，更不需累累贅贅的道具布景。記得過去抗戰初期的巡迴劇團，在民間演出街頭劇〈放下你的鞭子〉，人們幾乎忘卻了這是演戲，許多觀眾都怒目揚臂地向那執鞭子的老頭兒咆哮喝止，劇終後卻又感動得拍著老頭兒的肩膀流下淚來，尤其是那些採用了民間的調門像山歌、民謠、唱詞的歌劇，演過後，大人在哼，小孩在跳，接受得那麼快捷，流傳得那麼廣泛，就像是大眾自己的東西了。這又豈是拘於成規，講究行頭班底的國劇所能比擬的？

如果說反侵略宣傳是反侵略戰鬥中的一股力量，那麼話劇便是這力量的主力。如果說反極權宣傳是反極權陣容中的一支作戰部隊，那麼話劇便是這作戰部隊中的一支游擊隊。在整個反共戰爭中，我們不該忽視這一件銳利的武器。何況話劇早在抗戰時期創下了輝煌的功績。宣傳貴在效果，貴在時間，我們應該駕輕就熟，似乎不必要從矛槍短刀中去尋求原子彈。

編註：本文原刊於《中央日報・副刊》，一九五〇年一月十日，第六版。

頭髮的故事

人身上最無用而又最麻煩，最重視卻又最倒楣的，莫過於那一頭數不清的頭髮了。過去由推髻改髮辮，由髮辮換蓄髮，不知多少腦袋因此搬了家。這是人為髮受的罪。如今呢？好好的頭髮又挨盡電燙、火烙、蒸烤、上吊等各種極刑，這又是頭髮為人受的罪。古人和今人，珍視頭髮，儘管各有理由，但有一點卻是人同此心的，那便是為著「美」。

頭髮的美是難於形容，難於描繪的，且舉這麼一個例子：晉時有叫桓溫的，平復四川後，以蜀主李勢的妹作妾。他的髮妻是南康長公主，曉得了這會事便帶著刀預備去殺她，去時恰巧李正照鏡梳妝，長髮委地，楚楚可憐。她不由得棄刀讚歎道：「我見猶憐，何況老奴！」髮美竟能化妒嫉為讚美，可見髮的魅力。

因為髮有這樣的魅力，人們遂把它當作第二生命，愛人們生離死別。往往割髮相贈。因受刺激而看破紅塵，總是先截髮以示決心。要是一病而落盡了柔髮，那更比裸體還羞得不敢出大門。

但頭髮是生來就溫柔嫵媚嗎？頭蓬如草，一把亂頭髮當然談不上美，人們為打扮它修飾它，一生消耗在它身上的精神、心血、時間，簡直不能勝計。而近世紀來許是惑於「曲髮為優秀民族」說：它為人受的苦難是罄筆難書。由此，定下了這麼一個不合邏輯的邏輯：因為它美，所以才百般珍重，千般愛惜。因為要使它美，所以又不惜讓它挨盡折磨，受盡苦刑。

昨天才興高髮蓬鬆，今天又作雲勾垂肩，臨鏡斟酌，不禁擲梳感歎。

「唉呀！這三千煩惱絲！」

編註：本文原刊於《台灣新生報・副刊》，一九五〇年一月三十日，第九版。

是哪一家做莊？

清晨昏宵，走過那些公寓邸第，總聽見辟拍之聲達於戶外，前方作戰緊張，後方亦緊張作戰。同樣地全神貫注，廢寢忘餐，只不過一邊流的是崇高聖潔的鮮血，一邊流的卻是□濁卑俗的造孽錢。

考麻將的前身原係宋朝的一種紙質博具——馬弔，用以賭酒博飲。入局者氣靜聲和，有無聲落葉之稱。寄寓閒情逸致，尚不失為風雅之事，遞傳到現在，那股閒情逸致，早就變作純粹的賭博性質了。唯一的企圖便是覬覦別人口袋裡的錢鈔，動輒日以繼夜，通宵達旦，結果呢？勞神而傷財。記得有個什麼機關的長官，從週末打牌打到星期一早晨，抹一把臉紅著眼就去主持紀念週。站在總理遺像前原已神思恍惚了，偏偏那位司儀的盡不來喚「紀念週開始」他忍不住想催一句「是那一個司儀？」不想一脫口卻是：

「是哪一家做莊？」語聲未畢，頓時引起哄堂大笑。

別小窺這一百三十六張小東西，在現中國社會上，據說這是交際必備，應酬必修之課哩？素昧平生的人有這麼一手，便成忘年之交。下官末吏顯要貴人有這麼一手，頓時其價九倍。部屬與上司有這麼一手，關係立即密切。不有許多草字頭竹籬頭的，全由太太進內庭打牌打來的？要巴結，要討好，沒有一個場所會像牌桌上那樣容易揣摩胃口，投合所需了。

過去彷彿曾讀過一篇從賭博看民族性的妙文：說歐美人的賭博是靠技巧和機知的，僅僅是那五十二張撲克，玩的花樣可不知多少：勾心鬥角，運籌出奇。投機取巧，見風轉舵，死牌可以翻成活牌，假牌可以大唱空城計，他們相信人定可以勝天，因此他們富於冒險性、進取性，可亦為達目的不擇手段。至於中國人，賭具如麻將、骰子、牌九，全是硬碰硬，直碰直的碰運氣、靠風頭，自己是無能為力的。因此中國人全是定命論者：一切都聽憑命運播弄，所謂「生死由命，富貴在天」。別人是王牌在手之操縱自如，我們呢？孤注一擲，且看運氣如何。

編註：本文原刊於《台灣新生報・副刊》，一九五〇年二月三日，第九版。

漫談業餘寫作

立早先生：

由《中婦》轉來信稿均收到，日前拙作中偶爾述及寫作，原係鼓勵家庭主婦能在家事之外，選擇此道以排遣寂寞，而先生卻要我進一步討論「怎樣寫作」？關於這一點，如果武先生不認為是俎越《中婦》性質範圍的話，我自然很願意答覆，不過我自己也還是在學習中的青年，這裡要說的，不敢說是「寫作入門」、「寫作要訣」，只是把平時讀書的心得和近十年來寫作的經驗，寫出來彼此研討研討。

首先我覺得值得慶幸的是：我們學的是文學，而不是其他必須經過多少學程，必須全副精力從事的科學：文學是不受時間限制，不受環境阻礙，隨時隨地可以自修的一種學問。書本是領導我們的導師，整個社會、人生便是我們研究的課程，要旨就在自己有沒有持久的興趣和恆心，有沒有長期忍耐的精神。

「讀書破萬卷，下筆如有神」，寫作的第一步便是多讀。讀書不一定要充裕的時間，清靜的環境，唯有利用餘暇讀一段，甚至如廁不釋卷，書攤上揩油，在嚣鬧的環境中仍能潛心閱讀的，那才是真正的「讀書的藝術」。普通一部有分量的鉅作只讀一遍是不夠的，因為開頭時我們往往會給故事或人物吸引了注意力，而忽略了寫作上的技巧，結構描寫，暗示和作者的觀點，作者是怎樣取材布局的，因此必須一而再，再而三地細細咀嚼，慢慢吟味，直到閉上眼也能尋釋它的佳勝處。世界文學名作果然要讀，優良的通俗小說也要讀，頂好是每種都擇經過許多人批評，成了定論的傑作代表作，瀏覽比較一番，然後再選定幾部自己認為最愛好的傑作，作為仔細研究、學習、模仿的藍本。

寫作主要的題材既是人生，我們就該從每一個人的生活上著手觀察、研究，要是職務限制著你不能深入社會，深入廣大群眾中去體驗，那麼你的同事，以及你平日接觸的人物，亦都是觀察的對象，某一階層的人有某一階層的生活特色，每一個人有每一個人的舉止笑貌，把觀察分析得來的這種特徵和個性逐一默記下來，再將地位相同的人的特徵個性揉合在一起，這樣，典型便塑成了。作品能不能使讀者感到親切生動，就在勾繪的人物典型是不是突出明顯，這就是曹雪芹筆下的王熙鳳、寶玉、黛玉，果戈裡筆下的乞乞果夫，密西兒筆下的郝思嘉、白瑞德等等，為什麼會在讀者腦中留下深刻的印象的緣故。

「倚馬千言」、「一揮即就」的天才，不是人人有的，因此在創作過程中，運思結構也占著重要的地位，我一向的作法就是先起腹稿，在工作時如有一段空隙而又不便看書，那再好便是運用思維，在家是更好了，或是憑窗小立，或是依榻凝思，盡可靜靜地想去。我往往要把一篇題材的開始、結尾，以及起承段落完全處理得差不多了，這才寫上稿紙。而當思索線忽然結上疙瘩時，我總是做些別的事將它擱置，待腦子澄清一下，然後再撈起線頭重新思索下去。我覺得這要比伏案苦思，或是邊寫邊想要省力得多了。

練習寫作也跟練習寫字一樣，要多寫、勤寫、不斷地寫，每天要有一定的時間寫點什麼。寫不出寫二個句子也好，寫一段描述也好。而每天的見聞，一時的感觸、想像，更要隨時記錄在懷中筆記本上，過一個時期整理一番，將重要的彙集攏來，便是很好的寫作材料。文學有疵、穩、醇，化四境，從練習到熟練，自然要經過「疵」這一階段，這也就是沒有成熟的作品。這樣的作品馬上急著送去發表，是難免不遭失敗的。因此寫好一篇東西，首先得用客觀的眼光忖量有沒有缺點，或是再用人家的文章來觀摩比較一番。有不必要的字、句、段落，要毫不可惜的刪去，多餘的描述不但不能加強作品，反而成為作品的累贅，最有力量的作品，也就是最潔簡的作品。

寫作時最危險的便是：在創作過程遇著挫折阻礙時，在作品屢遭拒用退回時，容易流於沮喪、頹廢和委靡。因此從事寫作者最緊要的是毅力和信心，不要愁沒有天才，不要愁沒有靈感，也不要苦惱心血的結晶沒有人賞識。天才原是百分之一的靈感和百分之九十九的血汗，靈感則是生活經驗與讀書心得的昇華，大文豪們一舉成名也不是偶然的，那都是長期努力的結果。

巴爾扎克說，從事藝術工作應該像兵士上戰場那樣勇敢，礦工下地洞那樣地勞苦，還要有長久忍耐的精神，才有希望。我們應該記著這些話，努力克服一切寫作過程中的困難！

編註：本文原刊於《中央日報・婦女與家庭週刊》，一九五〇年二月五日，第七版。

新歲話新舊

爆竹一聲，萬象更新。人在新年，都愛立下些新志願，定下些新計畫，不管每年的志願計畫有沒有兌現，今年的志願計畫能不能付諸實行，開始時，卻也精神抖擻，別有一番振奮，原因是又冠上了「新」，新奇，新奇，凡是新的事物都帶點神祕，也就是這點神祕吸引著人，挑逗著人，激發著人，新的生活使人亢奮，新婦有說不盡的恩愛，面臨清新的工作，一定會認認真真擬一套方案，表現一下自己的奮發有為，我們家鄉有句俗語，新蓋的茅廁還有三日香哩！可是日子一久，新的氣氛給時間沖淡了，起的那股勁也就鬆弛下來，依然是昏悶的打發日子，依舊是等因奉此，依樣畫葫蘆，這就像是一個氫汽球，初打氣時果然飛揚騰達，慢慢地可就洩氣了。

很多人認為新的便是進步的，因此你也嚷著，革新、「從新」，我也來一套新計畫、新方案，要是所謂新對人對己都不過是一劑興奮劑，那還不如安份地就舊根基打打主意還來的實際點，自然，我並不是主張保守，主張維持現狀，而是說任何心願信念，都該經的起時間的考驗，比方對日常生活永遠抱著新的戰鬥，發掘的精神，那麼人們便不會有那麼多對現生活的憎嫌厭倦，夫婦們能始終保持新婚時的情調，那麼家庭間永將洋溢著融洽，為政者能永遠保有那股接事時的幹勁，那麼用人行政，沒有一樣不能納入軌道而成績斐然。

《大學》所云：「苟日新，日日新，又日新。」應該是指再接再勵，精益求精。而不是一筆抹煞過去，從新再來立異標新。因此，友人問我：

「又是一年開始，有什麼新計畫？」

我只是答以：

「初願尚未完成，仍需繼續努力！」

編註：本文原刊於《台灣新生報・副刊》，一九五〇年二月二十七日，第九版。

真耶？戲耶？

一陣喜爆，一陣音樂，又是鄰家在舉行「終身大事」的典禮了。

小時候，還不懂得結婚是怎麼一會事，卻也最喜隨和大人喧喧嚷嚷地去看「新娘子」。如今看人的也給人看過了，興來時，仍愛趕趕熱鬧。只不過從前是懷著好奇的心理，現在卻滲著點惆悵的感觸。有人說：「如果人生果是演戲，那麼女人卻像是一場電影。結婚，是在一些熱烈緊張的情節後，最後在銀幕上放映的，雪白耀眼的『完』字」。話果然不失聰明，但既是登上了人生舞台，不到嚥最後一口氣，是沒有人能停止扮演的。只是女人婚前的演出，是受著青春的鼓舞，唯「美」至上。熱望著觀眾的喝采，是演給別人看的。婚後的演出卻是受著責任的督促，唯「真」第一。但求著心靈的慰安，是演給自己看的，因為是演給自己看的，中間懸上了「家」這幢簾幕，觀眾窺不到真相，便只能說是完了。

在造物者的導演下，人生原不過是扮演一齣戲，有冗長平淡的，也有熱烈緊湊的。不過男的都是平平演來，穩扎穩打，女的卻是一上台就搏得不少掌聲采聲，紅顯一時。可是驟然一落，卻又默默無聞了，不少人因為感情不能適應這劇烈的變化。不住價戀惜著逝去的掌聲采聲，追懷著熱烈旖旋的場面，然而簾幕沉沉，已是難以舒捲，於是只得悄然默然，將目前以至半輩子的角色應付過去。可是不管是喜劇悲劇，是假戲真做，真戲假做，在台上果然有哭有笑，有怒有哀，戲完了，人生還不是渺無痕跡，宇宙還不是寥寥茫茫！幾十年的生命，在無限之生裡，又何異於戲台上的一瞬！人生是虛幻的，但就在這虛幻中，更需要抓住點實在，既是派定了的角色已無能更換，又何不就原角色努力？戲不一定指望演得長，卻要演的好。而演得好的戲，並不一定需要觀眾的捧場。

編註：本文原刊於《台灣新生報・副刊》，一九五〇年三月四日，第九版。

精神戮戕

造福人民的物質文明越是進步，人民的死亡率越高，記得有誰說過這樣的話，可不是嗎？差不多天天有人死於車禍，死於失事，死於意外，這年頭，死本來就算不得一會事。可是，昨天一個不相干的人病故，卻使我無限感慨！

死者患的什麼病，卻不頂清楚，只曉得他去就醫，醫生那麼聽聽敲敲，便冷酷的告訴病人：

「沒有希望了，頂多還能活八個月」。

一個渴望著生，祈求著活的人，卻從自己全部生命希望所信託的人那兒得到這樣的判斷，這就像是一個攀懸在危崖絕壁上的人本來還掙扎著向上攀附，突然當頭一聲棒喝，心一慌，手腳一軟，便身不由主地向萬丈深淵下墮，不到一個月，病人終因迸發了嚴重的神經錯亂和歇斯底里，而撒手歸天了。

越是時刻懼怕擔憂的事，越是趁著人精神恍惚，情緒不寧時襲來，如果病人有生的信心，病也許會慢慢痊癒，如果病人的精神不因受刺激而崩潰，也許在生前還有一番作為，很多不治的絕症，如今都有了特效藥，很多瀕於死亡的病者，會突然有了轉機。死馬尚且可以當活馬醫，到了「山窮水盡」，也還有「柳暗花明」的情境。可是患者既輕信盲從，又不能約制自己的感情。醫者既無能治療，反胡亂塞了這麼一支致命針——我哀死者，惱醫者，更悲哀社會上那一群只會輕信盲目之徒，惱恨社會上那一班慣於危言聳聽之輩。不是嗎？有很多自命為預言家，洞察國情，實際是悲觀主義，頹廢派著流，只看到了事情灰暗的一面，便悲天憫人地妄言「國家無望了」、「大局難保？」而偏有些徬徨失主，意志不定的人，中了流毒，也就消沉下去，毒中得深的，真變得消極頹廢，委靡不振，滿口悲觀論調，一副頹喪模樣，看樣子，就像末日當真馬上來臨了。

前者是精神戮殺的劊子手，後者是自甘引頸受戮！

編註：本文原刊於《台灣新生報・副刊》，一九五〇年三月七日，第九版。

拉住時代的人

讀罷易卜生的社會劇〈總建築師〉後，不禁對那個自私、頑固、極端個人主義的建築師——霍韋德・蘇爾納斯，產生了強烈的反感，雖然在不同的時代，不同的國家，不同的社會，在現中國的社會上，正不缺乏這種潛伏著的惡勢力——一種絆住時代輪齒的障礙。他們固執地死守著腐朽的陳骸，或霸占了一個位置，不求上進也不想發展。但一方面又忌懼別人的成就。恐怕新的一代會崛起而替代了他們的地位。於是就想出方法來把年輕的一代壓在自己腳底下。不讓他們有嶄露頭角的機會。他們對待一個有才幹，求上進的青年，往往運用二種手腕，一是貶損，他始終把你看作無關輕重的庸材，當你有所詢問討教時，他是一味的含糊敷衍。當你有所建議或意見時，他卻拿出「前輩」、「先進」的身分，吹毛求疵地指斥你這是錯誤的，那又是不正確的，總而言之是把你的東西誹謗得體無完膚，一無可取。久而久之使你由沮喪而消沉，甚至對自己的能力發生懷疑。一是籠絡，他假裝佩服你的識見，賞識你的才幹，極力拉攏你做他的心腹，不時給你嚐點甜頭，但對你的真才實學卻並不重用，也不給你發展的機會，只是一味用軟功索住你，使你的□志雄心在他手下磨滅殆盡。如果在這二種手腕下仍是無法收服，那麼他必定會想盡方法來阻攔你、破壞你、排擠你，不許你有趕上他超越他的一天。

「真的可怕啦，這正我為什麼把我自己牢牢地關在家裡的原故——年輕的一代將會來亂敲我的門呢！他們將會闖進來攻擊我的啦。」蘇爾納斯這句話，正充分地表現出一班懼怕青年人的心理，他們不但不打開門來援引，領導新進的一代，把大門在新一代面前緊緊地關閉著，戰戰兢兢地提防著，寧可讓自己在門內腐朽、□□，卻沒有人肯開門接納新的人材，新的力量。

當然，我們也不會忘卻他們過去的奮鬥，抹煞他們過去的功績，但時代是前進的，新的生命就要新的細胞，新的血液，新的大廈必須要新的棟樑來支持。就跟機器上的發條一樣，用舊了，生鏽了，必須要換上新的，總不能為了自己要苟延殘息，保留位置便使一切機輪凝滯停頓下來。生命是短促的，事業卻是永恆的，如果先進們肯放棄一己的利害觀念，誠摯地打開門容納新進的一代，與自己並步齊進，共同創造更偉大艱鉅的事業，那麼他的榮譽與功績，也將永恆地燭輝著，獲得年輕一代的尊敬與崇仰。又何必忌懼後一代的替代，防止後一代的崛起呢？

要來的總歸要來的，要失去的總歸是要失去。這是無法壓制防止的事。如果妄想拉住時代，不為年輕的一代開門讓路，那麼總有一天會像建築師蘇爾納斯一樣，在新興的一代面前，從高處跌下來，自趨滅亡！

編註：本文原刊於《台灣新生報・副刊》，一九五〇年三月十六日，第九版。

生活的考驗

二個靈魂只有在血淋淋地共受鞭撻，共歷磨難中，才能二而一，一而二地鑄成一個。

張先生一下班回家，便顯得百無聊賴地房裡轉轉，廚房轉轉，開開這個盆子，揭揭那個鍋蓋，有要沒緊地問：

「飯還沒有好嗎？」

張太太正忙著張羅飯菜，後面是太陽曬背脊，前面是一個大煤爐，臉上油一陣汗一陣也顧不得抹拭。聽張先生這麼一問，不由得心裡一股子不高興：一回家來便記著吃飯，原來只是把家當作飯館旅舍而已，於是滿腔的怨尤牢騷一湧而來。

有時是張先生正端著碗飯，張太太坐上來便訴說：

「錢又沒有了，昨天該人家的菜錢沒付，今天又賒了四兩油，吃一頓愁一頓，這日子可真難過。」

張先生一聽，心裡也不由得打了個疙瘩，坐了七八個鐘頭的辦公桌，回得家來便是錢沒有了，米不夠了，聒絮個不了。真煩人！於是眉頭一皺，真是一肚子的不耐煩。

在身心疲憊時，人的火氣總是旺點的，這個一肚子不耐煩，那個滿腔怨尤，只要一觸便是一場口角，要不發洩悶在肚裡呢？那種不愉快的氛圍，逐漸便瀰漫了整個小家庭。自然，常此以往，後果是堪慮的。但在這動亂時代，一般生活不安定或靠薪給生活的小公務員之家，這樣的情形，可以說是屢見不鮮，從上到下包攬了家中大小什務的主婦，確是沒有優裕的時間、恬適的心情在丈夫回家時笑臉相迎，而做丈夫的在生活負擔的重壓下，也就忘卻了溫存，談話的資料是柴米，思想的中心是柴米，生活的範疇更離不了柴米，於是由於生活的枯燥、瑣屑，人也變得麻木暴躁。溫情沖淡了，和諧消失了，整天愁眉苦臉，唉聲歎氣，本來溫暖融洩的家庭，幾乎變成悲慘地獄。

俗謂「柴米夫妻百事哀」，夫妻間的感情如果僅存在於柴米關係，確是值得悲哀的事。但這不一定是感情消失，而是感情變質，就似光輝的黃銅因受潮濕空氣的侵蝕而變成暗綠一樣，原因還是彼此都把自己的困苦看得太重了，以至造成這種空氣，忘記了既是同時陷在生活的泥窪中，只有更密切的合作、諒解，才能獲得出路，推諉、埋怨、悲苦是唯有加速深陷的。記得抗戰時我住在一個小山城裡，鄰家一對夫婦原來都在一個機關裡工作，時局緊張時女的被遣散了，男的也只拿得幾文維持費，生活是夠苦的了，但他們兩人之間從沒有半句齟齬，依然生活得融融泄泄，有時旁人聽得他倆，歡欣相讓食物，還以為他們是在享受一餐豐腆，誰知只是一缽煮白薯，有時嘹亮的歌聲四揚，原來是天冷衣服賣光了，只得躲在被窩裡合唱消遣，搞到一點錢，兩人商量著買米打油，就跟商量度蜜月遊西湖似的。現實給他們的不管怎樣苛刻，怎樣殘惡，但他們不屈服，他們有生的勇氣，生的信心，他們懂得怎樣用蓬勃的內心生活克服醜惡的現實生活。他們夫婦間始終保持著一種幽默感。幽默感，這是夫婦間最佳的安全劑。不知多少人在戀愛時都像愛情的浪費者，婚後卻吝嗇得連一個吻都不記得予給。很多在戀愛時儼然健談家的，婚後卻在家裡連話都懶得說。殊不知一句詼諧，可以掃除滿天的憂雲愁雨，一個輕吻，可以吻去一天的困頓。為什麼一回家就只記得問飯，為什麼沒有錢了，要說得那麼怨聲怨氣呢？只要一點兒幽默，一點兒溫存，馬上就是滿室生春了，這又是不花費分文的事。物質上的貧乏，一時不能控制，但精神上的空靈，是自己可以操縱彌補的。不能為了物質的困苦，而不自覺的使整個精神生活也為之殉葬。

「二個靈魂只有在血淋淋地共受鞭撻，共歷磨難中，才能二而一，一而二地鑄成一個。」如果說困苦的生活是一種考驗，那麼經得起考驗的，經過這一次考驗，心與心之間應該貼得更緊更密，柴米夫妻百事哀，這「哀」都是自己不能控制精神在生活面前屈服時才產生的。

編註：本文原刊於《中央日報・婦女與家庭週刊》，一九五〇年四月九日，第七版。

花・花瓶

「真是怪事，報上天天載著大幅的人才待聘，也不見人瞅睬，一個女孩子罷了，卻偏生有那麼些人來爭聘。」非擱下電話，訕笑著說。

「爭聘一個女孩子？」我覺得他話裡有著奧妙。

「可不是嗎？前些日子隊上來了女職員，派在我這一室，不知怎麼風聲就傳了出去，今天你一個電話情商，能不能借重。明天他一個電話要求，可不可以交換一名，還有暗底裡託人疏說，以重金禮聘作為香餌的，簡直把人當作拍賣行裡的貨物。」

過去，有閩主席禁用女職員的通令，最近，有×中學教員因生產而被解聘，在目前，更有不少具有工作能力、才幹的婦女，被摒棄在職業門外，而如今，如今居然亦有揚眉吐氣的一天，我覺得十二分的亢奮，自然，特出的人是該有特長的了。

「特長嗎？那在一般人眼中確是女人的特長。」非用輕蔑的口吻說：「她家是開冰店的，『冰花』的綽號，便是她有能力的號召。」

「哦……」我不由得倒抽了一口冷氣。

推行了幾十年的婦運，喚了幾十年自由平等的口號，到今天，職業婦女在男士們的眼中，卻還是當作名花淑媛之流看待，在這以男性為中心的社會中，婦女要分潤他們的殘杯冷餐，且不說才能學識，舉止行動動輒受人譏評，苛求，連與工作毫不相關的五官身材，幾乎也將成為履歷表中的一項了，這是職業婦女的悲哀，也是職業婦女的恥辱。

高雅的男士們是值得欽佩的，他們倨傲地把握著職業的權威，勾心鬥角地操縱著社會經濟，卻還有閒情逸致，專挑剔婦女的弱點，關注婦女的儀表，更把加帽子、贈頭銜，忝列為自己的職責。在學校裡，他們推選「校花」、「皇后」，在機關上，他們加封「×花」、「××西施」。甚至在莊嚴肅穆的什麼大會裡，他們也還好整以暇地公選「××大會之花」、「大會之草」，可是反過來卻有侮蔑人家是「花瓶」什麼的，果然，由於少數婦女的不爭氣，惹來了這不良的名字，但如果沒有供奉花瓶的人，「花瓶」又從何產生？像上面那樣的重金爭聘「冰花」。不為製造「花瓶」又為何來？家裡潮濕，才生蛀蟲。因此，歸根結柢，有些意志薄弱的婦女，不知不覺便當上了「花瓶」。又何嘗不是環境使然。

為人目為「花瓶」固然可恥，讓人呼作「×花」，何貴又不可羞，可是偏有些有虛榮者流，冠下「×花」、「××西施」等綽號，不但恬不知恥，反暗自引以為榮，有的甚至儼然以一代「名花」自居，顧盼憐影，揉情作態。然而不管是花什麼，什麼花，「花」任妳千嬌百媚，儀態萬千，總不過是供人玩賞，任人攀折之物。以花擬人，總含有輕慢侮弄的意味。一個嚴守著自己工作崗位的自由婦女，應該以高度的工作表現獲得別個的氣重，一個真正的時代婦女，應該以完美的品性，健全的人格獲得別個的尊敬。不該自我菲薄，默認這侮蔑性的稱謂，更不該容許這類侮蔑性的比擬存在。

由於「花」之類的存在，始終影響了婦女的地位，由於「花」之類的存在，婦女在社會上永遠被歧視輕看，因此，婦女要獲得政治，社會，經濟上真正的平等，不僅先要粉碎「花瓶」的醜名，更要剷除「花」之類的頭銜。

編註：本文原刊於《時代婦女》第二期，一九五〇年五月一日，頁十一。

軍中義務教育在屏東

——記供應大隊補習夜校

夜，悄悄地降臨了大地，它為疲乏的人們安排下悠閒與休息，有人陶醉於它的神祕，有人懶散地領略它的安謐，一天的案牘勞形，一天的流汗耗神，在夜的懷抱裡，人們只想著怎樣舒鬆自己，怎樣娛樂自己，夜的大地，充滿了享受；夜的大地，洋溢著逸樂。然而，在屏東底一個角隅裡，卻有兩百多個青年，利用夜給他們的閒暇，在孜孜地充實自己，有兩百多顆熱忱的心，利用夜帶給他們的靜肅，浸沉在智識的海洋裡。那更是二〇三供應大隊主辦的義務補習夜校。

該校創辦的歷史，遠在去歲秋季，他們本著提高軍中文化，補救本軍失學士兵學業，並寓激發士氣於教育的宗旨，展開了這一個包括屏東全基地的軍中教育，在第一期，同時還兼收了友軍、學生、社會青年、老百姓等，因此，很博得社會上的好評，第一期三個月結束，成績的良好，更鼓勵他們籌辦了現在這第二期。

月淡淡，風輕輕，在一個充滿了熱帶風味的春夜，記者偕該校校務主任朱樸，穿過騷囂的鬧市，穿過沉沉的街巷，來到空小——夜校，走進大門，只見整個校舍都浸沉在黑暗裡，周圍是一片靜謐，一片昏暗，走過禮堂，走過操場，昏暗裡開始閃爍著星散的燈光，靜謐中也響起了清晰的朗誦聲，一共四個教室，遠遠地便看見玻璃窗裡滿屋子黑壓壓的人頭，窗外門口，還佇立著好些人影，「這些是（黃魚）」朱校務主任帶著歉疚的笑意，指著那些在外面探首諦聽的人說：「我們預定的名額是按初一二三及高一程度，分甲乙丙丁四組，每組招收三十名，不料招生廣告貼出去的那一天，報名的就有兩百多名，截止後，還有不少來要求補收的哩，可是，由於教室的容納問題，只有委曲他們等待第三期再想辦法了，現在正式上課的人數是兩百零四名。」

教室裡除了教員沉著的語聲，是一片靜肅，那些淳樸的臉上流露著單純的欲念——求知欲，那些凝神的眼睛裡充溢著熾熠的熱情——學習的熱情，諦聽著教師的講解，吸取教員向他們放射的學識，有的迅速地記下什麼，有的在講義上做上註解，有的眨著眼，在尋釋佳勝處，而教師們也仔細地分析，詳盡地講解，更為學生耐心地解答各種疑問，官與兵之間的情感，在這裡打成了一片。

他們每組設有國英算三科課程，除國文必須按學生程度定組以外，其他英算都是選課，英算教材是由學生自備課本，國文卻是由教員選擇以激發士氣為原則的教材油印分發，他們一個星期共有十小時課程，每個星期五有一點鐘精神講話，時事報告，或是隊上的電影放映隊放映電影，以調劑嚴肅的生活。

他們的組織很簡單，校長、副校長由王大隊長、李副大隊長兼任，政工室主任兼任校務主任，設教務、訓育兩組，由劉、潘二位指導員擔任，教員一共有十二人，除了政工室全體動員外，其他都是敦聘該隊熱心教育，學識優良的官佐充任，每晚他們犧牲了自己應有的休息，來在講台上聲嘶力竭的講上一百二十分鐘。

學生們有的是機械士，有的是機械兵，有的是文書士，白天他們的工作並不輕鬆，可是那股強烈的求知欲，那種蓬勃的進取心，克制了體力的疲憊，他們放下工作，匆匆地吃過晚飯，連氣都不喘一口，抹一把汗，便三五成群地出發了，夜校離機場約有三公里，他們全是徒步，而且風雨無阻，那種好學的精神，更是使人欽佩，記者曾翻閱了他們的課卷，都是寫得端端正正，其中有不少清順可誦的，文中還有教員精細的批改與評語。

下課了，在起立聲中，一位教員一手執書，一手搖鈴，站在辦公室的門口——那是他們的教務組長，身兼搖鈴，打雜，上國文英文課數重要職，下課後，教室裡便起了一陣騷動，學生們自動地把課桌椅擺正，把垃圾清除，看著已是整整潔潔，這才熄了燈，又是三五成群地踏上歸途。

這一種好學的風氣，這一種教學的熱忱，使記者感到戡亂前途的樂觀，這是一支能文能武的兵種，也是最現代化的隊伍，他們不僅有堅強的戰鬥意志，而且還在不斷地充實自己的知識，況「知識即是力量」，唯願這力量更加發揚光大，在反攻大陸的坦途上成為一股洪流，成為一座最堅強的飛行堡壘。

編註：本文原刊於《中國的空軍》第一二四期，一九五〇年五月，頁十三，作者署名「靄文」。

勝利的號角

黃昏，閒暇中有一份逸情。我迎著初上的華燈，躞蹀上街頭，走過輝煌的委託行，經過幽雅的飲冰室，我逗留在一家狹隘的店門口，一陣紛沓的笑話過處，三五個女青年軍從裡面走出來，就在我側一側身讓她們經過的一剎那，突然肩頭上挨了那麼一拍：

「咦，雯，想不到在這裡遇見妳。」

驚訝的聲音裡摻著不少喜悅，我倏地回過頭去，注視我的是二隻烏溜溜的大眼睛嵌在棕黑色的圓圓臉上，斜斜的船形帽下壓蓋著修剪得短短的頭髮。健康的身軀裹在一襲米黃色的衣裙裡——一個標準的女青年軍。但我並不相識。

「看妳這份記性！才二年不見便不認得了嗎？」她看到我那付尷尬樣子嗔怪道，但忍不住不笑起來，笑得那麼清脆爽朗，就似春風裡抖動著一串銀鈴。那笑聲立刻衝開我記憶之門，在心的一角串起一串往事……那是她——肖珠，因為她最愛笑，又笑得那麼悅耳動聽，我們便跟她題了個綽號叫「笑癡」。她的無形的笑，留在我記憶裡比她轉換得多多的相貌還要深刻。因此一聽見她的笑，我便認出了她。她從小就是個愛笑的孩子，一點點事便能堅一陣憨笑，甚至迸出了眼淚，於是長輩們就說：

「瞧這憨囡，將來做起新娘來怎麼得了！」但經不住她笑聲的惹撩，尊嚴的大人們也忍俊不住的來個哄堂大笑。

在校時，她更是大眾的「快樂天使」，那天真撼人的笑聲，不知奪得了多少人的傾心，而當愁絲煩網繫住了同學們的雙眉時，只要她來一說一笑，無不破涕為笑，讓煩愁碎滅在悅耳的音波裡。有時人家問她：

「為什麼這麼愛笑？」

她總是說：

「世上好笑的事太多了，為什麼不笑？」

她對任何事抱著樂觀，她從來不曾用憂煩來解決面臨的難題。可是正在她可以無憂無慮癡笑的年代，她沒念完中學便在父母的慫恿下投進了一個大男人的懷抱。不到一半，紅禍像暴發的山洪般淹沒了家鄉，我嚮往著自由，悄悄地從魔掌下溜出來，經過×縣，去拜訪了她。僕人把我引進森嚴的大門，富麗的客廳，通報後，才見她雲鬢高聳，披著件金黃的繡花寢衣，一個嬌貴的明星般姍姍地接見我。

「還是妳好！」當她聽我要到×地去時，不勝羨慕地望著我說。從她吞吐的言談中，我才知道她的丈夫原來是當地清算委員會的主任委員。

聽到這個消息，我對她既是憎嫌又是憐憫。但我再也坐不住了，她默然地送我到門口，我重新深深地看了她一眼，她比在校時更清癯也更嫵媚了。只是我看著總像失去了點什麼東西——那是笑，生命的音樂。

「真的，妳怎麼不笑了。」

她掀一掀嘴角，但皺起的紋印裡卻嵌滿了難言之隱痛……

而如今，她又站在我面前了，健康，煥發而帶著一種堅定的信心，與在大廈中那種嬌慵華貴的模樣，竟是截然不同的二個人。我緊緊握著她的手，高興地半天說不出話來。

「妳知道我是愛笑的，我不能忍受那種笑不出和沒有笑的日子，因此我終於冒了生命的危險，顧不得一路的艱辛和苦難，偷偷地跑出了暗無天日的匪區，考進這一支青年軍，在這裡，我們學習著戰鬥的技術和知識，準備為反攻大陸而作戰，我們也學習著工作的技能，以備為日後服務社會，造福人民。而在這裡，我只要高興，更可以盡情的笑，自由的笑，笑是勝利的號角，我要吹奏著它回到自由祖國。」她興奮地說著，又笑了起來。那銀鈴似的笑聲，似乎比從前更年輕更爽朗了。

「好一支勝利的號角！」我也被她暢朗的笑逗得笑起來。笑吧！笑吧！笑使人健康，笑使人無畏無敵，勝利，是屬於歡笑的呵！

編註：本文原刊於《時代婦女》第二期，一九五〇年六月一日，頁十六～十七。

風雨同舟縫征衣

一陣飆風，一陣驟雨，市區在風雨中抖慄。

噠噠噠噠，軋軋軋軋……

一陣陣單純的節拍，從幽靜的公園路一幢巍麗的大廈中飄揚出來，滲透了風雨，在週末，這裡是飛將軍們施展身手的場所，爵士樂融醉了一顆顆剛毅的心，可是在這風雨淒迷的工作日，誰又能有這份閒情，而樂聲卻又那麼古怪，且拭卻沾在睫毛上的雨珠望一眼；哦！原來是婦女反共抗俄聯合會的一個支會。

雪白的布堆裡亮著玫紅的指甲，銀針輕巧地一挑，紗線在空中劃個弧形，多優美的姿勢！人們只道鋼琴上的纖指靈巧。卻不曾領略拋針引線的指尖更靈活，幾十對明眸凝視著手裡，幾十顆心浸在熱忱中，而踏在縫紉機板上的縷花鞋，更迅疾得似在跳的達舞。

噠噠噠噠，軋軋軋軋……

「劉太太，妳出來這麼久，孩子不鬧嗎？」

「就是怕他打攪，昨天已給他斷奶了，鬧噻，只有讓下女給餵點奶粉吃囉。」

噠噠噠噠噠，軋軋軋軋軋……

「天老不放晴，我家裡那個在悶得發慌了。」

「我家裡的還不是！只要天一晴，十天倒有八天在空中呢。」

「妳先生出去有任務妳會不會擔心！」

「那倒用不著，有一次他穿過共匪的炮火網，油箱、機翼都給穿了幾個窟窿，還不是安全返防！只是他去轟炸城區時，我總囑咐他多巡迴一下，別炸傷了無辜的老百姓。」

噠噠噠噠噠，軋軋軋軋軋……

「喔唷！」

「扎了手嗎？吳小姐。」

「沒有什麼。」漂亮的吳小姐揉著手指不好意思地羞紅了臉，針有多少重，她今天還是第一次拈到。

「糟糕！」年輕的呂太太又叫起來：「領做小了怎麼辦？」

「沒有關係，拆了再縫過好了。」

噠噠噠噠噠，軋軋軋軋軋……

「玉太太妳歇一會兒吧！挺著個大肚子怪累人的。」

「我一點都不累，妳們都忙著，我好意思袖著手？」

噠噠噠噠，軋軋軋軋……

「咦！胡太太，妳嘴裡盡嘀咕些什麼呀！老太婆唸經似的。」

「我在禱告哩。」

「禱告妳先生勝利歸來麼！」

「不是，我將祝福縫在每一針裡，但願戰士穿上這衣，能早日打回大陸。」

噠噠噠噠噠，軋軋軋軋軋……

「唷！我踩好了二套。」

「我也縫起了一套。」

「平時老覺得家務纏得透不過氣來，這麼緊一緊，也還是能做些事情。」

「妳記得上次放映的電影嗎？第二次大戰時德國攻英國攻得多厲害！她們的婦女不也全體動員起來了。今天我們這台灣，也有點像英倫海峽，只是我們比不上她們。」

「我不贊成妳說這話，她們是人，我們也是人，要做，還有什麼做不到的事！只要我們有決心，肯放棄圖安逸逃避責任的意識，還不是什麼都可以做！何況，何況我們還有賢能的蔣夫人在領導。」何太太不服氣地駁倒李太太的話，幾十張紅唇立刻迸發出熱烈的歡呼。

「何太太說得對！」

「我們擁護何太太！」

歡笑聲在室內洋溢著，串珠般滾出窗外，跌落街心又摻透在縫紉聲中。

噠噠噠噠噠，軋軋軋軋軋……

天更黯淡了，又是一陣暴雨的前徵。室內示威地閃亮了電燈。這早臨的風雨季，阻擋了敵人渡海的野心，卻阻不了這一群為戰士們服務的熱忱。

編註：本文原刊於《中央日報・婦女與家庭週刊》，一九五〇年六月十八日，第七版。

不做生活的俘虜

死亡只能埋葬軀殼，
生活卻能埋葬靈魂。

男人們總是動輒便說：「女人哪，說什麼理想，講什麼學問，一結婚，還不什麼都算數了。」這雖是一句過分的揶揄，而有抱負的小姐們聽了更會認為是不可寬恕的侮辱。但是不幸，一般女人一走進「家」這個樊籠，確是會發生這樣的現象。不少在求學時，服務社會時很有理想，很為抱負的姊妹，結婚後，往往便銷聲匿跡，一股腦兒葬送在「家」裡，現實生活逐漸遮掩了理想的光輝，對家庭的關切逐漸代替了研究進修的熱忱，慢慢地熱情降退了，感覺麻木了，意志消沉了，「沒有進步，便是退步。」不管在學識上，思想上抑或是生活上，這句至理名言是有同等價值的。末了終於服服貼貼在沉悶的生活面前低下頭，做了生活的俘虜。

生活的俘虜最顯著的有二種類型：一種是感覺麻木，對生活抱著得過且過，馬虎應付的態度。因循苟安，除了機械式的料理家務，吃飯，睡覺，聊天，只是渾渾噩噩地打發日子——彷彿活著就只為打發日子。一種呢，是「逃避現實」，也可照說是「厭惡現實」。空談明日，忘記今天，或是沉緬過去，不顧現在。問題一接觸到現實，便不勝感慨地說：「哎！現在這種年頭，這種生活……」對日常生活既是淡漠、敷衍，對自身所處的社會也視而不見，聽而不聞，只是一味地耽迷於自欺欺人的幻想緬懷中……

果然，現實是平庸的，不美的，甚至醜陋的，但從一顆倔強的，勇於戰鬥的內心放射出來的光輝，可以熾亮明煥這一切。沉緬過去，不能彌補現在的空虛，幻想將來，又何如從目前做起！果然，家務是瑣碎的，孩子是煩神的，但只要時時警惕，刻刻自省，在冗繁中，還是可以保持一顆進取的心。而且主婦們也並不是個個都給家務孩子壓得喘不過氣來，如果能把東家長西家短的胡扯閒談時間，把不必要的應酬時間，把裝飾打扮的時間，運用一部分作為進修，又何嘗不可以給枯渴的心靈作一番滋潤，雖然目下為環境所困，不能施展才能，但就算為了明天，甚至僅僅為了慰藉貧乏的精神生活，也該充實自己，不忘記自己所學，不放棄自己所好。天賦婦女以生理上的缺憾，傳統社會又給女人安排下狹隘的生活範圍，要自己再不警惕，再不努力，那一輩子勞碌，也只是做了個無能的生活的俘虜。

「死亡只能埋葬軀殼，生活卻能埋葬靈魂。」為了拯救我們的靈魂，為了不做生活的奴隸，我們一定的拿出最大的力量來。克服生活，充實自己。不問什麼惡劣的環境，不問怎樣瑣屑的事務，都不能摧毀挫折一顆勇敢的，向上的心！

編註：本文原刊於《時代婦女》第四期，一九五〇年七月一日，頁十一。

童心的享受

當一輪晶瑩皎潔的明月高懸在暗藍的天空時，人們才得喘一口氣，擺脫了炎熱的烤炙。熱力的餘威把屋內的人一起趕出了門外，坪上陳列著各式各樣的竹椅、竹榻、竹凳，就像開了個竹器展覽會。人們揮著芭蕉扇、紙團扇，一天的疲困讓涼風逐漸驅走了，於是打開了話匣子之談著天氣、戰事、生活……

「劉伯伯，講個故事！」

一群小孩子圍繞著隔壁劉先生苦苦地要求著，仰起了一張天真的小臉，神色是那樣地誠摯而猴急。烏溜溜的眼睛牢牢地盯住劉先生的嘴，彷彿會從那裡面掉出最甘美的糖果來似的。一顆顆幼稚的心靈，是那麼迫切地等待著享受。

這動人的一幕，把我從現實拉進了回憶，好像自己又倒回了童年，那時我也是一個「故事迷」。因為自小身體孱弱，我一直被父母像金絲鳥般豢養在籠子裡。沒有伴侶的孩子是避不掉寂寞來侵襲的，幼小的心靈在一度彷徨無措後，終於深深地愛上了故事。但幾冊薄薄的

《小朋友》與《兒童世界》並不能滿足貪婪的我，只要父親一回家，總要拖著他講些《聊齋誌異》上的神怪故事，那些鬼怪狐妖又教我害怕，又激起我的好奇心。因此一面出神的聽著，一面卻儘管緊緊地偎貼著大人，講得緊張時，外面一點風吹草動，都會使我凝集了所有的神經，彷彿那些神出鬼沒的妖怪正在門外蹀躞，窗隙窺探。我死命地拉緊了大人的衣角，連大氣都不敢透一口。可是還是要聽。父親常常笑著問我：

「你這個小肚皮裡究竟裝得下多少故事？」

還有個講故事的聖手是貼鄰的何家老伯伯，他是個拘謹而慈祥的老人，一綹灰白的鬍子飄垂在胸前，目光炯炯，精神矍鑠。過去做過幾任知府，為人公正儉樸，退休後仍為當地百姓所敬仰。他的生活很有規則，上午是他讀書的時候；燃一爐香，沖一壺茶，靜肅地把自己關在一間明淨的房裡。一到下午便捋起袖口，親自到園中去澆水、捉蟲，小小的花圃裡種植著奇異的草木，絢麗的花卉，五色繽紛，豔麗奪目。逗使我常常不勝愛戀地徘徊在籬笆外面，悄悄地從竹籬眼裡往裡窺看。一天讓他看見了，便微笑著喚我進去，讓我盡情地參觀他的作品，一面還告訴我一大堆古怪而香豔的花名，它們的特性，它們的種類。慢慢地我們就混熟了，每天下午我總過去幫他澆花捉蟲。事畢後，就端張小椅子在他面前坐下，等他「骨落落」「骨落落」抽了幾袋水煙，「彭公案」，「包公案」，民間故事等便從他鬍子裡滔滔不絕地傾瀉出來。一直要等母親催過好幾遍，我才怏怏地踅回家去睡覺。

一晃眼，十幾年過去，渾渾噩噩就如一場大夢。如今離開家鄉已有十多年了，父親也於十年前擺脫這混亂世界，魂歸天堂了。年前有人從故鄉來，說是那位可敬的何老先生在共匪陷城的那年，就給「解放」了，他們說他做過封建時代的官，是封建餘孽，是頑固分子，他那一幢房子十來畝田，全是刮的民脂民膏。他們要他坦白，要老百姓向他清算，要他繳超過他房產三倍的房田稅……可憐八十多歲的高齡，一把鬍子，滿腔耿直。結果是一口怨氣堵住了咽喉，含憤而逝。

供給我幼微的心以享受的人都已溘然長眠（願他們在天之靈安謐！），而那顆幼嫩的心在生活的錘鍊中也堅定長成，且蒙上層世故的風塵。隨著一本一本日曆的撕去，我早就被剝奪了這一種享受。可是在一部活的大書——社會上，我卻讀過了更多荒謬的、殘酷的、強暴的、酸澀的、悽慘的故事。同時，為了我自己對文藝的愛好，給孩子與大人們編寫著故事……

編註：本文原刊於《地方自治》第五卷第二期，一九五〇年八月十六日，頁十二。

婦女衛國數今朝

——記婦聯會空軍屏東支會第一次會員大會

一片細碎的鳥語，在黎明靜謐的氛圍裡撒下了漪漣。朝陽羞答答地爬上千樹萬巔，伸一伸腰肢，抖下昨夜裝飾著夢的露珠，屏東——這幽靜的農村都市，南台灣的綠園，正從綠色的夢裡甦醒過來。而散布在城郊和市區的一些空軍眷屬宿舍裡卻便開始了忙碌，終年為家務絆羈著的主婦們都興奮地提早安排好家務，安頓好孩子，預備去參加她們自己的盛會——婦聯會空軍分會屏東支會第一次會員大會。九月九日九時，五年前日本投降的一天，而今天，卻是她們值得的一天。她們選擇這輝煌的日子作為加入反共抗俄陣營第一次大結合，更加強了她們必勝的信念，相信極權政治侵略者，終歸要被打倒消滅。

會場布置在光華戲院，老遠便望見醒目的紅布橫匾迎風招展。該會宣傳組編製的壁報「自由婦女」燦然屹立在門前。報頭精繪著手執火炬的自由女神，內容更包羅了論著、歌曲和漫畫。為著紀念這可貴而有歷史性的集會，二邊簽名桌上一律鋪放著繪有精美圖案的緋色軟緞——這是總幹事趙新捐送的。會場裡美觀而有力的標語火一般灼著人的眼睛：「我們多流汗，戰士少流血。」「用我們的針造，成反共抗俄的新長城。」「婦女們武裝起來，做將士們的後衛。」講台上一瓶夜來香幽幽地吐散著芬芳……委員們一早便趕來布置了，搬桌椅，貼標語，布置講壇……什麼都親自動手。主任委員王曼傑最沉著。腹裡默念著講演稿，手裡卻不停的做事，副主任委員袁慈舫在沉甸甸地挺著個九個多月的大肚子，也不甘落後的指東劃西，總幹事趙新忙進忙出，帶著頻頻的咳嗽卻不肯歇，沉默苦幹的祕書兼紀錄，一來就不聲不響地展開了陣地，楊永保、杜宇維、莊玉英、趙雲英、白石琪、潘希齡、郭智英，這些委員們全是一股勁地竄出竄進。九點不到，太太小姐們已連袂結伴，潮水般湧來，大家立刻展開包圍攻勢，密密層層地包圍了簽名桌子，一批未簽了，一批又來佇候著，只把招呼簽名的慰問股長唐慧淵、唐璐芹女委員圍得香汗直淋，頻呼「慢來，慢來！」不到片刻，會場已是坐得滿滿的，而人還在絡續地來，只得臨時動員，向空小借來了一大卡車條凳，但向隅的還是大有人在。「水洩不通」，這句話拿來形容當時會場裡的擠，可說最恰當不過了。

到會的有樸實的女同志，空小教員，摩登的少婦，節儉的中年主婦，還有巍顛顛扶著小孫女的老太太，筆者聽見一個少婦問一個頭髮花白的老太太「老太太，妳也來了！」老太太咧著乾癟的嘴笑道：「可不是！我要來看看妳們怎樣做打共產黨的事，打走了那批土匪不就好回家嗎？」是的，打走了土匪好回家，這是她們的期望，也是她們為什麼擱下拉雜的家務，冒著炎熱，踴躍趕來開會的原因。

典禮開始，司儀鄒明格委員一變演「西太后」時蒼沉的嗓子，嘹亮地喚著：「大會開始，全體肅立……」隨著喚聲，會場立即鴉雀無聲，沉浸在莊嚴，肅穆的氛圍裡。行禮如儀後，即由主席王曼傑報告開會意義，她首先便誠摯地希望這次大會能像一座橋樑，把大家的感情從工作中聯繫起來。接著略謂我們都是受了共匪的迫害，拋鄉離井來到台灣，大陸上的人民更生活在水深火熱中，而共匪侵略的野心更是貪饜無止境，為著拯救自己，拯救苦難中的同胞，我們唯一求生存的道路便是獻出良心和精力，支持國家反共抗俄，充實打擊敵人的力量。

「我們不承認婦女的力量比男人弱，我們不能上前殺敵可以在後方作支援前線的工作。像第二次世界大戰英美婦女就為國盡了很大的力量，我們照樣可以去做。同時我們都是空軍眷屬，我們更要隨時隨地激勵丈夫、爸爸、孩子的戰鬥意志和愛國熱情。」

「自由中國已到了生死存亡最危急的關頭，事實已不容許我們再苟安偷生，希望大家都能認清自己的責任，義務，在蔣夫人的領導下，團結一致，為反攻大陸，復興祖國而努力！……」沉著，堅定的語聲透過麥克風，引起了多少心的共鳴，熱情的交流。熱烈的掌聲像一片春雷，響徹了會場，接著是基地指揮官張唐天上校致詞，張指揮官對支會的扶持，可說盡了最大的幫助，因此會中的情形，也最為他關切和清楚，他一開頭就懇切地道出了支會赤手空拳成立的艱苦，會址暫借俱樂部一角，桌椅卻是東拚西湊向各單位借用的……可是不管物質條件怎麼困難，委員們已不辭勞苦的工作了二月餘，這種工作精神，是值得我們敬佩的。

「我們應該打破『軍人眷屬不該勞軍』的錯誤觀念，我們從大陸來這反攻基地的同胞，所負的任務是反共抗俄，目的是收復大陸回家鄉，而不是來享樂圖安逸，我們的眼光應該放遠放大，多做一份反共抗俄的工作，便多一份回家鄉的機會。

「支會的困難雖是一天天在增加，但是今天參加的會員卻如此踴躍，我相信支會工作前途是有希望的，各委員過去的努力是沒有白費的，今後希望各會員將支會的工作作為自己的事做，希望支會在空軍裡表演最好的成績……」又是一片轟雷似的掌聲，結束了張指揮官的講詞，接下去有市府和黨部的代表及二〇三供應大隊王大隊長致詞，語多勉勵嘉獎，王大隊長更把每一家每一戶比作一家家小工廠，他說國家在目前有很多工廠不能辦，蔣夫人便成立了這許許多多的小工廠，縫征衣，製鞋子，為國家省卻了不少力。

接著是郭智英委員工作報告：「二月來支會共籌募了三千九百三十元征衣代金，七百雙左右征鞋，向分會領製襯衣褲一千套。演過二次平劇，一次是籌募勞軍基金，一次是八一四空軍節慰勞勞苦功高的飛將軍，最近又從事雙十節勞軍的工作。」

「支會目前最迫切需要展開的便是自力生產，目前已請准分會撥二架縫紉機，除縫征衣外，並向外承製各種服裝，將收益充作支會經費，其次是辦一個台語國語訓練班，彼此交換學習，可以聯絡感情。一個托兒所，好讓辛勞的母親能獲得一些餘暇，為國家多做些事，再次就是辦一個救護訓練班，這是支會的工作計畫，也便是亟待展開的工作。」

最後由主席致閉會詞後，這一個表現著婦女們工作精神的盛會，便在熱烈、亢奮的情緒下結束了。會後並放映古裝名片〈絕代佳人〉，使會員們緊張的心弦更添一份輕鬆愉快。

「婦女們不是沒有力量，而是缺少組織。」如今婦女們的心在爭自由爭獨立的目標下打成一片，婦女們的手——操縱家務的手，撫育兒女的手，執筆桿的手，塗寇丹的手，在反極權反侵略的大纛下緊緊攜起。這力量，足以摧毀一切暴力，完成戡亂建國的偉大使命！

編註：本文原刊於《中國的空軍》第一二九期，一九五〇年十月，頁十二～十三。

十年一覺寫作夢

從第一篇作品被印成鉛字到現在，不覺已是十年了，十年來對寫作一直像「打擺子」般時冷時熱，原因是在那八年中只是把學習寫作作為業餘的一種精神寄託，視工作的繁閒而寫輟不定。最近在台灣這兩年的賦閒，才使我認真把寫作當作一份事業。

我第一次除了學校辦的刊物，向外投稿是在踏進社會的第二年，那時我工作的所在是一個國營事業機關的附屬圖書館，長日置身在滿架滿櫃的中外名著中，一有閒暇更是眼不離書，薰陶久了心中本已躍躍欲試，適巧這時有一個婦女刊物徵文。我便一鼓作勁花了一個多星期完成第一篇一萬多字的小說〈意外〉應徵，等到揭曉日不想竟出我意料的獲得了第一名，這不用說給了我多大的興奮，而且奠定了我從事寫作的信心。我拿到第一筆獎金後，立刻用一部分去印了一千張原稿紙，並取了一直用到現在的這個筆名，開始了我的投稿生涯。那時是民國三十年，我十八歲。

我覺得預備矢志從事寫作的人，自己固然要具有莫大的毅力、信心和長期忍耐的精神，而一個副刊編輯的態度與作者的成就亦有密切的關係，一個初投稿的人總是帶一點怯懦自卑的感覺，同時發表欲和羞恥心也成正比例，若是小心翼翼，滿懷熱忱的開出了第一炮，結果卻如石沉大海般換來個不□不□，常使面嫩的人再沒有作第二次嘗試的勇氣。編者在初投稿者的心裡常是崇仰的對象，一句鼓勵或是數行回音，會給作者以莫大的勇氣。一個好的副刊編輯應該自任為準備從事文藝工作者的保母，記得發表我第一篇短文的那個報紙的編輯，便具有這種友善熱心的態度，當我接到那附著一頁剪報和滿紙鼓勵和策勉的信時，那份高興不遜於獲得徵文第一名。由此，我更以感奮的心情寫下了第二篇、第三篇，慢慢地所投的報紙也不限定一家了。我總覺得自己碰鼻子碰出來的世界更有意義，因此，我從來就不願託人輾轉介紹或拉關係，與編輯在投稿前也從無一面半面之識。自然編者的愛惡也就無從得知，只是後來寫久了便曉得由副刊的性質去揣摩編者的擇稿標準，差不多一個副刊有一個副刊的作風，因此，一篇文章未被刊登，不一定是寫得不好，也許是編者用他那個副刊作風的主觀眼光來判斷，有時被甲報退回的作品，乙報還尊為上品哩。

寫作是樂事也是苦事，當文思潮湧，只聞筆下悉悉有聲，全文一氣呵成，那時心裡有難以形容的舒適痛快，有時逢到文筆滯澀，思潮起伏，卻不知怎樣委婉鋪敘，那時心裡又像堵住一團濕海綿，連飯都難以下嚥。有時卻是為了還一些文債，自己本來計畫好怎樣寫怎樣作，眼看人家限期已到，又不得不擱下未了稿子，從新構思，從新起頭。那情形恰似一部精采的小說剛看到緊要處，朋友卻來打斷你的興趣，跟你商量一個甚麼問題。然而不管怎樣，我已「嗜痂成癖」，寫作早便成為我不能分離的精神生活，唯一引以為憾的是十年來我一直在黑暗中摸索，認為我寫得還可以的誇讚一番，認為我寫得不好的貶損幾句，卻從未得過先進的指示和批評，使我有所遵循。

從事寫作的人最值得誇耀的是雖是足不出戶，卻擁有廣泛的文友。這裡面有副刊雜誌的編輯，有熱忱的談者，有彼此從作品獲得的默契的□文，往往信上已談得很熱烈，若是見面卻是對面不相識。我的第一個文字交是那次為徵文作評閱的劉君，我們通了七年信，每逢他服務的那個印刷廠有新書出版，總不忘遙遠地給我寄一部來，第二個便是我初次投稿結識的編輯BT，他給我的鼓勵最多了，而由於他的介紹，我居然由投稿者改任了二年副刊編輯，在那時我不但獲得了不少寶貴的經驗和進步，更給我結交了不少從事文藝工作者，那一段時間在我八年雇傭生活中永遠是最輝煌的而值得回憶的。我們在信上已可算得是莫逆了，可是始終不曾見過一面，年前有人聽收匪區廣播說是他已被捕，至今未卜生死存亡。來台灣二年，我又結識了不少新的文友，但對那些未曾逃出鐵幕的友人終不能忘情於懷，我在此虔誠地為他們祝福！

十年，不能算短的時間我懊悔那些不曾為自己好好把握的辰光，應付生活和不斷地逃亡更使我喪失了不少光陰，但我總算一直未曾叛棄過自己的願望而停止學習，日前檢點歷年來的貼存簿，整理出一些自己稍微認為滿意的作品，計散文四十三篇，小說十二篇，還有若干童話及有關婦女家庭的，又是一個欲望——出版欲——強烈地支配了我，於是我訂下了一套計畫，也可以說是為自己編織了一個美麗的夢，等那一天我有了付印刷費的力量，或是其他的機緣，我便先出版一本六至八萬字的散文集。再補充一二萬字出一本十萬字的短篇小說集。以後呢？以後再湊成一本童話，一本有關婦女家庭的……別笑我說夢話，人誰又不是拿夢和希望來裝飾生活的呢？

編註：據艾雯手記，本文原刊於《記者通訊》，一九五一年三月二十一日。

主婦的終身事業

保持一份輕鬆的心情，煩厭便無由產生，日子不是打發，而是用妳自己的心智去領受、體味。

妳說：一天，二十四個小時，幸福的會覺得它太短促，一晃眼便過去了；閒散的人又覺的它太冗長，數著鐘聲，望著日影，彷彿蝸牛在駝著太陽。可是若是做為一個主婦，日子就像年月日印在一部日曆上，枯燥、呆板、瑣碎，對時間永遠不會有這份微妙的感覺。跟著太陽上升，便得開始安排早餐，籌劃一天的小菜。日頭當中，又是生火起炊，料理午餐，日影偏西，還是起炊生火，端正晚餐，白天就這麼忙忙碌碌、混混沌沌地過去了。黑夜來臨，帶著厭煩的情緒和一身疲勞，像一只發條鬆弛了的時鐘般，索然往牀上一倒：「又是一天打發過去了！」

「打發日子」，多麼沉痛而沮喪的語氣喲！妳對生活便沒有了信念，對人生便沒有了希望！而一年三百六十五天，天天是這般。難道妳便同打發向妳需索的乞兒般打發這一輩子？

那麼做人又還有什麼意味？自然，我怎麼會不曉得那些撈什子事的煩人，男人們一旦對所在的工作感到厭倦了，可以換一個新的環境，而主婦這份差事，不管妳是不是經過選擇，卻被命定為終身事業，但，既是成為不可避免的責任和義務，既是願做要做，不願做也不得不做，那麼就挺起腰桿來支配工作吧！別怨天尤人，苦眉愁臉地去做工作的奴隸，你既然懂得放多少醬油，擱多少作料把菜餚烹飪得鮮美可口，為什麼便不能滲入些輕鬆的氣氛使工作變得愉快些。告訴你，像保持你的青春一樣，保持一份輕鬆的心情，不要把事情看得太緊張、太嚴重，那麼，厭煩就無由產生了。

譬喻說，清晨第一個迎著黎明起牀的是妳，妳稍一留神，便會領略到宇宙顯示給妳的靜穆清新，是貪戀夢寐的人無緣欣賞的。由妳安排著打發走丈夫去創造事業，打發走兒女去求獲學識。自己披一身朝陽，走向菜場，如果妳不為幾分錢爭執糾纏，一點兒好整以暇的心情並不會多耗妳多少時光，蔬菜市場是色的總匯，立體的靜物畫，果子的紅豔豐滿，菜蔬的鮮嫩蔥蘢，盡妳揀擇。買好菜，市場門口有滿筐滿籮價廉物美的鮮花，上面還閃爍著露珠的光芒，可別吝嗇這幾角錢，正好帶一束回去，把春色裝飾妳小小的家。

擱下菜籃，家裡若裝有收音機，先息一口氣聽五分十分鐘主婦講座或一闋清歌，再不就跟鄰人聊幾句買菜的心得見聞，洗衣服、揀菜，尤其是揀豆芽時，手指忙著，卻是腦子最空閒的時候，妳盡可以放思想的鴿子出來遨遊一會：緬懷一段往事，計畫一下孩子的衣服怎麼裁，甚至想線盒或是編織著絨線。共良人絮話家常，看小兒女嬉唱膝前，是孩子們休息的時候了，編一個故事，先打發小心靈去枕邊尋夢，有餘興嗎？那就收拾起編綴，且同良人對一局弈或是打一副橋牌，誰輸誰贏都是一樣，一陣爽朗的笑，便沖走了一天的辛勤和疲勞。

夜靜了，早晨帶回的鮮花悄然播散著芬芳，捲一捲頭髮，洗滌去餘留的油煙味，輕輕地撒下紗帳，罩住一個溫馨夢……

告訴你記著，保持一份輕鬆的心情，煩厭便無由產生，日子並不是打發，而是用你自己的心智去領受、體味。

三月於屏東

編註：本文原刊於《中央日報・婦女與家庭週刊》，一九五一年四月五日，第五版。

主婦與文學

離開社會二年，雖然這二年一直在筆桿下討生活，但我現在的身分卻只是一個平凡的主婦，所以三句不離本行，我要跟大家談的，也就是主婦與文學。主婦與文學，這在表面上看來似乎不能扯在一起，做主婦的成天忙著瑣屑的家務，那裡又能跟這莊嚴的學問發生聯繫？可是，事實上，我卻覺得文學在主婦們枯竭的心靈裡，確是最好的一滴甘露，在生活的泥淖中，是一座屹立的磐石。

人生的天地本來就不夠寬，而一個女人的生活圈子更狹窄，尤其是結了婚的女人。那些做不完的家事就同鐵箍一般，把人箍得緊緊的，把生活的圈子越箍越小，把思想的範圍也越箍越狹，日子一久，不知不覺便會淪落為生活的奴隸。記得是哪一位作家說過：「死亡，只能埋葬軀殼，生活，卻能埋葬靈魂。」我們要拯救我們的靈魂，就一定要在生活中抓住一點可以滋潤心靈，寄託精神的東西，這能使我們的心智有所啟迪，使我們的情熱得以發洩的東西，便是文學。因為只有文學是不受時間限制，不受環境阻礙，隨時隨地可以自修的一種學問。只要妳對閱讀或寫作有一點興趣，只要妳有持久的恒心。妳盡可以利用一點兒餘暇來進修。妳愛閱讀，書本裡會告訴妳很多豐富的知識。妳想寫作，每天接觸的人物、感想，全是現成的材料。我們並不是奢望將來一定要做一個文豪或者是一個作家。但這樣做至少也使我們生活裡除了庸凡的家務，也還有著充實自己，使自己向上向善的東西。

編註：本文原刊於《中央日報・副刊》，一九五一年五月九日，第六版，為「婦女與文學——女作家空中座談會」專題文章。

奈何路

就像蜈蚣生著那樣數不清腳般，每一條馬路兩邊都伸展著密密層層的小街，有的蜿蜒著神經似地連起了另一條馬路，有的卻筆直地展延到一定的限度便截然終止了，像後者，俗語是被叫作「實質弄堂」的，慶明里第七十一衖便是屬於這一類型的「死巷」。

七十一衖一共住了十來戶人家，一律是矮矮的，砌花的圍牆圍著一個小小的院落，有的在牆上密密地懸著些燈籠似的小紅花，有的齊牆腳種著一大排蒼茂的美人蕉。與其說是為了美觀，不如說用來作為屏遮——遮□那些在衖中一直可以望進寢室的視線。這些對面對排列著的房子和裝飾，全像一個模子裡鑄出來的模型。不同的只有衖底的那一家，不僅那結實的圍牆比那些砌花磚欄足足高出了一倍，最顯著不過的是那兩扇森嚴的暗藍色大門。永遠矜持而嚴肅地板緊著臉，眨著閃亮一隻獨眼——信箱，傲然俯視左右階壁那些整日敞開著的陳舊而未架漆鬆的矮門，而每當它開啟時總有一輛黑色的轎車，在陽光下閃耀著，甲蟲般蠕蠕地爬出去。或者是從外面鑽進裡面，緊接著那兩扇門馬上又「砰」然闔上了，大門裡的一切對衖裡的人家是完全隔閡的，只有當汽車駛過時，做母親的才想起拉高了嗓門招呼在門外遊耍的孩子，汽車每天進進出出，除了揚起灰沙，還在衖口留下了淺淺的兩道車轍。

南部的雨季來臨了，整月霪雨滂沱，小小的七十一衖可釀了水災，原先那淺淺的車轍裡讓雨水浸著浸著，浸爛的泥便從車輪的重壓下擠出來變成兩道深溝，最後卻又變成了兩窪水潴，只留出中央尺多闊的路面，腳踏車經過時陷下深深的痕印，像是地面崩裂了，大雨靴涉過時又印下一串清晰的模型。要是穿了木屐呢，右腳跨前去了，提起左腳來是一隻光腳板——木屐嵌進泥濘裡去了。

「斷命路」。

「要命的路！」

「簡直是奈何路喲！」一個居民故意把爛污路叫成了奈河路的諧音，自以為這命名很聰明，於是傳來傳去大家便稱那丈尺之地叫「奈何路」。

每天必須在衖口進出的人們詛咒著，憤怨著，只有那大門裡的例外，汽車過處，水窪更悄悄地擴充了深度，侵蝕著奈何路。

那天趙家的孩子去上學時在泥濘裡滑到了，孩子總是疏忽，隔天張家老太太去買菜又溜了腿，老人家行動要遲鈍些。可是這天，這天雨更大窪裡的水沖上了奈何路，望著像泓小沼，李先生下班回來，緩緩地推著腳踏車，一步一探地摸索著路面，突然腳底猛地沒有了支持，車子也就失了重心，這一下「金山倒，玉樹推」，可把全街的住民全引來了門口。

「這條路真害死人！」

「全是他家的汽車輾壞的。」

「應該叫他們修理！」

怨恨、譴責的視線全射向那緊闔的大門，李先生大概是給剛才那一跌跌上了火氣，在眾聲喧嚷中就那麼帶著半身泥水，像唐・吉訶德衝向風車般敲開了那兩扇大門進去，但不一會兒又似一陣旋風般撞了出來，赭紅的臉色跟草綠雨衣成了對比。「同他們那種人去講理還不如同畜牲講好些！人一有了財勢就沒有了理性！」李先生氣憤的言語就同機關槍般向眼巴巴待著什麼把戲的鄰居們掃射。

「他怎麼說？」

「他說呀！他說那是市政府的事，他還想去責問市政府呢，怎麼這麼蹩腳的路基，連他最輕便的一九五一年的別克都載負不起……」

「真不講理！」

「可惡！」

「其實只要僱幾個工人挑幾擔石子不就填好了。」

「我們學校裡上次修克難路就是自己挑石子鋪的。」

「稀罕什麼？星期天我們一齊動手來修好了！」

「這倒也是個辦法。」高家老先生點頭嘉許兩個學生的建議：靠人不如靠己，大家拚著費些氣力，省得受累無窮。

大家想了想，覺得只有這辦法行得通，於是七嘴八舌地又嚷了一陣，決定本星期日動工。

到星期日衖裡的壯漢與孩子全出動了，好在只那麼一截壞路，趁著半天沒下雨運石子的，打地基的，鋪沙土的，不到二小時，不僅水窪填滿了石子，泥濘裡也鋪了一層，還敷上沙子，「奈何路」顯然比那一截路都要堅實漂亮。

當晚，當門柱上兩盞椰子般大的燈燦然放光時，緊閉的大門又照例啟開了，汽車倨傲地駛出了大門，司機記起下午已修好了路，便坦然將車子直放過去，不想剛開到衖口，前輪猛然一撞，車身震了一震，不由得往後退下兩步。

「哎喲！怎麼啦！」一張搽得紅紅的臉，驚惶地貼近了玻璃，閃熾耳墜子叮噹直晃。司機下了車來，發現了車前橫貫著的大石頭，也聽見了從各個屋簷下發出的孩子們的哄笑，透過嘩然的雨聲。

「是一塊石頭，準是那些小鬼搗的蛋。」司機咕嚕著冒雨去移開石頭。

「混蛋！」這些無法無天的東西，擅敢破壞道路，妨礙交通，非得……」車廂裡立刻暴發出一串威嚴的咆哮，隨著車子開動一路遠去，七十一街的居民走過親手修好的路，總泛上些親切感和喜悅，他們卻沒留心平整的路面上又已印上了兩道淺淺的車轍。

編註：本文原刊於《中華日報・副刊》，一九五一年六月二十五日，第六版。

選載優秀文藝，多登各種圖片

在目前，自由中國出版的雜誌已不下數十種，有偏重於學術的、文藝的、內幕的。性質都比較專一，取材也更狹窄。而《中國一周》卻集報紙雜誌之長，融「時事報導」與「知識倉庫」於一爐。在風格上它已具有獨特新穎的標幟，事實上也必然為廣大讀者所接受和愛好。

一個完善的刊物必備的條件，應該是內容、印刷和編排。《中國一周》的封面美觀清晰，色調和諧，可稱雜誌中的上乘。編排也活潑醒目。在這思想鬥爭劇烈的今天，做為一份教育和領導讀者的刊物，當前的急務便是宣揚民主主義的優良，和揭發極權主義的醜惡，激發起讀者反共抗俄的義憤，使人類伸張，世界的和平得以獲致。其次是配合時代和需要，灌輸各方面的知識。這二點，《中國一周》在過去二年的表現中，可以說都已確實的做到了。除此以外，通訊報導詳實生動，圖片也能配合時事，而其中尤以表達民意，反映現實的讀者投書彙輯——批評與建議，更為獨創一格。最近又辦「自由中國新氣象」徵文，相信這一欄闕成，日後當更充實豐富。

欣逢《中國一周》創刊一百期紀念，做為它的一個忠實讀者，願把我的拙見，也是企望，寫在這裡：

一、批評與建議除讀者投書外，每期能由貴刊執筆，另刊一篇犀利、精悍的短評。就一週內所發生的新聞，巨至世界風雲，微至社會瑣事，用客觀的立場，以正義及真理作出發點，予以批判和分晰，說出讀者想說而說不出的話。

二、文藝不僅陶冶情性，反映時代，在目前更是不可忽視的一支反攻武器。每期最好能規劃出更多的一定的篇幅，選載優秀的文藝作品。

三、除時事圖片外（常見的新聞人物、開會儀式等圖片最好少登），另外再多載介紹科學發明、社會建設、民情風俗、以及各階層人民生活動態圖片。

有著兩年的奮鬥歷史，無疑的，《中國一周》已有它不可磨滅的輝煌成績。百尺竿頭，更進一步，希望今後更能本著它的一貫作風，作進一步的努力，為雜誌界放一絢麗光輝的異彩。

編註：本文原刊於《中國一周》第一〇〇期，一九五二年三月二十四日，頁七，為「我對中國一周的期望」專題文章。

寫在文協二週年

今天，恭逢「文藝節」，而二年前，自由中國的一支堅強的筆隊伍也在這一天組合。面臨這一輝煌的日子，再也抑制不住內心的亢奮。

我覺得我們這一代是幸運的，不是嗎！當我們惴惴走進文學的園地時，先進們在「五四」撒下的新文學的種籽，已萌茁成長，呈現在我們面前的是一片蓬勃的新綠。但是，不幸的是當我們正放眼欣賞領略，驟然間這裡那裡卻竄出無數枝紅豔豔嬌妍奪目的花朵，遮斷了整個園地，多少年輕無知的心靈迷惑了，多少沒有判斷能力的心靈趨附歸依，一旦發覺這嬌豔的花朵原是含有毒汁的罌粟，多少青年已為毒液浸染入骨，而無法解救了。

如今，像割除一個有害的毒瘤般，我們毫不惋惜地放棄了那塊被毒液浸透的園地，在這裡，重新集合了愛自由的耕耘者，以篳路藍縷的精神，開闢了另一個園地，二年來的經營，園地裡又是一片可喜的青綠，綠叢中更點綴著小花、果樹。噢，是的，我們再不要炫耀一時，卻耐不住風霜的奇葩，我們要的是有用的果子和樸實可愛、開放得繁密的花朵。在這園地裡有毒的罌粟固然不容許生長，就是那些魚目混珠的蕕草，那些妨礙花草生長的荊棘，以及那些壟斷陽光的不結果的雜樹，也必須毫不留情地斬除！

文藝的園地是無比的廣袤、深遠，這裡需要富有經驗的老園丁策劃墾植，這裡也更需要年輕的耕耘者新生的力量，愛好文藝的朋友，請伸出手來緊緊地握著，但願來年今日，把培植的成果再移植回「真空」的大陸！

編註：本文原刊於《台灣新生報南版・西子灣副刊》，一九五二年五月四日。

綠塚

這條路該是小城裡最幽美的一條了，茂樹沿路旁展開，形成深邃的拱門。白天頂上裂開澄藍的縫罅，萬縷金光便從縫罅裡傾瀉一地，在紫荊花開季節，深紅花更在藍天綠樹間鑲嵌上幾條絢爛的花邊。晚上，疏落的樹影交織成一幅精雅的地氈，涼沁的晚風裡，葉叢喁喁細語，伴著路人輕勻的足音。一抬眼，也許枝葉間隙正嵌著三五顆星星，或半彎明月，隱約閃爍。

路很長，從囂鬧的車站一直通到靜謐的田疇，但不直，蜿蜒中更有不盡的韻味。兩旁一條條小街，就像巨樹上伸展的枝枒，林間密樹濃蔭，簇擁著小巧的日式住宅，我的住所就被安置在這綠叢的一角。

多少個清晨黃昏，我獨自散步在幽靜的路上，我看著一家家推開玻璃窗，又看看一家家窗戶裡燃起燈亮。多少個清晨黃昏，我遍叩道旁林木；有的彎腰曲躬，似在恭迎行人；有的蒼勁挺拔，儼然昂首青雲的氣概；我最愛微雨過後，路面光滑如鏡，樹葉青翠欲滴，清新的空氣中更散布著野花香。然更多的時間，我總是挾上文稿夾，逗留在十字路口一座被我叫作綠塚的小丘上——雖然綠塚靠路旁不遠，知道的人恐怕並不多。我一直穿過鬧市和田疇，就在住宅區的盡頭，田疇的起點，有一幅很引人注目的圍牆，圍牆比附近一般短垣顯得高長若干倍，蒼鬱的樹木和紫色的藤蘿從牆裡冒出來，兩扇大鐵門經常關得緊緊的，人們只能從門罅看到一個黃綠色的人影，不時從門左踱到門右，那是一位荷槍的哨兵，他不去守望著防地要塞，卻在這寧靜的庭園裡擔任警戒，圍牆裡的一切，對人們永遠是一個謎。

那天傍晚，我照例順著腳步在路上遛達，偶然地發現牆側隔一畝田的地點，有一條與牆並行的陡窄田徑，我小心地走了過去，繞著田又走到牆腳下，這才看見牆後原來還有一座為樹林遮掩著的土丘，丘側有一個緊靠著牆的斜坡迤邐而上。丘上栽著一些矮松和雜樹，丘下的一邊是一片才插下不久的新秧，丘這邊呢？我回轉身來撥開向街那邊的樹葉，如同閃電似的耀花了眼，噢！呈現在我眼前的，竟是那座神秘的花園！

伊甸園是屬於天國的，人若享有這個花園，也該是塵世的神仙了。

園子並不像一般大花園似地築有樓台亭榭，堆砌著假山頑石，然花草鬱蔥，吐放撲鼻異香，那片茂綿的草地，更煞費造物匠心，鵝卵石砌成的迴蜒小徑從一處幽邃的林叢引伸出來，又隱沒在一叢葡萄架下，花木掩映中露出住房一角，米黃色的牆，藍灰色的門窗，寬敞而軒朗的迴廊，廊前一尊維娜斯雕像亭亭佇立水池中，正將一串串珍珠似的噴泉灑落在白石池裡，這一切都顯得那麼明淨而一塵不染。

這一發現，誘使我每天都要挾著文稿夾爬上綠塚，徘徊在天然的樹叢中。當一雙蝴蝶盤旋花間，一對小鳥追逐樹巔，還有從維娜斯髮際散出的噴泉，像一匹輕煙縈繞住她晶瑩的玉體，常使我展開奇妙的遐想。

在繁囂的小城市裡，這一份純淨的享受原難尋覓，不過在花木蓬勃的園子卻使我有缺少了點什麼的感覺，永遠是那麼的靜，若不是遠遠偶爾傳來車輛馳過馬路的聲音，幾疑心是荒山幽谷。園裡有燦朗的陽光，也是更多的陰蔭，花朵悄悄地開放又悄悄地萎謝，噴泉悄悄地注落池裡，噢，是了：這寧靜的氛圍卻有著更多的寂寥，一切花木庭園的美只是外表的軀殼，真正的靈魂還該是有血肉，有智慧的生命——這庭園裡欠缺的便是人。

不是嗎？這一朵朵嬌豔的花朵，應該有少女的纖指撫弄，有少女的笑靨摹貼，宇宙間最美的原是青春。這綠茸茸的草地上應該有活潑的孩子們追逐嬉戲，天真的笑聲不正是自然最動聽的音樂！而那軒朗的走廊上，不正該有一對年輕的夫婦，讓工作了一天的身心浸融在傍晚的恬美的情景裡，不時交換一個會心的微笑；或是一雙老伴兒悠舒地飲著茶，架起老花眼鏡看書和縫紉……然而，這一切都沒有，門窗永遠是緊緊的閉著，窗布永遠是沉沉地垂著，走廊終日闌珊而岑寂，草地上更未留一點踏青的履印。有的只有從樹隙瞥到那哨兵的身影，鐘擺似的左右蹀躞，再有就是一位臃腫的老園丁，默默地，紓緩地，像一隻蝸牛出沒在花叢間，目光所注，永遠只是手頭的巨剪和枝間的枯葉。我相信這幽美的綠塚，絕不會長此寂寞的！

編註：本文原刊於《中國文藝》第一卷第三期，一九五二年五月，頁十七。

小城大事
——省運在屏東激起一陣興奮

綠蔭深處

屏東，這號稱「花園都市」的小城一直都是那麼安謐清靜。雖算不上是近代商業化的城市，但是卻是理想的住宅區。綠蔭蓋著的街道，棋盤似地交錯著；樹蔭深處，露出一帶砌花圍牆，或是一角玲瓏的日式板屋。寬敞的馬路上，滿載著甘蔗的牛車常和吉普車並駕齊驅。走路的、騎車的人們全有一副悠閒的神情。微風過處，樹上悄悄地落下些嫩黃的、紅豔的花瓣，給清潔的路面鋪上層錦繡地氈——小城裡就是這份幽靜，使居住在這城市的人們，生活上永遠保持了一份恬淡。可是最近，彷彿有人在平靜的水面投下了一顆小小的石子，在人們平靜的心裡激起了一種模糊的興奮和一種期待。那就是第七屆省運會要在這裡舉行了。

當省運一經批准在屏東召開，一向幽靜的中山公園便頓時熱鬧起來。儘管每一個入口都插著「修建期內，暫停開放」的木牌，但到公園裡去的人遠比平時多，川流不息，全為各種新的建築工程吸引著。

煥然一新

兩個多星期很快的過去了，現在，一走進中山公園新裝上的兩扇大鐵門，老遠的便可從樹隙裡看到修建得嶄新的司令台，灰色的台柱（原來漆綠色），圍著銀色的欄杆，襯著台後巨屏似的一排蒼鬱的參天古木，更顯得莊穆、古樸。深貼著台的左右是兩排三合土的看台，看台右首屹立著一座紅磚砌成的鐘塔。

司令台前面便是田徑場地，周圍繞以白漆木柵，最醒目的那條四百米長的，用紅磚粉鋪的跑道。紅磚粉富彈性，吸力大，遠非煤渣鋪設的所能比擬，這在省運中還是創舉。圍繞著木柵左右兩端還有兩座臥龍似的土看台，上面鋪著茸茸的綠草。木柵欄正面一面是一座國旗台，矗立著七丈多高的旗杆，鮮明的國旗便在萬綠叢上招展。另一面便是火炬台。排球場闢在司令台後面，網球場在田徑場左邊，前面是籃球場。籃球場的看台是磚和三合土的，有四層，座位很寬，能容納一千五百人左右。據籌備會實際負責人林議長說：將來可能再加添三層，以便容納更多觀眾。球場現已添有夜間設備。其他的游泳賽在縣游泳池，足球賽在屏師，壘球在女中，棒球在台糖，拳擊在屏東戲院等分別舉行。

省運會精神堡壘建立在火車站面前的廣場上，高二十八尺長二十尺，寬十六尺，上面塑立一個象徵體育精神的運動員，扶著時代巨輪，周圍旗幟飄揚，十分壯觀。

嘉賓三千

省運還未開始，先就忙壞了好些人；籌備設計人忙，學校商店也忙，屏師、省中、省農、女中，天天練著大會操；旅社飯店忙著裝修門面和內部，可是儘管旅社老闆動腦筋，全城的旅社和招待所也只能容納一千多人。為著要安排三千多選手和職員，籌備人可傷透了腦筋。現在，一切都已籌備就緒，另待各路英雄的匯集了。

編註：據內文推斷，本篇應寫於一九五二年，未明出處。

婦女們舉手起誓

無限的感奮，無限的喜悅，迎接著這光耀的日子——三月一日。這是我們偉大的領袖，中華民族的救星蔣總統復行視事的三週年紀念。也是我們的國家由動盪危亡的厄運中轉為安定堅強，從險惡萬分的黑暗混亂中獲得新生力量的一天。這光耀的日子像一顆光芒四射的巨星，照耀在東方，燃亮了反共鬥爭中一頁新的歷史，也造成了國際反共抗俄的新形勢。

面對這蓬勃新生的局面，回憶三年前總統引退以後那一段慘澹的日子，正是一個強烈的對照：那時整個亞洲籠罩在赤霧紅氛中，正岌岌可危。中國更像一艘失去了舵手的孤舟，顫蕩在驚濤駭浪，風雨飄揚中，惶恐失策，憂傷無主，不滿一年，政府東播西遷，赤禍吞噬了大陸，國際地位更是一落千丈。當時那黑暗紊亂的慘象，如今回想起來還不禁心悸膽戰。就在這國家民族存亡續絕之際，我們英明睿智的總統為著挽救國運，毅然俯順民意，重新掌握起那維繫國家民族安危的舵，破浪乘風，駛向安定、進步、復興的坦途。如今已是三年過去了，這三年的時間，在總統領導下，一切都有著顯著進步，政治日趨清明，經濟日趨穩定，三軍日益強盛，文化日益發達。這做為反攻基地的台灣，已成為太平洋上最堅強的堡壘，而博得世界各民主國家的頌讚。

在這三年中，全國上下，勵精圖治，人盡其能，地盡其利，我們婦女界，也一直配合著總統所訂反共抗俄的國策，未敢稍事懈怠。在家庭中的，一般在大陸奢侈享樂的生活習慣，克勤克儉，盡量的節約，盡量的克難，以極少的經濟能力維持一個安定的家，好讓丈夫安心以全力從事滅共復國的工作。服務在社會上，在工廠裡，在學校中，在軍隊裡的，也都守住自己的崗位，盡力發揮自己的智能，在工作中求得表現，以增加滅共復國的力量。而為求更多的機會服務國家，服務軍中，為求更多的機會貢獻力量，直接參與滅共復國的大任。三十九年在蔣夫人領導下，更有了婦聯會的組織。千百萬婦女自動簽下了她們的名字，寫下了她們的信心和對追隨總統的忠忱，效忠總統便是參與滅共復國的工作，總統與國家原不可分！

目前，在總統領導下的自由中國政府，已是開明、進步的民主政府，婦女同胞們該不會忘記，爭取平等的婦女運動是在民主國家成長的，也唯有在民主國家，婦女才有獲得男女同等的權利，我們正慶幸打破了一重封建的枷鎖，如今又有多少婦女被關進暗無天日的鐵幕，套上共產專制的枷鎖，她們不僅被剝奪了自由，連幾十年奮鬥得來的權利也喪失殆盡。有的是政治工具、傀儡，有的淪為被男人玩弄的奴隸。更多是在恐怖，絕望中過日子——今天擺在我們面前最迫切的任務就是：不僅要保護我們現在已享有的民主生活，更要為億萬婦女同胞擊碎共產專制的枷鎖，重獲自由！

今天，在這光耀的、具有劃時代歷史意義的日子，讓我們婦女們舉手起誓：憑我們的信念，我們將克服一切困難，貢獻我們婦女所有的力量，追隨總統高舉的反共復國的大纛，向勝利之路邁進！

編註：本文原刊於《中國一周》第一四九期，一九五三年三月二日，頁十。

文藝節小言

今天又是「文藝節」，做為一個文藝工作者，免不得嘮叨幾句，應應時節。

記得愛耍耍筆桿的朋友們聲嘶力竭地呼籲要組織筆隊伍，要統一作戰陣線，彷彿還是不久以前的事，轉眼「文協」成立卻已三週年了。這三年中，自由中國的文壇已由荒蕪、散漫而變得生氣蓬勃、滿目青翠。差不多每一個月，我們可以讀到幾份新的書刊，每一年可以認識幾個新的作家。在一切都飛躍猛進的自由中國，文藝工作一直配合著國策走在前面，不像在大陸時的脫節落伍，這一點文藝工作者是堪以自慰的。不過，這裡面有一種不好的現象是某種以反共抗俄作掩護的黃色書刊正在逐漸抬頭，這種包著糖衣的毒藥不知將使多少青年讀者中毒，作家們不能因為「言論自由」就不拿出良心來寫作！最後，我希望：

明年的今天，文藝工作者的團結更鞏固。

明年的今天，自由中國文壇上有更豐碩的收穫！

明年的今天，我們將在大陸的首都——南京，召開復國後第一次全國性的紀念大會！

編註：本文原刊於《台灣新生報南版・西子灣副刊》，一九五三年五月四日。

門面哲學

每天我從市街回來，如果沒有雄勁走那繞城半周的公路，必須要經過那條小巷，小巷並不太狹，只是因為從市街清除出來的垃圾全像墳山似地堆在路畔，再加上雞或鴨的一搔一爬，狼藉滿地，原是凹凸不平的路便顯得狹隘了。路旁的溝壑裡經常氾濫著暗綠的臭水，浸著些瓜皮樹葉，死貓死老鼠的，一陣陣惡氣沖鼻。路上是無風三寸土，步行一次，白鞋可以染成黑的，黑鞋可以染成灰的。下雨便泥濘滑濕，右腳剛下地，左腳拔起來卻與鞋子脫離了關係。尤其是晚上，從燈燭輝煌，整齊清潔的市街上過來，更像走近了地獄門似的，一定得停下來等眼睛稍稍習慣了巷裡的黑暗，才能摸索著高一腳低一腳像孩子們下跳棋似地跳著走。太陽究竟大公無私，對這陋巷倒從未吝嗇過光和熱的恩施，但電燈卻只記得在市街搔首弄姿，爭豔鬥妍，從來就無暇顧盼一眼這陋巷——然而，雖然是這樣的陋巷，每天步行的，騎車的，經過的人卻不算太少。人人走過時蹙眉堵鼻，加快腳步，彷彿逃避瘟疫似的。

也許，這樣的陋巷並不罕見，就像陽光照耀下有得天獨厚，蓬勃茂盛的樹木，也有瘦弱憔悴，營養不良的莠草一樣，每個城市有整潔寬闊的馬路，也有污穢狹陋的小巷，跟著物質文明的進步，街道是越築越漂亮、莊嚴，而陋巷卻永遠一般的狹窄、污穢。

本來我們中國人一向是最注重「面子」，講究做「門面事」的。記得從前在家裡時，眼看那些敗落的鄉紳人家，哪怕祖傳的房子已像挖空的椰子殼般剩下了屋架與門窗，外表卻仍舊粉飾得富麗堂皇，明明經濟拮据，遇上婚喪喜事，押當了衣服被褥都得擺出闊綽的排場。看外面儼然是鋼骨水泥的建築，裡面說不定填的全是泥土碎石，抽屜裡儘管是垃圾箱、老鼠窩，桌子上玻璃瓶，文房四寶著實布置得雅潔。據說我們女人還是特別懂得怎樣裝門面的，冬天嫌炭貴，生不起火盆，卻說是衛生。自己上街買菜，偏要說是散步，梁實秋先生寫〈女人〉——大概受影響於這種日常生活中的「門面哲學」，一般人也就光著重通衢要道的修建，而忽略了小街小巷的存在，不是嗎？交通要道，大街大路，才是貴賓們汽車必經之路，眾人所矚目的地方，整潔的市容，寬敞的道路，再加上十字路口矗一座醒目的崗亭或堡壘，一目瞭然，處處顯得整齊，只有傻瓜才願意花費精力和金錢去修補那些沒有人看見的小街小巷！

然而，時代永遠是前進的，在時代的巨輪下，不少虛偽的惡習都被碾碎。譬如不少人的老家都被共匪摧毀了，現在照樣住茅屋、住竹棚，照樣住得安逸，也用不著粉飾得富麗堂皇來撐門面。婚事已簡化到集團結婚、公證結婚，喪事也簡化到火葬、海葬，用不著大事鋪排，充殼子。至於那些精明能幹的主婦們：如果冬天嫌炭貴，不生火盆，她會坦白地說那會超出家庭預算，不能不克難。而自己去買菜，才是最經濟實惠——門面哲學已為多少人揚棄了，而我們的路政，卻似乎仍保持著這一點過去的作風。

競選正熱烈，如果哪一位候選人的政見是：專門翻修陋巷小街，以惠民眾，我一定第一個投他一票！

編註：本文原刊於《中央日報・婦女與家庭週刊》，一九五四年五月五日，第六版。

我的寫作生活

生活有各種各樣的生活，工作也有各種各樣的工作，《幼獅文藝》主編要我寫點我的寫作生活，實在在我個人並不覺得從事文藝工作者的生活，有什麼特別值得大書大特書的。何況我在寫作上又談不上什麼成就。彷彿記得歌德曾說過這樣的話：「一個人能為自己的情熱，為自己的要求、興趣而工作，才是真正享受了生活。」這話我一直拳拳服膺在心，我不敢說是真正享受了生活，但我由衷地喜愛這絞腦汁、嘔心血的工作，不為別的，也只為自己的情熱、要求和興趣。這興趣和愛好，一半是受了父親自幼的薰陶，天性接近文藝，更喜愛從事寫作異於別的工作的獨立性和創造性。不是嗎？不管是一篇散文，一段字句，當它孕育於自己的思想，飽吮著自己的感情，從筆端宣向紙上時，這其間只有一種創作的欲望，這欲望便常常強烈的支配著我，誘使我在文藝這廣袤的園地中充一名笨拙的耕耘者。一半也由於從事寫作是可以不受年齡、時間的限制，不受環境的影響，隨時隨地可以自修和學習的一課，書本便是導師，而整個社會、人生、大自然都是研究分析的對象。主要的就在自己有沒有持久的興趣和恆心，有沒有長期忍耐的精神，這對自己，也正可以說是一種嚴格的考驗。

我自小便沒有兄弟姊妹（十三歲時才有一個妹妹），又因為身體孱弱、多病，寂寞便使我成了一條小書蠹，當像我這般大的孩子正在學校裡演算雞兔同籠，共幾頭幾腳時，我卻在家裡生吞活嚥的把書櫥裡那些《聊齋誌異》，《紅樓夢》，《兒女英雄傳》、《儒林外史》等等所有的章回小說一部部啃下去。父親更不時在圖書館、租書店弄來那時的新小說，以及林琴南他們的翻譯小說讓我排解寂寞。我的一點國文基礎，大概便是這樣從小說中得來的，及至進了中學，我一直是國文老師的得意高足，從國文老師那裡更獲得不少鼓勵和啟示，也常在壁報上寫點零星短文，但我第一次正式開始向報刊投稿，卻是在我進入社會以後的事。

那時我還年輕，父親的去世給了我精神上很重的打擊，而剛進入社會，對一切都感到陌生和不習慣，感到極端的苦悶和寂寞，那種苦悶悒鬱的情緒久久積壓在內心，就像一把充滿了蒸氣的水壺，卻嚴密地蓋緊了蓋子。就在這時，我終於找著了宣洩感情的路子——學習寫作。也說不上寫作，只是片段的藉筆尖發洩心頭的鬱悶，因此我也從來沒有寄到報刊去發表的動機，我這樣寫是為安慰自己寂寞的心。直到我的第一篇小說〈意外〉應徵入選。我才逐漸對寫作建立了信心，覺得自己還可以嘗試，於是便取了艾雯作筆名。不時寫些短短的散文，投到當地的報上去，年輕氣盛，我不僅想寫出自己的心裡的聲音，也想寫出對光明的憧憬，對「愛」和「美」、「真」和「善」的渴念，對醜惡的詛咒，對黑暗的揭露……當我把學習寫作當作生活中的一支舵時，我慢慢地變得不再消沉苦悶，不再怨恨人生，我對生活建立了信心，我敢於面對現實，與生活搏鬥，就因為那支舵，它讓我潛心一志地駕著生命的小舟，航行在波濤兇險的人海中。它是漫漫黑夜中的一顆星，是荒涼沙漠中的一角綠洲，我發現它，是在民國三十年。

路不是一步走出來的，路也不會完全平坦寬敞的，學習寫作的路程自然也有坎坷，也有艱辛，而一路上除了那些書本作伴，我只是獨個兒在陌生的路上摸索前進，這速度自然是極緩極慢的了，而為了應付工作和不斷的逃亡，更使我喪失了不少原來可以抓握住充實自己的時間，一直到來了台灣，我才摒除幫傭性的工作，專心致志於自己愛好的文藝。可是，我又深感到自己所知道的，所懂得的是太少了，在充實自己的工作中，我永遠都是飢渴的。

有一段時間我喜歡寫散文，因為散文的感情便是健康生命的氣息，因為它能創造崇高的意境，那種內蘊的美的氣氛，是別的文藝形式所缺少的，而我更喜愛是它那多樣性的體裁，可以隨意抒發自己的感情和思想，可以觸及靈魂深處，因此，當我一開始叩入文藝的領域，首先便選擇了散文。可是近年來我的興趣卻又逐漸偏重於小說，有很多題材，很多感情和思想，短短的散文是不夠發揮的，認為一部好的小說是離不開現實的藝術，它不僅是發洩一己的感情，也要描繪出群眾的感情，它不僅是表現一己的生活，更要從人民大眾豐富的生活中去提煉，它不僅是刻劃一個人的希望和理想，也要刻劃出這時代群眾對明日的希望和理想。

基於此，我嘗試著從現實中去發掘題材，我寫過鹽民、漁民，也寫過小商人、小市民。但是，常使我感到遺憾的是我的生活範圍畢竟太狹小，對人生的體驗也還不夠，而由於性別的受限制，很多事很多地方又不便去採訪。我承認女人從事寫作，在這一點上是吃虧不少。

我十分佩服那些能夠在茶館咖啡店裡構思撰稿的作家，我也十分欽羨那些「倚馬千言，落筆成章」的天才，我卻不成，我一定要在安靜的環境裡才寫得出東西。往往白天一字一句堆砌了半天，還不及深夜一小時的成績。而無論寫什麼，不先擬個腹稿，我是寫不出來的。常常為了推敲一段合適的字句，斟酌一句恰當的對話，或是想一個恰當的題目，使我煞費思考。若是一篇文章——尤其是小說，在沒有寫完以前，不管手裡在做什麼，心裡總不時感覺到一種不安，一種憂鬱，一種莫名其妙的煩躁，甚至連吃飯也不辨滋味，睡覺也不能安枕，有如魚刺卡喉，哽格難嚥。當完成一篇作品時，就似完成了一樁苦工，又似割除了一個贅瘤，心情有說不出的輕鬆愉快。

俗諺「文章是自己的好」，我卻沒有這種感覺，我對自己的作品挑剔得很厲害，所謂「眼高手低」，常常心裡想得滿好的，可是寫出來卻總覺得不如理想，因此我常常為一篇作品想著，寫著又改著，耗盡了全部精力，獻出了全部感情，結果往往弄得頭昏腦脹，灰心喪氣，而寫成出來還是不能令自己滿意。甚至有時作品發表出來後，我連看一遍的興趣都沒有了。

一說起寫作，別人就會聯想起靈感，我覺得靈感果然可以幫助寫作，靈感來時，文思潮湧，往往一氣呵成一篇，其痛快自不必細說，但寫作卻不能完全憑恃靈感，如果一心一意專等待靈感來了再動筆，等來的往往是莫大的失望。記得有位大作家曾說過：「不管你寫得出寫不出，每天都得有一定的時間，坐在你的桌子面前，拿起你的筆來！」這話自有他從寫作經驗中磨練出來的價值。我自己就是靈感來時固然寫，沒有靈感時也握著筆坐在桌前一字一句地榨，往往榨著寫著靈感也就忽然翩然光臨。在我看來靈感並不能作為左右文藝，啟迪寫作的百寶鎖匙。它只是配備著去完成一種作品的副的作用而已。

從事寫作的人除了在寫作過程中所遭遇的困難，還有一種「精神負擔」，一是每當自己正著手寫一點什麼自己想寫的東西時，猛然又憶起明後天催著要繳卷的約稿，已答應了不寫不免失信於人，如果先放下手裡未完成的作品再另起爐灶，又怕擱下了的再不能一氣呵成。如果等完成了這篇來寫，時間上又不允許。這時最是心猿意馬，注意力分散，結果往往是兩邊不討好。二是揭期連載的作品，像我最近每週一篇在《中央日報・婦女與家庭》連載的「主婦隨筆」，稿子星期日必須寄出，一到星期六心裡可就緊張起來，無形中一種力量在催逼著，就似欠了別人的債要如期付還似的。在沒有寫好以前，無論作什麼也不起勁，自然也就影響了寫別的作品。不過定期還債也有一個好處，因為一個人除了在年輕時完全被強烈的創作欲所支配，亟需要發洩外，一等有了家室之累，分心打岔，多少總有點惰性，若不是這樣一催一逼，那又能榨出如許文章！

從來寫作的人最值得安慰的是雖然終年伏案筆耕，無暇交際，卻擁有廣泛的友情，這裡面包括報刊的編輯，愛好自己作品的讀者，以及從彼此的作品中獲得默契的文字之交，在大陸時由於兩年主編副刊的機會，我結交了不少文藝工作者，她（他）們作品的風格，親切的印象，猶自深刻的留在我的記憶中，來台灣六年，我又認識了更多的文友。有的從未見過面，只是從她（他）們的文字中久已心儀其人，有的是由書信往返，彼此有更多的了解和互勉，最近一次我由岡山去台北開會，正遇上數年來最嚴冷的寒流，但我卻並不覺得太冷，因為友情的溫暖，使我內心有四季如春的感覺。

如果有人說寫作是苦事，我不反對，因為有時正有礦工下地洞掘發煤塊，那樣的辛苦，冒險家從沙裡淘金那樣的需要忍耐；如果有人說寫作是樂事，我也不否認，因為在苦心構思，完成一篇得意之作時，在自己的作品引起別人感情上的共鳴時，這其間的樂趣。便不是筆墨所能描述的，但不管是甘是苦，從事寫作早就成為與我不可分離的精神生活，不管選擇的路是艱辛或是平易的，我將一步一步腳踏實地走過去。

編註：本文原刊於《幼獅文藝》第二卷第二期，一九五五年二月，頁八～九。

孩子的品行

一聲尖銳的慘叫，似一枚突如其來的炮彈劃破長空，撕裂著中午寧靜的空氣，接著是彈片爆破般，一連串的哭聲，叱罵聲，重物拍擊著皮肉的聲音……一聽就曉得又是隔壁的徐太太在管教她第二個兒子。

「你偷，你又偷！你這個不要臉的小偷，打不死的小賊！」

從那咬牙切齒的聲音中，可以想像得到做母親的那一份憎恨與憤怒，鞭笞和呼痛的聲音也更慘厲，彷彿要把滿腔氣憤全從痛毆中發洩。

小偷！賊！這兩個詞該包含著怎樣一種卑污下流的行為，而在社會上還有什麼更比這受人鄙視和不齒！自然，如果做父母的一旦發覺自己的孩子竟染上了偷竊的行為，那種氣憤、惶恐和痛心疾首，是不能以筆墨來形容的。

但是，有偷竊行為的孩子難道會生來就賦有這種惡劣的天性嗎？我們都知道孩子的品性是一張白紙，任何色彩，都是日後有意或無意間染上去的。

就拿我的鄰居徐太太來說：她有三個兒女，最大的是女兒，老二跟老三相差不到一歲，她獨就不喜歡第二個兒子小文，而特別偏愛老三，吃東西時，老二那一份比老三少，買玩具時常常沒他的份，而兩兄弟打架或闖了什麼禍，總是庇護老三而把錯失栽在他身上，讓一個人受懲罰。

有一次徐太太發覺放在桌上買菜剩下的零錢，接連少了兩天，第三天她在小文上學前突擊檢查他的書包，果然發現兩張鈔票夾在算術課本裡，於是除了一頓毒打，罰餓一餐，這以後徐太太便像對待積犯似地處處防範，小偷小偷的綽號時時掛在嘴裡唸叨。譬如她自己在廚房裡，看不見外面，便歇不到十分五分鐘向小文提出警告：「小文你在哪裡？是不是又到我房裡在偷錢了！你再敢偷錢看我不把你打死！」可是徐太太越是防範得嚴密，孩子卻一有機會就越加偷的利害，不僅是錢，食物也偷，儘管每次發覺了都打得死去活來。

像小文的染上這不良行為，可以說完全由他母親的待遇不公平，在他小心靈上形成一種不滿的情緒，和欲望不能滿足所引起的補償行為。如果徐太太在初初發覺時便能平心靜氣研究一下他引起的動機，再予以適當的制裁勸導他改過，事情可能便成為過去。但徐太太不但不這樣做，反時時刻刻提醒他，指責他，將他的壞行為毫不隱瞞地到處聲揚，使他備受姊弟及小同伴的譏笑、輕視，使小小的自尊和信心摧毀無遺，這樣只有加深他的怨恨，自甘墮落，以至積染成習。長此以往，這孩子的前途實在堪以為憂。

還有我知道另外一個九歲的女孩子，家裡十分富有，她穿的用的全是最考究的，但是她那一班同學卻不斷地丟失顏料、鉛筆這類小東西。在老師查究之下，發覺竟全是她一個人幹的，她偷了別人的東西並不想占有，不是給毀了便是給扔了。又把母親貴重的化妝品，父親精緻的信箋等拿來隨便送人。後來去她家裡訪問了才知道她父母成年累月忙著自己的事，只把她交給保母照管。雖然不吝花錢給她買好東西，卻很少給她愛撫與關注——稚嫩的心靈原是渴望著也靠這些來潤澤和培護的。也許，因為得不到這些，她所以這樣做，只是想引起別人的注意，也可以說對大人不理會她的一種報復。

我們這一代大概都還記得一個陳舊的故事。說是一個被判死刑的強盜在臨刑時咬下了他母親的乳頭，恨她在他小時不曾好好管教，發現他買東西時「順手牽羊」不但不加禁止，反誇他機靈。從此他大膽肆行，以致造成這樣的下場。「子不教，父之過。」其實，做父母的都咎無可辭。

雖然，誘使孩子發生偷竊行為的還有其他客觀因素，如不良的家庭環境，不良的友伴，不良的兒童讀物和電影等，但最大的因素還是做父母的平常教育方法的錯誤。像以上三個實例：第一種的待遇不公平和歧視，第二種疏忽與冷淡，第三種的慫恿與姑息，都在無意中促使孩子傾向於不良的行為。

孩子們對抽象的道德觀念本來就很淡漠，良好的品性是從小薰陶的，卑劣的行為也是從小染習的。為防患未然，應該從小給他們一種精神上的訓練。例如：

一、做父母的應該適當地給孩子以愛與關注，同時也取得子女的敬仰與信任。親子之愛有如一條無形的鏈索，永遠緊密地聯繫著，足以抗拒任何不良的誘惑。

二、做父母的一定要公平，不能有所偏私，也不能有所歧視。

三、孩子的行為往往是父母的鏡子，做父母的應該以身作則：別因為占了別人的便宜而沾沾自喜，也不要揩油公家的東西在家裡浪費。

四、使孩子明白事物的「所有權」，即使在家裡動用兄弟姊妹的東西，也必須取得他的同意不時檢查他的玩具和書包，如果發現來歷不明的東西，問明來源，若是拿了別人的，一定要他送回去。

五、孩子若已懂得金錢的要求，便可以養成他儲蓄的習慣，告訴他怎樣作合理的運用。

先入為主的精神上的訓練，就似注射了一支精神防疫針，對不良的染習，有看精神上的防疫性。而萬一發覺孩子已染習不良的行為，做父母的先別氣憤填膺，到處聲揚，應該鎮靜地研究引起的動機，再予以適當的制裁。同時一方面替他保守祕密，使他仍懷有希望，不至因此受人譏笑而自覺羞慚無地自容，信心喪失殆盡，一方面不時給他勸勉與關注，使他感到父母仍愛護如昔，而幫助他恢復自信，使他更有勇氣改正自己的錯失。

要孩子將來成為一個健全的好公民，首先應該培植健全的心理，完美的品行，做父母的不要忽略了這點。

編註：本文原刊於《台灣新生報．自由婦女》，一九五五年七月八日，第六版。

虎頭埤記遊

南部春早，這些時候風和日麗，春光早便漫爛在人間，儘管是似我這般終日蟄伏斗室的人，一向疏予問訊春來秋去。那暖和的陽光，溫柔的軟風，卻悄悄從窗際進入，殷勤探訪，乍抬眼，窗外蒼翠的樹正撐起一片明朗耀目的藍天，似這般晴好的三月，瑰麗的春天，再把身心囚禁在狹隘的小天地中，不亦太苛刻自己了麼？那天，三月八日。難得他正從台北回來度假，恬恬學校裡也放假一天，於是決定做一次短短的旅行，換換空氣，目的地臨時擇定了虎頭埤。

虎頭埤在台南縣新化鎮，這一個名字似乎不太為人熟知，所有的遊記中彷彿也不曾讀到過有關它的報導，但我認為旅行的目的原是探僻尋幽，而重要的是意興所在，曾經品題的名勝古蹟果然值得一遊，一灣清澈的溪流，一座靜美的山丘，同樣也足供人們徜徉流連。大自然中一草一木，一丘一壑，沒有不啟人幽思，耐人尋味的。

我們搭火車抵達台南，再換乘民營客運汽車公司的車。可是不巧得很，據售票員告知，去虎頭埤平常每天原有兩趟直達車，最近因為橋在修理，汽車只到新化為止，要進去，就只得另想辦法。我們聽了雖然有點失望，卻並未因此阻遏我們的遊興。

民營公司的汽車座位雖然不及公路車舒適，也沒有公路車的擁擠，而最大的缺點卻是路太壞。一出台南市便顛簸得像篩糠似的，把二十幾個旅客篩得昏頭顛腦。車後更是塵土飛揚，灰沙滾滾，最可笑的有一次正駛過一段下坡路，眼看前面是一帶傾側斷殘的土堤，左邊是一條半枯的河牀，我正疑惑間，不料汽車一側頭便向河沼衝去，我不由得驚嗅起來，以致惹得車裡慣走此道的乘客望著我笑。而汽車卻已拖泥帶水，滿不在乎地碾過河牀，又駛上了公路，我再朝車後細看：河上並無橋樑的遺蹟，別處也不見第二條路的影子。不知雨季或漲水時，車又怎樣通過？

起初我揣測新化站大概也同沿路停留那些小站一樣，有兩家茅草蓋的飲食雜貨店，卻連路牌也不豎一塊。我生怕一瞬眼也許會錯過了站。沒想到一到新化下來，首先看到的是寬闊整齊的馬路，路旁垂揚飄拂，店鋪林立。十字路口還巍然矗立著一座精神堡壘。市面很繁榮，只是找了半天找不到一家內地館子，只得將就在本地風味的露店裡解決了午餐。從鎮上去虎頭埤還有一些路，我和恬恬都走不動，找到輛三輪車，車夫一口要價十五元，管拉來回。

乘三輪車旅行，一路左顧右盼，緩緩地欣賞沿途景物，可算得別具情調。但三輪車夫這趟生意可也不容易做。路壞，又有坡，有時我們得下車來走一段，踏在那厚厚的，陷足的沙土上，不由得使人想起在電影中看過那可怕的流沙。途中我們看見了那座橋，有不少工人在搶修，工程很不小，怕沒有二三個月不能完成。

三輪車約莫走了半個多小時，車夫指著前面一抹土丘說「到了！」我們下車一打量，只見一帶光禿禿的土堤，兩條粗粗鑿出來的斜坡，毫無可取處。我們一口氣走完那段短短的土坡，眼前卻豁然開朗，只一堤之隔，堤內、堤外顯然成兩個世界，那幽邃的湖水，綠沉沉的山林，矯龍般橫空的吊橋，樸雅的亭榭，一一展現眼底，山環水繞，相映成趣。竟是一幅極妙的工筆山水，又似一座玲瓏雅致的大盆景，越當我們一步步走近，越覺得那幽靜恬淡的氣氛使人心曠神怡，怍然忘俗。

鐵索橋名「虎月」，看來很新，站在橋頭眺望，只見橋那端是一抹山坡，坡那邊又是湖，而湖對岸又是山丘，重重疊疊地套著，走在橋上望下去時，但見底下碧水茫茫，波光粼粼。橋身隨風搖擺，不禁微覺昏眩。第一次過吊橋的恬恬更是怯怯的一步一移，又是害怕，又是高興，橋堍有一座碑碣，四面圍著鐵鏈，砌著石階，看碑文所記載，原來這還是四十二年總統在此遊憩後重修的，湖水灌溉著周圍數十里地的農田，而風景幽美，尚列為台南十二勝景之奇觀。碑前一片芊綿的草坡迤邐而下，沿著坡岸斜斜地展伸著三五棵垂楊，枝葉輕拂著水面，兀自在那裡搖曳生姿，顧盼弄影。湖身多的是曲折，水色瑩澈暗綠，看起來不知有多深。對岸濃綠深翠，密稠稠連綿不斷的一抹蔥蘢的林木，綠蔭沉沉，掩映著湖水更顯得幽邃深奧，遺憾的是缺少一葉小舟，不能泛棹湖上，一探幽勝。我們隨意散坐在草坪上，仰望頭上，是一片遼廓的蒼穹，白雲悠悠，金光燦燦。俯視腳下，是一泓幽邃的湖水，水光灩瀲，微波盪漾。近樹縈翠，遠山凝寂，風從河面吹來，沁涼清爽。靜是靜極了，萬籟俱寂中，只風吹枝頭樹葉悉索，翠微中偶爾傳來三兩聲細碎鳥語，我們承受著風的吹拂，不覺逐漸地停止了笑談，唯恐語聲驚碎了這無比的靜美、和諧。便在那片刻靜默不言中，渾然忘卻了自身的存在，心境恰如一泓寧靜的清流，了無半點塵思俗念。

上山的小徑沿著山麓展延拓入，湖水便也環繞著山腳迂迴曲轉。我們在草坡上看裡面的湖水顯得幽靜深邃，迂迴曲折，而在山坡上眺望靠外面的湖水又顯得寬闊浩茫，煙雲渺溟。我們一步一步走上樵徑，湖面也跟著越見開朗。恬恬忽然指著湖中心一塊白色說是船帆，起初我也信以為然，只是詫異何以扯滿了帆卻靜止不前，及至停睛細看，才知原是一方石碑，驟然間卻見碑旁不遠一點灰色的身影倏地從裡騰起，靈活地在空中劃了個弧形，又迅捷地潛入水中不見了，隔了半晌，才從另一個黑影旁竄出水面，悠然游泳——那是一群自由自在的野鴨。

山徑兩畔盛開著星星似的小白花，絨球似的小紫花，恬恬一路跳躍著，邊走邊摘。不多時已綴滿髮上襟前，我們戲喚她是山林中的小仙女。漫遊在闃寂無人的山中，性靈從世俗的桎梏中解脫出來，童心最易來復。我信口哼著歌曲，踏著不規則的步子，不時為一朵野花駐留，為一隻蛺蝶奔跑。西斜的太陽遮藏在一朵雲彩中，我們便朝那雲彩走去——但這中間的距離是永遠縮不短的，倒是時間縮短了晝和夜，我們不敢再深入山後探幽，便折回吊橋，在橋堍的石亭中憑眺，遙見對岸翠綠叢中，隱約露出粉牆一角。想來是那座如今不歡迎參觀的廟宇。我們只能望「廟」興歎，不勝悵悵。

這時正有駐紮附近的一隊號手，踏著整齊的步伐過吊橋去對岸練習，只聽得一片嘹亮的樂聲，遽然震碎了湖山的靜謐，激盪在山林，又復迴旋在湖面。霎時間彷彿左右前後上下，全飄揚著音樂的風，灑落著音樂的雨，宏亮的旋律回響在空曠深邃的山水間，充溢著一種悲壯激昂的情調，震撼心靈。我們不禁為之臨風肅立，翹首諦聽，內心恍惚若有所感觸——

號角聲中，我們緩緩踏上歸程，走出亭子，抬頭便見斜對面那偏僻的堤岸盡頭，荒草雜樹中掩映著一株株紅欄杆。我們都奇怪這僻野中又哪來這般迴曲有致的小橋，待近前一看，才知是一座廢置了的水閘。彎彎一帶紅漆欄杆雖然已被風雨剝蝕，卻依然堅實完整。閘台上排著五個車輪般大的絞輪。我扶著那生繡的鐵盤，俯視腳下城門似的閘洞，傾斜的排水道。追想當年當這絞盤轉動時，萬斛湖水便從閘洞奔湧而出，聲勢洶洶，宛如數條白龍翻騰，又如一群白馬奔馳。浩浩蕩蕩直從排水道上瀉落溝渠中，再源源不絕地引向千百畝田疇，該是怎樣一番壯偉的景象！而如今，不知是否因為湖流改道，閘下卻只剩得一片砂礫，溝渠中水草蔓生，荒涼滿目，當年功績豐碩的水閘如今唯一的用途是供鄉人來往的橋樑。不時有三兩個樵子，負著滿挑山柴，悠然從閘橋上經過。閘旁有條從草裡踏出來的小徑，可以下臨湖畔另一座幽僻的亭子，亭前一道竹籬沿湖築立，儼然成為湖水與砂灘的分界線。

離閘不遠處，又有一幢油漆駁落的綠色小屋，孤零零地悄立一角，門窗緊扃，階前荒草沒徑。過去想來原是管理人居住的，閘已廢置，人更杳然。

高山長青，碧水長流，隴上自生自滅的野花該已多少次凋零又盛開，而曾經耗費了多少人力建成的巍巍水閘，精雅小屋，卻已被人遺忘了，更將為時間之塵所湮沒，還歸於寂滅。在造物奇妙的創造中，在自然的永恆中，人的力量還是太微小，人的存在又是多麼短暫！

踏上堤坡，我立停了回轉頭來，再向湖山望了最後一眼：斜陽已透過雲彩，烘襯得那幽深的林木更蒼鬱，杖柯掩映中，一抹金黃色的柔光盪漾在湖面，微波粼粼，金光閃閃，那幽妙的意趣，兀自縈繞腦際——有的風景宜於瀏覽遊賞，不妨湊湊熱鬧。有的山水宜於徜徉其中，怡然忘情，卻必須靜靜領略。虎頭埤正是屬於後者。

編註：本文原刊於《暢流》第十三卷第五期，一九五六年四月十六日，頁二十三～二十四。

七年甘苦

記不得是誰這樣說過：「太陽之下沒有新東西。」但是我要說：太陽之下，每天都有新的拓展、新的進步。在這七年中，且撇開自由中國各方面的突飛猛進，單拿文壇這一角來說：三十八年初，當我第一腳踏上寶島時的狀況和現在的狀況，便完全不相同了。那時人心惶惑，文壇也正陷入一種近於癱瘓的狀態。記得是在三十九年一月，我發表在《新生副刊》的一篇〈再來一次文藝運動〉中，對當時的文壇還有過這樣的一段描述「……就說在反攻基地的台灣，出版界似乎是凍結了，刊行的少數雜誌全是內幕性、趣味性或是學術性的，各報副刊也都偏重於綜合性，有關文藝的作品和刊物，簡直是鳳毛麟角。在反侵略、反共產戰爭最劇烈的時候，在民眾最感苦悶動搖的時候，我們卻忘卻了最銳利的攻心武器，忽視了堅定信仰鼓舞人心的法寶——文藝。」可是，再放眼縱觀今天的文壇，文藝書刊一本繼一本問世，有如雨後春筍，老一輩的文藝工作者個個堅守自己的崗位，埋頭創作，新的文藝工作者更一個又一個崛起，拿今天文壇上所呈現的蓬勃氣象和七年前的荒蕪沉寂一比，真有天壤之別！這是個嶄新的、戰鬥的時代，文藝便是這戰鬥行動中一支勁旅。叨為一個文藝小兵，這任務、這使命，在我是深感光榮而引以自豪的。來台灣七年，我未曾停下過我那支破筆，寫作，已成為我生活的中心。雖然從開始寫作到現在，十九年來自己總覺得寫不好，但我寫作的信條就是「有一分熱，發一分光」。

有一段時間我喜歡寫散文，因為「散文的感情便是健康生命的氣息，因為它能創造崇高的意境，那種內蘊的美的氣氛，是別的文藝形式所缺少的。而我更喜愛是它那多樣性的體裁，可以隨意抒發自己的感情和思想，可以觸及靈魂深處」（拙作《漁港書簡・序》）。可是近年來，我的興趣似乎又偏重於小說，因為我覺得有很多題材，很多感情和思想，單靠短短的散文是不夠發揮的。這就是為什麼近來我的作品小說多於散文的緣故。

真實，在文藝的表現上就成了美，美是聯繫著時代的，而一切藝術永遠是反映著現實的。今天，文藝工作者應該給作品具有這時代的新的戰鬥的生活氣息，具有這時代新的和美的意境和氣氛。一篇散文或一部小說，不僅是表現一己的感情生活，更要從人民大眾豐富的生活中去提煉，不僅是刻劃作者一個人的希望和理想，也要刻劃出這時代群眾對明日的希望和理想，基於此，我曾不斷地從現實中去發掘題材，我寫過戰士，寫過鹽民和漁民，也寫過小市民。羅曼羅蘭曾說過：「寫作，由於社會責任和你的良心，或者某一種內心需要所驅使。」由此，我也寫出了對光明的憧憬，對愛與美，真與善的渴慕，對醜惡的詛咒，以及對黑暗的揭露。給生活中添注一份向上向善的意志力，從性靈中發掘美麗真實的寶藏。就這樣，在這七年中，我寫下了六本薄薄的小冊子。三本散文集：《青春篇》、《漁港書簡》、《生活小品》。三本小說集：《生死盟》、《小樓春遲》、《魔鬼的契約》，以及還有幾十萬字未曾結集的小說。

俗諺：「文章是自己的好。」我卻從來沒有這份感覺，我一直對自己的作品挑剔得很厲害，所謂「眼高手低」。常常心裡想得滿好，而寫出來卻總不如理想，因此常常為一篇作品耗盡了全部精力，獻出了全部感情，往往弄得頭昏腦脹，灰心喪氣，結果還是不能令自己滿意。但當完成一篇作品時，那種輕鬆愉快的心情，不是箇中人是無法領略的。如果有人說寫作是苦事，我不反對。因為有時正有如礦工下山洞掘發煤塊那樣辛苦，冒險家從沙裡淘金那樣需要忍耐；如果有人說寫作是樂事，我也不否認，在完成一篇得意之作時，獲得讀者的共鳴時，那份樂趣，更不是筆墨所能描述。「一個人能為自己的情熱，為自己的興趣而工作，才是真正享受了生活」。我不敢說我是真正享受了生活，但這份工作已融入我生命中，不可分離。

編註：本文原刊於《台灣新生報南版・西子灣副刊》，一九五六年六月二十日，第十版。

雲水蒼茫日月潭

撩人秋意

入秋以來，一連串的颱風。等人們驚魂甫定，秋卻已悄悄地過去三分之二了。儘管寶島四季常青的樹木，有如不朽的春天；熱情熾烈的驕陽，猶似永無盡止的長夏。但在清晨傍晚，軟風吹在身上，涼沁心脾，性怡神爽，還是感覺到一點秋意。也便是這點縹緲撩人的秋意，使靜極的人思動，使蟄居在屋子裡的渴慕著投身自然，讓一切庸思煩慮盡隨浮雲消散，讓性靈的塵垢盡被清溪滌淨，讓身心的負重，卸落在朝霧晚霞山嵐水影裡……因此，當外子從台北飛來一紙又一紙的函箋，告訴我，他們救國團的同仁預備組織一個日月潭旅行團，邀我參加時，就連我這個平時連大門也不常出的懶人，也欣然帶著孩子束裝就道了。

那天，我們相約好都乘九點鐘從南北對開的快車。台灣如一片常綠的葉子，台北在葉尖，岡山便靠近葉柄，當我們的列車從葉柄開出時，他們也正從葉尖出發。彷彿有兩根無形的鋼索繫住兩行列車，由時間的巨掌握著慢慢地拉攏來，縮短了空間的距離。終於在葉子中間會合了。當我同著孩子在台中下車時，她爸爸已在月台上揮手相迎了。我們加入了他們的團體，像兩滴雨水滲入一條奔躍的溪流，像兩個新兵插入一支戰鬥的行列——二點半鐘，大家在車站對面的「眾樂園」食堂，午餐，又重振陣容，向著目的地邁進，一共是三十六個人，恰好坐滿一輛「巴士」。

峰迴路轉

汽車從台中開出，一路經過連畦接塍的稻田，茂密蔥鬱的蔗林。豔麗的秋陽似一片金液氾濫了大地。在稻浪的搖曳中，在綠葉的光澤裡，在溪水的閃耀中，處處流露著盎然生意。面對著秋的成熟而蘊蓄的丰姿。我忽然記起了「十月芙蓉小陽春」句，在故鄉江南，深秋十月，芙蓉花盛放時，不也是這般風和日麗天氣，陡然間，我怡悅的心頭飄來一片片淡淡的鄉愁，像那山巒間一朵出岫的浮雲。瞬時掩蔽了驕陽。

不久就開始上山，越往上爬，山路越陡窄曲折，一邊是絕壁峭立，一邊是深壑萬丈，汽車只是在千壑萬巖中左盤右旋，速度降慢，猶似蝸牛在蠕蠕爬行。喇叭不住亮鳴著向山谷發出警告，一會戰戰兢兢通過一條巍顛顛吊橋，一會又小心翼翼穿過一連串四個黑黝黝的隧道。幾次陡地拐過一個彎，正與對面駛來的汽車窄路相逢。進退兩難，只得順著地勢，一輛慢慢地向後退讓，一輛緊挨著向前緩緩移動，兩車擦身而過，中間相隔不過一根髮絲。車過去，車上的人全捏了一把汗。

路雖然險窄，但沿途幽美的景致卻引人入勝，沿著山崖高高低低地叢生著一簇簇的芭蕉，和一叢叢挺直、高大、碗般粗細的綠竹，隨風招展搖曳，恍如躬身迎客。一支清澈的澗溪依著山勢蜿蜒曲折地奔流躍進。溪中布滿了嶙峋的巨石，有的像蹲著的虎，有的像伏著的象。湍急的澗水決激著岩石，珠璣四濺，翻成白花花的雪浪。忽然半空中閃出一座輕盈靈巧的小吊橋，虹一般橋跨過澗溪，便繫住在對面小坳裡，山坳是那樣幽邃又闃無人跡，不禁引起人遐想。遠遠近近的山巒，有繞著山一圈栽滿茶樹，有密密叢叢遍植杉林，漫山遍谷，蒼翠欲滴。車子轉一個彎，眼前風光便又煥然一新。車子不住地左盤右旋，展開在眼底那大身然的長軸，簡直目顧不暇，美不勝收。離目的地不遠時，不知從何處山顛飛來一片薄雲，遮掩晴空。不一會便細雨微濛。四周景物若隱若現，雲霧擁塞山崖間，車子彷彿向雲團裡衝去。大家正愁著怕被雨阻遊興，還好抵達時只是密雲不雨，遠遠瞥見綠蔭掩映中一角湛綠的潭水，不約而同發出一聲歡呼。一路顛頓的疲困，便在這一聲歡呼中被拋在車後揚起的塵灰中了。

車子剛在那條一眼便望到底的小街口停下，便有人笑迎上來。原來是救國團南投支隊的祕書鄭修儒君。他得知我們來的消息一早便已上山。他說他願以識途老馬為我們權充一次義務嚮導。鄭君熱心過人，不僅是第二天陪大家暢遊潭上諸勝景。就連一切膳宿，遊潭交通工具，都由他代為接洽妥當了。使大家的遊興因不受一點瑣事煩擾而更濃厚，這一點是應該向鄭君致謝的。

水光山色

旅行團分住龍湖閣和碧山莊兩處，我們分配在碧山莊，是幢軒朗潔淨的大樓。當我爬上那高高的五層石級，喘息未定，行裝未卸，首先便直奔陽台，被那一片躍入眼中的水光山色迷醉了！原來陽台正面對盈盈潭水，放眼縱眺，潭上景物一覽無遺，盡收眼底！

我憑欄眺望，但見鑲嵌在雲腳下的一圈重疊參差的峰巒，朵朵白雲自在地裊裊舒卷，正是微雨過後，蒼鬱的山林經過一番潤澤，更顯得蔥蘢。那一片化不開的濃綠深翠，便簇擁拱環著一碧萬頃的潭水，波光瀲灩，綠影幽邃，遠山凝寂，群樹縈翠。三兩艘小舟悠然盪漾在水影波光裡，像幾片輕盈的竹葉，更有白鷺成雙，在水面翩翔盤旋……

那一份纖塵不染的潔淨，那一份美妙蘊聚的和諧，那一份寧靜深沉的幽邃，就在這片刻的默契中，不期然滲入我性靈，融入我心胸，使我洋然忘卻俗世，不留半點人間渣滓，只覺得自己像一片白鷺的羽毛，像一朵天空的白雲，想飛、想在山巔飄忽、想在水面迴旋——這便是日月潭，我夢寢思之，神往已久的日月潭！這裡有詩，有畫，有人間聽不到的音樂，我倚欄凝立，默然相對，久久不忍離去，直到暮靄四合，四邊景物沉入無月之夜的黑暗中。

明天，是的，明天我便將在潭上遨遊，但我已等不及，但願綠潭多情，當夜便入我夢中。

杵聲潭影

那晚上又灑了一陣細雨，淅淅瀝瀝的雨腳幾次叩著我那脆弱的夢的邊緣。清晨趕早起想看日出。卻見煙雲縹緲，樹靄溟濛，薄霧籠著潭水，彷彿披了一層輕紗，景物盡在綽約不露中，霧中傳來清脆的鳥聲，卻不知在何處啼唱。如果說白天的潭是一幅寫意的畫，那霧裡的潭該是一個空濛的夢，一個撲朔迷離不可捉摸的夢。晨風從潭上吹來，有著涼沁的寒意。我離開陽台，便去樓下進早餐，剛吃了一半，忽然有人指著窗喊聲：「船來了！」大家全擁到窗口去。只見遠遠地一艘汽艇，正衝破薄霧，對著旅社筆直地駛來。平穩、迅捷，與其說「駛」，不如說「滑」。船尾在綠絨毯似的水面剪出兩道美麗的白浪，逐漸展漾開去——船是從對面化番社開來的，是毛家的私用遊艇，由一個青年駕駛著送我們去潭上遊覽。

當我們乘上汽艇出發時，太陽不知已在何時出現在天空，雲消霧散，一片光輝照得潭水閃閃發亮。我這才發覺那平靜如鏡的潭水卻時時在變換顏色。平常果然是綠色，綠得幽暗、蘊鬱，彷彿千樹萬枝凝聚水底，濃得化不開。傍晚黎明時卻是靛藍色，藍得像海水那樣深邃。而在陽光直射的時候，又成為晶瑩透澈的綠琉璃，綠得亮眼，綠得使人遐想，使人沉醉。

光華島與其說是島嶼，還不如說它是一個纖巧玲瓏的盆景，安嵌在深潭之中。四面臨水，微波縈迴，島上整齊的蒼松，遠遠的便列隊相迎。環繞著蒼松是一圈白色小欄，登臨憑眺，潭上風光以各種不同的風姿映入眼底，萬籟俱寂，耳畔只聞低低的松嘯，水吟悄悄。幽靜已極。據說光華島從前原名珠子島。「珠子」果然不及，「日月光華」含意深永，但形容它是潭中一顆玲瓏透剔的明珠，卻是恰如其分。

船離開光華島向南駛去，抬頭便望見南邊蒼鬱的山上，枝柯掩映中露出一角飛簷峻宇，那是新建的玄光寺，供祀的是最近千里迢迢從日本迎回的唐玄奘骨灰。船悄然碇泊在山腳，我們便沿著迂迴的小徑拾級登臨，上得山頂，我已氣喘不已，寺便迎面屹立山巔，青山在枕，綠水環抱，地勢幽妙極了。簇新的寺門丹碧輝煌，殿宇也敞亮軒朗。只是給人的印象卻缺少大陸上寺院中那種令人肅然穆然的莊嚴氣氛。倒是站在廟外走廊上，縱目遠眺，只見萬壑爭流，千巖競秀。俯瞰潭上雲水蒼茫，嵐氣溟濛。迎風凝立，不禁悠然意遠，忘卻身在何處。

化番社攏岸時，那位充我們駕駛的青年很有節奏地按下幾下喇叭，那大概是信號，因此當我們上去之時，所有年輕的山地女郎都已盛裝以待，笑靨相迎。久聞毛家小姐芳名，大小姐果然風度超眾，儀態不凡，伸出纖纖玉手趨握之際，儼然是大家閨秀氣派。三小姐長辮垂腰，不失天真。但如以年輕漂亮論，還要推紅白兩牡丹，一個清秀，一個嫵媚。還有一位月來香，模樣兒也俏麗可愛，她們都操著國語，從容應付。說照相毫不遲疑，說唱歌就亮開嗓子。在我想像中那份山地姑娘的羞怯、樸實、純真，似乎已為文明和商業味沖淡無餘了，我不曉得那應該說是「損失」抑是「進步」？

社裡有二個博物館和花園，都備有他們的服裝和攝影師，專給遊客們照相的，有好幾個濃妝豔抹的姑娘笑靨相迎、輕聲軟語地在耳畔招徠著「照張相留個紀念吧！」一得到遊客的同意，就馬上有一位殷勤地過來給侍候換裝，男士們是頭戴披風，腰佩倭刀，衫下赫然露出兩截西裝褲。女士們束額懸珠，短襖圍裙，裙底卻是兩隻高跟鞋。大家打扮好了，我望望你，你望望他，不禁相視大笑。

歌舞在一座簡陋的茅屋裡舉行。水泥的舞台中央安嵌著一塊巨石，先由她們拿著比人還長的木杵邊唱邊擊石，石聲清脆而有節拍，一時叮叮咚咚，也很悅耳。接著又進來一、二十個人，手拉手，繞著大圈小圈，或進或退，有時像蛺蝶穿衣，有時像眾星拱月，一個個光腳板打著水泥地辟拍響。尖起喉嚨咿咿呀呀地唱得十分熱鬧，只是聽不懂歌詞是什麼意思。

最使我欣賞的還是山胞的手工藝，那一條小小的土街，兩面櫛比鱗次的盡是土產店，店裡陳列著古色古香的木的雕刻和精巧玲瓏的藤的編織，從古雅的日用品，精緻的擺飾，到簡單的小玩意，真是琳瑯滿目，我一件件欣賞把玩，愛不忍釋。

到文武廟山麓，一眼望上去只見古木參天，石級連雲，外子同他們一大半人都上去了，我和另外一些人遊了這一上午，自問再也鼓不起餘勇攀登這三百六十五級石級，便停在綠蔭深處小憩。等大家下來了再返櫂歸去，這時已是日正當中，把萬頃碧水渲染得金光璀璨。

扁舟一葉

乘汽艇遊潭，不僅失去了遊山玩水那份閒情逸致，更不能細細領略潭上的幽邃。因此，到下午大家又化整為零，各自駕一葉小舟，逕去潭上逍遙遨遊。我們這一艘便由外子操槳，向潭影深處划去。小舟在水上真像一片樹葉，那樣輕盈，又那樣迅捷。坐在小舟裡，跟潭水更接近了，伸出手去便可以掬取。但我不敢也不忍伸手出去，因為挨得更近了，才發現四周的潭水是那樣平滑，又那樣柔軟，微微地起伏著，就像巨幅藍色的綢緞，甚至可以想像得到手指摸上去的感覺是光滑柔膩的。當停槳不划時，微波輕拍著兩舷悄悄吟唱，小舟便自在盪漾，我斜倚著船舷，仰望白雲悠然飄過晴空，俯看綠意伸入水中。潭上無限的夢意秋光，盡融入性靈中那時的心情，有似止水停雲，唯願這般順流逐波，永不停留！

在潭中央，我們又遇上了跟我們一起出發的兩隻小舟，他們建議大家把船連繫在一起划，這主意很新鮮。立刻獲得大家的擁護，便將纜繩繫住，使船頭尾相銜。在水裡拉成一字長蛇陣。不一會另外幾隻也來參加，一共有八隻，我們自己題一個封號便叫第八艦隊。領隊艦一聲令下，二十支槳一起揮舞，船像脫弦的箭般直向前駛去。一時水珠四濺，浪花沖激。笑聲、喊聲，和著木槳擊水聲，攪碎了潭上的幽靜。在自然的懷抱裡，每個人彷彿都變得更年輕，每個人彷彿都拾回了失去的童心。

我們的艦隊曾去征服了一個部落，但那又是怎樣一個寧靜可愛的部落！在那裡我們只遇見一個赤足的女孩，和一隻馴良的白羊。

船離遠了，我仍不住戀戀不捨地回頭凝望。那座浮在水上的活動碼頭，和悠然繫在一旁的小舟，那幽香迎人，綻開著白色水薑花的斜坡，和坡上一圈暗綠的矮欄，那裡面是一排暗綠色的木屋，門窗深閉，綠沉沉的窗簾低垂，四顧靜寂，只屋前的草坪上有白羊在吃草——能得這般清靜幽美的所在棲住，真享盡了人間清福！

倦遊遠棹，已夕陽西墜，潭上涼風襲人，只覺羅衫嫌薄。我們朝著落日的餘輝划去，恍惚天光水影，輕舟和人，全融入絢麗的彩霞中。

美景如夢

山水縱使有情，時間卻無情。翌日早晨，我們便揮別了幽邃清靜的日月潭，重又投向煩囂的塵俗，下山時車行幾乎比來時快了一倍，以致車上三分之二的人全暈了。好在過漁池鄉不久，便是來時就想去一遊的靈醒寺，汽車正傍著一注山泉停下來，大家爭著捧取清涼的泉水盥口洗手，一洗路上的風塵。再踏上那條橫貫澗流的愛蘭大橋，頓覺胸襟為之一暢，橋塊聳立著巨屏似的削壁，寺便在崖頂翠綠叢中，一道平坦的石階，鑲著鐵環的軟欄，依著山勢迂迴而上，大家都上去了，我只坐在半山亭裡，承受著獷厲的山風，俯瞰腳下激越的澗水，永不停止地奔流。幽美的潭水，給人以恬靜、淡泊，超然出世的感覺。奔流的澗水，象徵人類的進取、向上，永無盡止的生存的搏鬥。我愛潭水，我愛一切它所能給予我的感覺，但人的本能，又必須讓我回到生存的急流了……

當我們母女倆乘的南下快車從台中啟程時，外子同他們搭乘的北上快車也升火待發。忽聚忽散，宛似潭上的浮雲。眼前恍惚還閃現著那綠波輕漾，水光瀲瀲，但一切都遠了，遠了，正如孩子所說：

「這次遊日月潭就像在做夢一樣！」

可不是像夢？只是夢裡的山光水色，永永迴縈在腦中。

遊潭歸來・民國四十五年秋

編註：本文原刊於《幼獅文藝》第五卷第五期，一九五六年十二月，頁十九～二十一。

日月潭水天一色

那一泓盈盈的綠水，那一抹蔥蘢的翠堤，堤外又是綠水盈盈，水盡又是峰巒疊翠。一葉扁舟悠悠忽忽地空橫在水面，一片藍天，晴朗明淨地伸展在山巔。天光水影裡，山嵐翠微中，那無盡的綠，那幽邃的美，不由得使人性靈沉醉，溶入詩情畫意中——這是一幅彩色所攝的圖畫，就懸在我案前的壁上，與我朝夕相對，這也是一幅綽約生動的圖畫，當我閉上雙眼，它鮮明的印象兀自顯現在我心底，我記得那醉人的綠水，那重疊的峰巒，它便是令人魂縈夢牽的日月潭。

當我第一次見到日月潭，我便被那一泓湛綠的潭水和潭上出塵忘俗的幽靜，深深地迷醉了。

潭是平靜而深幽的，但卻姿態萬千，水的顏色更是一日數變，我第一次看見它，正是微雨過後，只見四圍重疊參差的峰巒，蒼鬱茂密的山林，經過一番潤澤，更顯得青蔥欲滴，那一片濃綠深翠便簇擁拱環著一碧萬頃的潭水。波光瀲灩，綠影幽邃，三兩艘小船悠然盪漾在水影波光裡，像幾片輕盈的竹葉，白鷺成雙，在水面翩翔盤旋，我倚欄凝立，默然相對，就在這一刻的默契中，潭上那一份纖塵不染的潔淨，那一份美妙蘊聚的和諧，那一份寧靜深沉的幽邃，不期然滲入我性靈，融入我心胸，使我渾然忘卻俗世，不留半點人間渣滓。只覺得自己像一片白鷺的羽毛，像一朵出岫的白雲，想飛，想在山巔飄遊，想在水面迴旋。

第二次看到潭時，卻是有霧的清晨，只見煙雲縹緲，樹靄溟濛，晨霧籠罩著潭水，彷彿披了一層縠紗，景物盡在綽約不露中，霧中傳來婉轉的鳥聲，卻不知在何處啼唱，如果說白天的潭是一幅寫意的畫，那霧裡的潭該是一個空濛的夢，一個撲朔迷離、不可捉摸的夢。才從一個夢中醒來又落入一個夢中，連憑欄人也不知身在何處。看不清真面目，潭更顯得神祕空靈，陣陣涼沁的晨風從潭上吹來，霧開始遲緩地移動著，就似迷濛的山峰間果真有「神女」伸出了纖纖的玉手，一縷縷地挽起萬千層輕絹，初升的太陽在霧雰裡突圍著，射出一支支金箭，穿破了逐漸輕薄的霧層——突然間一個黃澄澄、光燦燦的太陽脫穎而出，瞬時間雲消霧散，只見遠山凝黛，叢樹縈翠，一片金光照得潭水閃閃發亮，綠得似萬頃皎潔明淨，不沾半點塵瑕的綠玻璃，竟然是一個透澈晶瑩的世界！

放一艘汽艇，便把人全帶進了晶瑩透澈的世界，汽艇輕捷地滑行在平靜如鏡的潭上，一時間玉碎翠裂，船尾在碧綠的水面剪出兩條雪白的白浪，一路展漾開去，陽光輝耀下，恰似一長串乍明乍滅的曇花環，船一停，一起都又幻滅了，不留半點痕跡。恢復了平靜的潭水依舊像光滑的綠玻璃，藍天、白雲、青峰、翠巒，便悄然安嵌在綠玻璃中，鑲框的是無限的綠色崖岸，參差重疊，曲折綿亙。枝柯掩映中，有露出一角飛簷峻宇，紅磚綠瓦，那是玄光寺，有古木參天，石級連雲，那是文武廟。捨船攀登，在那峻嶺崖頂上縱目遠眺，只見萬壑爭流，千巖競秀，日月潭在腳下浩浩淼淼一片雲水蒼茫。迎風凝立，聽鐘聲撼動在風裡，不由得使人悠然意遠，滿心是超然出塵的感覺，竟然想起古人的羽化而仙……

小小的光華島浮漾在水中央，小得纖巧玲瓏，彷彿風能把它吹走，浪能把它撼動。但它屹立在碧潭深處，像潭上的鎮守使，蒼松列隊拱衛，矮欄低低護環，四周微波縈迴，萬籟俱寂中，只松嘯低低，水吟悄悄，凝止中有著盎然的生意，靜寂中有著不可言傳的和諧「……溯迴從之，宛在水中央。」僅僅是「水中央」這三個字，便喚起了多少奇妙的遐思，多少飄忽的情報！

潭水是幽邃的，青山是靜默的，便在這幽邃靜默，另有一處人間桃源，那是化番社。這是個水鄉，也是個山村，青山在枕，碧水曲抱，疏朗的茅屋點綴在綠油油的稻田中，一片歌聲杵音，遠遠地便隨風飄蕩在潭上，小舟傍岸，年輕的山地姑娘笑面相迎，一個個頭上珠飾搖綴，裙下赤腿光腳，別有一番樸質嫵媚的風姿。一曲娛客，杵聲起處，有如眾星拱月，載歌載舞，宛似蛺蝶穿花，一時石聲叮叮咚咚，歌聲咿咿呀呀，餘音嫋嫋，伴著遊客的歸舟，猶自迴繞在水上，她們唱的古謠有一首是：

好極了，好極了
在前人未到的湖裡
乘著獨木舟
開懷喝酒
稱心滿意
大波小波任去流
來，來，來
我們且喝酒

也許沒有人會帶著酒去湖上泛舟，但是，泛舟的人卻很少不被那綺麗的湖光山色所迷戀、沉醉。

潭上有不少經過品題的名勝，也有不少未經人發掘的幽境，領略潭上無比的風光，乘御風破浪的汽艇去訪勝，卻不如駕一葉輕舟去探幽。小舟在平靜的水上真像一片樹葉，那樣的輕盈，又那樣的迅捷，人坐在小舟裡，跟潭水也就更接近了，在近處看來，潭水是那樣平滑，柔軟，微微起伏著，就似藍色的綢緞，甚至可以想像得到手指摸上去光滑柔膩的感覺，而向遠處展去，卻又是微波萬疊，閃爍在陽光下，璨璀奪目。當停槳不划時，柔波輕叩著兩舷，小舟便悠閒自在地慢慢盪漾。船上的人仰望白雲悠然飄過晴空，俯瞰綠意伸入水中，潭上無限的夢意春光，盡融入性靈中，那時的思想，有如湛碧的潭水，一澄到底的清澈，而那時的心性，有如止水停雲，唯願似這般順流逐波，永不停留！

但是，任何世間的清流，不會像時間之流永無涯岸。不羈的小舟靠近了一處綠色的涯岸。

綠草芊綿的岸邊是一座浮在水上的活動碼頭，一隻小舟便悠然繫在一旁。斜坡上綻開著潔白的水薑花，幽香迎風，花影裡一道白石階梯，引伸向坡上一圈低矮的紅欄杆，裡面圈圍著一幢暗綠色的木屋，門窗深閉，窗簾低垂，只屋前屋後數株開著小黃花的樹，不時悄悄地落下幾瓣花瓣，一隻白羊安詳地在坪上吃草——

似這般清靜幽美的所在，彷彿似曾相識，不知是在夢中見過，抑是心靈所皈依，不敢昧然探訪，又不忍遽然離去，只是輕撥著水，由著小舟低徊。這景這情，卻教人想起一首與這情景相似的小詞：

水軟艣聲柔，草綠芳洲，碧桃幾樹隱紅樓；者是春山魂一片，招入孤舟。鄉夢不曾休，惹什閒愁

……

真是「鄉夢不曾休，惹什閒愁？」連忙撥槳掉舟，小舟卻已比來時沉重，不知是載著鄉

夢，抑是閒愁？

倦遊返棹，已是夕陽西墜，暮靄悄然為群山籠上輕紗，幽邃的潭水更是欲睡如醉。小舟撥著漫漫漪漣，向落日僅留的餘暉划去，一瞬時，恍惚天光水影，輕舟和人，全融入絢麗的彩霞中。

日月潭是一幅幽深美麗的畫，我曾進入這畫中，日月潭是一個美妙神奇的夢，我曾做過這個夢，眼前依稀還閃現著那綠波輕漾，水光瀲灩，那朝嵐夕暉，姿態萬千，未認識日月潭之前，曾使我心嚮神往，認識日月潭之後，更使我魂縈夢牽。

編註：本文原刊於《中國一周》第三六二期，一九五七年四月一日，頁十九～二十。

一分熱，一分光

——寫作瑣談

記得不久以前讀過一位作家有關寫作的文章中，把寫作比作「無路可循的職業」，我對這一個比喻很有同感，且拋開職業不職業這個問題不談，因為愛好文藝，喜歡搖搖筆桿的人，卻不一定都是把寫作當作職業的。但是，對一個有興趣準備從事寫作的青年來說，確是缺少可循的路徑。雖然市面上不少《文學手冊》、《寫作要訣》之類有關寫作的書籍，大學及函授學校也有「寫作」這一課，更有許多成名的作家寫下他們的經驗——從開始摸索到克服困難。然而，這些只不過能給初學寫作的人一種啟示、一種激勵，和告訴學走路的人怎樣起步，至於路是怎樣走出來的，怎樣才能不迷路，才能走上成功之路？必須由自己去闖，自己去摸索追尋——十幾年以前，我便是這般邁開了學習寫作的第一步，那條路對我是渺茫陌生而又新奇、艱辛、崎嶇，而也有蒼松蔭覆，鮮花點綴，使我走上路的是不斷地觀察、不斷地閱讀那些名著，和不斷地練習寫。而支持我一直向理想的大道走下去的，是持久的熱忱和不變的恆心。

說起我對文藝的愛好，一半是受了父親的薰陶，他喜歡讀書，也喜歡買書，自然而然的，從八九歲起，我成了個小小說迷，從章回小說，所謂新小說，以至翻譯小說，只要能夠到手的書，沒有不一知半解地吞下去，為看書而看書，儘管是為了享受，但多多少少，無形中總會受一點影響。因此在學校時，我一直是國文老師得意的高足。一半由於我從小孱弱多病，是個愛幻想、愛做夢的孩子，而我從事文學生涯的開端，卻是在我踏入社會以後，那時我還很年輕，正無憂無愁地躺在愛的搖籃裡，編織著綺夢，父親的突然去世，給了我心靈上很重的打擊，而剛進入社會，那複雜的環境處處使我感到陌生和不習慣，感到苦悶和寂寞。一位作家曾說過：「人在寂寞時，便會創作。」便是由於那種無告的寂寞，我嘗試著用一支筆，寫出自己心裡的聲音，寫出對光明的憧憬，對真理的追求，對「愛」和「美」，「真」和「善」的渴念。

當我一開始叩入文藝的領域，首先便選擇了散文作為學習的路子。我比較偏愛散文，因為它的感情是真實的，可以觸及靈魂深處。因為它能創造崇高的意境，那種內蘊的氣氛，是別的文藝形式所缺少的。而我更喜歡的是它那種多樣性的體裁，可以隨意抒發自己的感情和思想。但是，儘管自然的美妙景色，心弦的一個音符，人性的一點火光，萬象的一片色彩，都可以用字句捕捉住寫在紙上，要寫成一篇好的散文，著力而絲毫看不出雕琢的痕跡，情感豐富而不顯得狂放粗糙，含意深永而不陷入晦澀，卻不是容易的事。我個人認為要寫好散文，一定要記得下面這幾點：

思想是作者的靈魂，也是一個作者必須賦予他作品的靈魂，因此散文作者首先要學取正確的思想。所謂「文藝是時代的鏡子」，正確的思想也便是能代表這時代思想。我在《漁港書簡》一書的序文裡曾這樣寫著：「一切藝術是聯繫著時代的，它不僅是表現一己的感情生活，更要從這時代人民大眾豐富的生活中去提煉。它不僅是刻劃個人的希望和理想，更要刻劃出這時代人類對明日的希望和理想。」波特萊爾說：「把理想的生活，帶給那有現實生活的人。」那是不夠的，還應該「把戰鬥的精神，帶給那有現實生活的人」、「把發人深思，激勵人向上的意念，帶給那在苦難煩悶中的人」。

要學取正確的思想，必須多觀察、多接觸現實、多思考。

思想裡孕育著感情，正確的思想，也就表現了最美、最健康的散文的感情。

是的，健康的生命的氣息，就是散文的感情。

一篇感人的、能夠引起共鳴的散文，它的感情一定是真摯的，像老蚌孕珠，經過心靈的孕育，像砂裡淘金，從現實生活中去提煉，沒有一點虛偽，不加半點矯飾。哪怕只是一些身邊的瑣事，一份深永的懷念，或是心裡的一個聲音，一份感觸，只要感情是真實的，它就具備了感動人的力量，真實的感情必定是健康的，它不是無病呻吟，不是象牙塔裡的靡靡之音，也不是過去的已經死去了的感情的渣滓。它是熱情充沛，但必須透過理智慢慢地抒發。

它從現實生活中去提煉，然又是超越現實，導入一種理想生活。——在這方面，我尚自許為一個心靈的琴師，儘管我彈奏得不算純熟，不算優美，但我忠實於感情，我更願奏出這時代和生活賦予人民大眾的豐富的感情。

我說過，偏愛散文，因為它能創造崇高的意境，那種內蘊的美的氣氛，是別的文藝形式所缺少的，寫一篇有關海的散文，會使人感到海風的獷厲，海水的鹹味；寫一篇在北國馳騁的作品，便散發著草原的氣息。有充滿了希望的意境，也有瀰漫著活躍的生命氣息。意境是一種美的感覺到美的感動。它能渲染讀者的感情，也能把讀者的感情帶入作品的氣氛裡——從思想的深密處，從文字的節奏中，從感情的旋律裡，從生命的躍動中，去創造最美的意境。

正確的思想，真實的感情，和崇高優美的意境，我認為這是支立散文的三腳架。

任何一種題材，經過心靈的孕育，賦予了真實的感情，架設了結構的支柱，這就得選擇字句，琢磨詞藻，向培植於自己的風格這一目標寫下去，散文的形式內容精巧而又含蓄，它的字句應該是從字句中提煉出來的精確的字句，它的語言應該是從語言中提煉出來的活的語言，一字一句，要恰到好處。詞藻豐美而有光彩、有活力，卻不是字粒的堆砌，和沒有生命的文字的雕琢。我常常謹慎地選擇字句，像老農夫挑選他待要播種的種籽，並耐心地琢磨字句，有如辛勤的陶工要把粗糙的毛胚琢磨成光滑精緻的瓷器。像自然有它的音籟，感情有它的旋律，語言有它的節拍，生命有它的脈息，用在散文裡的文字也該有它的節奏與韻律。我常常一面寫一面在心裡默默誦讀，試試它的音調是不是鏗鏘，是不是諧和，是不是恰好表達那音籟、那旋律、那節拍和脈息，猶如「樹木之生長有不同的形態與性質」一樣，散文作者一定要創造他屬於自己的、獨特的風格。我也曾不斷地練習寫作各種不同性質的散文，但迄至現在，我最喜歡的還是那種能夠溶合了哲理、對人性有所啟示和激勵、含蓄深刻、優美雋永，讀後就像跋涉長途的旅人忽逢一處綠蔭，有一種清新脫俗滌垢祛塵的感情，又像咀嚼一枚橄欖，耐人回味尋繹。

純粹的散文，在文藝領域中它是一種獨特的文藝形式，它有它的獨立性、它的風格，絕不是說散文的累積就構成了小說，或者小說的每一段落就是一篇散文，也不是說散文便是小說的雛型。往往一篇好的散文，它流傳的永久性遠超過一篇小說，而一篇寓意深永的散文所能給予讀者的啟發與振奮，也許不是一篇小說所能比擬的，因此，我從來沒有把寫散文僅僅當作從事文藝工作的初步練習，而從事散文寫作時，我所賦予的感情、熱忱，那在文字上選擇和琢磨的功夫，常常超過寫小說。

說到我對散文的愛好，我最喜歡德國紋苔列斯論散文中的一段：「我愛散文，它從藝術家靈魂的無限中捲滾而來，如海峽之水流，帶著它廣闊的波浪靜靜地流來，引近了，更近了，不斷的平靜而廣闊地近來，於是立刻炫耀在熱烈的光芒中。」

雖然我一直偏愛散文，但是從事寫作這十幾年來，散文與小說的產量卻幾乎是一與四之比，尤其是近年來這比例更日趨顯著，也許是因為我寫散文更需要流水閒雲般的情緒，恬淡自適的心境，以及幽靜安謐的環境。而小說，它的筆觸可以深入更廣大的世界，可以從更多的角度反映這時代。因此，我寫小說就比寫散文占去了更多的時間。

前面我曾說過：使我走上學習寫作的路徑的，是不斷地觀察，不斷地閱讀名著，和不斷地練習寫作，一切的文藝作品既然都離不開人生，以人生為出發點，寫小說就應該從人類生活中著手觀察，某一階層有某一階層的生活特色，每一個人有每一個人的個性、神態、舉止笑貌，平常把觀察分析得來的這種特徵默記在心裡，筆記在本上，當我要寫某一種人時，便把那些近似的特徵以及相同的靈魂元素選出來揉合在一起，並賦予生命，再藉著那些形象加上自己設身處地的想像，這樣典型便初步塑成了，許多不朽的名著所以能在讀者腦中留下深刻的印象，大半就因為人物典型凸出，躍然紙上，呼之欲出。在我以描繪人物為主的《夫婦們》一書裡，我也試著塑製了十七對性格、教養、生活習慣完全不同的夫婦。人物的創造如果成功，隔了很久他都活在讀者和自己心裡，如果是失敗了，那就像曇花一現，不會留下半點印象。

「讀書破萬卷，下筆如有神」，我們的老前輩早就鼓勵別人多讀書了。不過「多」不是「濫」，還是要經過選擇，選擇那些經得起時間考驗的名著，要精讀、細讀，不僅是「享受」讀故事的樂趣，主要的還是尋繹它怎樣寫成好小說和著者的觀點何在。

一位作家說：「不管你寫得出寫不出，每天都得有規定的時間，坐在桌子前拿起筆來寫二行。」這句話確有它從寫作經驗中磨練出來的價值。從事寫作本來是不能間斷的，有些初學寫作者往往認為寫作必須要依靠靈感。我覺得靈感固然可以幫助寫作，靈感來時，往往文思潮湧，一氣呵成一篇，其痛快自不必細說。但它卻不能作為左右文藝、啟迪寫作的百寶鎖匙，而只是配備著去完成一種作品的副的作用。如果寫作完全憑恃靈感，一心一意等待它光臨了再動筆，得來的將永遠是失望。這原是可遇而不可求的，在寫不出又勉強規定自己寫時，隨便描繪一個這一天見到的人，或眼前的任何事物，甚至寫幾個新的字彙都可以。這樣寫著、榨著，也許靈機一觸，靈感也就翩然光臨了。

「倚馬千言」、「落筆成章」的天才不是人人有的，因此在創作過程中，運思結構也占著很重要的地位。我寫作時一定要先起腹稿，一個題材往往在心裡醞釀了很久，逐漸地形成一個概念，又將人物的安排、故事的布局、情節的發展，以及起、承、段落完全處理得差不多了，一一摘錄下來，再斟酌著字句寫在紙上，在寫作進行時，我的情緒完全被進行的順利或受阻所控制，喜憂無常，我把自身當作燃料，投入那股寫作的熱忱，使它更熾熱耐久，如果那從心底流露出來的作品，果然有它生存在世上的價值，我不惜為燃燒而耗損。能夠有一分熱便發一分光，儘管這光是微弱的。

最後我想說的是關於作品的主題和題材的搜集整理問題，我們的文學先進常常異口同聲地警告青年要「寫自己熟悉的」、「從自己的生活體驗中去取材」。這是不錯的。寫自己熟悉的題材比較容易寫也容易寫得好。在開始學習寫作時更必須先從這方面著手，多從這方面練習。但是，一個人生活的範圍往往不太大，接觸的人物也不太多，如果盡在身邊的小圈子裡兜來兜去，有時自己會感到起膩。而當某一件事物觸發了自己的思想，引起了寫作的動機，或「由於社會責任和你的良心，或某一種內心的情熱所驅使。」——羅曼羅蘭語——自己覺得應該寫點這一方面的東西，只要做一番努力，一樣的，也可以嘗試去寫。後一種是先有了主題，再去搜集材料，把收集來的豐富的材料加以配製、剪裁，一面塑製人物加以可能的故事和情節，使它們在心裡醞釀成熟，使之融貫成一氣，加上栩活的描寫，賦以感情的渲染，便完成了一篇作品。我的一篇寫鹽民生活的〈銀色的悲哀〉，就是運用這種方式寫成的。前一種是先有了印象，而引起寫作的動機，等獲得了概念以後，更進一步去熟悉生活，在體驗中又產生了更豐富的題材，加以思索、配製、賦予生命和色彩，也就結構成一篇文章。我的一篇〈漁港書簡〉便是這樣寫成的。由此，可以下一個結論，就是：作者選擇題材，不一定單單限於本來熟悉的，如果自己願意寫、想寫而不熟悉，可以努力去熟悉。不過這熟悉不是作者所意識的、自然而然得來的，而是由主動的努力得來的。而這種努力熟悉的題材，往往比原來熟悉的題材更有意義，更能反映時代、刻劃大眾的感情。

在自由中國，做為一個文藝工作是最自由的，我常常挑選我最熟悉的題材來寫，我也由主動的努力去獲得題材來寫。在我，寫作時都是一樣地賦予全部感情、熱忱和精力，不管其中苦樂如何，我將永遠鍥而不捨地終身從事。我說過，我是有一分熱，便發一分光。

編註：本文原刊於《自由青年》第二十卷第一期，一九五八年七月一日，頁十三～十五。

母親的矛盾

「曉玫！曉玫！」淑君提高嗓子，用蓋過嘩啦嘩啦放水聲的聲音，向著裡間屋子喊叫，一面停下在擦板上搓洗的動作，諦聽室內的動靜。

「唔。」屋內傳來的聲音很輕、很遠，彷彿在另一個遼遠而深邃的國土。

「不要睡熟啊！」

「不會，我在念書哩。」回答的聲音大了些，接著是一串突然高起的朗朗書聲。

淑君聽了一會，才釋然搖搖頭，又用力搓起衣服來，她上午沒有空，一定要在晚上洗好全家五口換洗下來的衣服。但手裡在工作，心裡卻時時在記掛房裡念書的女兒不知睡著沒有，她這個暑假要考中學，正是緊要關頭。但是不爭氣的女兒，每天晚上總是拿起書本看不到一會兒就打起瞌睡來。如果書本上的東西可以像食物一樣吃下去又變成奶哺食物的話，她真願意自己下一番工夫把課本全啃下去再哺給女兒。

搓洗好了幾件衣服，淑君不由得又停手傾聽一會，屋子裡靜悄悄的似乎沒有什麼響動。

她不放心地袖著兩手肥皂泡沫，輕輕地朝通內室的門口走去，兩個小的孩子都已經睡了，屋子裡靜得連一枚針掉在地上都聽得見。幽淡的燈光下，只見曉玫蜷坐在藤椅裡，書本推開在膝上，頭微側在一邊，眼簾沉垂。但彷彿像有電流通過似的，雖然淑君的腳步很輕，她顯然怵然一驚，立刻振作地坐正姿勢，眼睛盯住在書上，嘴唇喃喃翕動著。一副聚精會神在默誦的神情。「曉玫妳又打瞌睡了！」

「誰說的？」曉玫憤急地抬起眼睛來瞪了她母親一眼，那雙明澈的眼睛此刻因為充滿了倦意而顯得黯淡無神，眼眶四周還隱隱圍著一圈紅線。

「沒有就好。」淑君隱忍著笑了笑，「妳要餓了，罐子裡有果醬蛋糕。」

「我不餓。」

「瓶裡還有花生糖。」

「現在我什麼都不想吃。」曉玫不耐煩地大聲回答著，重又埋首在書本上，不再理會她母親。淑君忍不住氣往上升，但還是耐住了，便悻悻地一轉身回到廚房裡，使勁搓著衣服。她覺得曉玫這孩子近來變了，變得性情暴躁，動不動就發脾氣、使性子，同時沒有食欲，別人總說孩子要考中學了，體力和精神消耗得厲害，要多吃點營養食物，不然身體會支持不住，但她偏不想吃東西，吃一頓早餐就像要吃藥，一面勉強吞下去，一面還打哈欠。午餐時又說是打從太陽裡跑回來吃不下去，晚上一補習補到八點多鐘回家，也從來沒有說過一聲肚子餓。盡揀她平常愛吃的菜燒，卻依舊引不起她的食欲，每天回家來總是無精打采的，連最疼愛的小狗小貓也少有去逗著牠們玩，與從前那副活潑淘氣的神態完全不同了。而上個月磅的體重是二十三公斤點八，到這個月卻成了二十三公斤點六，真是「張公養鳥，越養越小」了。那天淑君找了本有關兒童生長的書來看，書上說過度的疲勞或心智上負擔過重常常會使孩子變得食欲不振，性情急躁，臉色蒼白，發育遲緩……顯然的，曉玫大概正是由於那兩種理由所致，怎麼說，她終究還只是一個不到十二歲的孩子，應該是無憂無慮，生活得最快樂的黃金時代。但是，每天從早到晚，眼睛所接觸的永遠是書上的鉛字，黑板上的粉筆字和筆記本上的鋼筆字，耳朵裡聽的和小腦筋裡硬記的永遠是算術的公式，土地的面積，朝代的演變，條約、戰爭、制度、原理……。她忽然覺得曉玫可憐起來。

她又記起日前聽來有關初中升學的消息，說是志願升學的比例幾乎八九個考生中只能取一名，就是說八九個充滿了求知欲，冀求獲得受教育的機會的孩子，只有一個能夠獲得這份僥倖，但是，「僥倖」可不是人人有把握能夠獲致的。萬一她考不上中學，第一是耽誤她的學業，其次是那稚弱的自尊心將受到損傷，如果讓她在家裡休學一年，功課會荒廢，教她再上小學復習，又沒有了興趣。再說她是家裡的老大，她的好壞多少會影響弟妹們的學業。淑君越想越不安，那萬一考不上中學所能引起的後果的憂慮，代替了剛才那份憐惜。鞭策是絕不可少的，她把洗清的衣服擱在臉盆裡，匆匆擦乾了手，便三腳兩步走進內室。只見曉玫依舊保持剛才的姿勢坐在那裡，不過頭垂得更低了。而她的腳聲再也不能使她觸電，睡眠已戰勝了她。

淑君又是恨，又是氣，一衝衝到曉玫面前，便對準她的頭臉舉起了手掌……在這一瞬間，她瞥見了那張映在燈光下顯得如此蒼白而又缺乏生氣的小臉。淡紅的嘴唇半啟半闔，睫毛在頰上留下一道寂寞的陰影，臉上並沒有小時候酣睡時那種舒適、安泰的憨態，而是一種淡淡的惶惑和無可奈何的神情，好像是在說她自己並不願意睡著，但是那巨大的不可抗拒的困倦終於把她征服了、壓倒了。

淑君不由得沉重地歎了口氣，高舉的手掌卻落在曉玫肩上。

「曉玫，要睡就去睡，這樣看得進什麼書？」

孩子驀地驚醒過來，迷糊而又慌亂地抓起書本，嘴裡喃喃不清地分辯著。

「我……我沒有睡，我不要睡！」

編註：本文原刊於《中央日報・婦女與家庭週刊》，一九五八年七月二十三日，第六版。

燈月交輝登壽山

絢爛的春天匆匆來去，像短促的夢，長夏炎炎，又烤炙得人喘不過氣來，——忽然間陽光不再那樣熾熱，變得溫煦可愛，空氣沒有那樣燥灼，變得爽朗明淨，風吹在身上，精神煥發，胸襟舒暢，這是秋天了，一年中最可愛的收穫季節，尤其是在台灣，秋色深幽，秋光明瑩，卻沒肅殺的秋意。「十月芙蓉小陽春」，十月，是秋天裡的春天，十月二十日，也是我們生命中的春天——生命史上一個美麗的紀念日，這天，他擱下了繁冗的公務，我又撤下了筆桿和瑣事，白晝和黑夜，不屬於我，不屬於他，而是整個屬於我們兩人的時間。當夜神悄然把大地擁入她寧靜的懷裡時，我們舉行了當天最後一個節目，登臨壽山公園。

在南部一住就是十年，對壽山似乎不算太陌生，在高雄市車水馬龍，樓屋櫛比的鬧區裡，遠遠地望見那一條青色的山脊，眼睛像喝了清涼劑，感到特別舒服，在西子灣，壽山就如綠色的屏障，把囂鬧庸碌的塵世和清靜幽邃的海灣，悄然隔成兩個天地，從海灘上仰望壽山，但見岡巒聳翠，樹靄溟濛，綠沉沉一帶陡削的長堤，林木掩映間彷彿似有樓榭隱約，卻又無徑可循，平常自繁華世界通入清靜世界，不是繞著山麓兜一個大圈子，而是經過那條幽深的大隧道。而山頂闢為公園，卻是最近不久的事。惕非曾上過一次，回來便不住在我面前讚好，可是我幾次到了高雄想上去看看，他又說山很高怕我走不動，這天承吳智深先生借用了車子，正當華燈初上，我們便出發登程，汽車駛出鬧哄哄的市區不久，只見一座黑幢幢的碑坊迎面逼近，上面鐫有「壽山公園」四個大字，這便是正門。門裡一條平坦寬闊的山路迤邐而上，路畔兩側日光燈投射出一片清冷的光輝，車子緩緩地迂迴盤旋，一路上不見一個遊人，夜風撲面，幽靜闃寂，如入無人之境，約莫上了一半，靠山崖那邊的綠樹叢中已隱約可以瞥見山上閃閃爍爍的燈光，一叢叢一簇簇倏忽掠過窗外，倒像滿樹銀花，忽然車子拐了個彎，路畔的日光燈換了一座座小亭子似的神燈，典雅玲瓏，古色古香，一抹柔和的清輝，便透過雕花的燈罩給周圍添上一份整潔幽邃清雅的情調。兩排神燈盡頭，更有兩座數丈高的大神燈，遙遙相對，高聳入雲，襯著蒼茫深邃的天空，光亮四溢，彷彿在引領著夜遊的旅客。我們的車子繞過左邊的大神燈，便停在長長一道石階前面，下得車來，眼前豁然開朗，原來階前階左竟是一片曠場，使人還以為是在平地，誰也料不到峻嶺上卻還有這樣平坦、空曠的地方！

我們朝著平台前面走去，站在崖邊，放眼縱觀整個高雄市的夜景盡在眼底，不由得先從心底發出讚歎，那真是美妙的奇景！只見光燦燦一片似繁星閃爍，恍惚間疑是天地倒置，但星辰不及這璀璨瑰麗、光豔奪目，更沒有這般密密叢叢，一望無際，相互交流融貫，匯集成一汪大海，那是光的海、燈的海。而縹緲神祕，又似童話中描繪的魔城宮殿，令人目眩神馳，一時迷失了自己，驀地，彷彿一顆流星掠過蒼穹，一串比流星更亮的光亮，疾速地橫竄過燈海，仔細辨認，才想起山麓不遠有一條鐵軌，那一串流星，大概便是火車。我們默然佇立崖畔，凝望著那璀璨世界，不忍離去，風從高空吹來，涼透衣襟，不禁悄然低吟「我欲乘風歸去……」。

返轉身來，拾級登階，風過處，微聞頂上有笑談聲，這才知道，除了我們，山上也還有雅興不淺的遊客。石階相當寬闊，一口氣上了約莫四、五十級。上面又是一番景象，比底下似乎更寬敞，長長的一條水泥路，兩畔神燈夾道，路旁一片草地，略為點綴了些花木，迎面聳立一座碑坊，柱下鐫刻了一副對聯，上聯是「碧血精忠名昭史冊」，下聯為「丹心義烈功在國家」。順著路筆直走去，再上數級石階，又是一座坊亭，雕得金碧輝煌，中間六支五色日光燈照耀如同白晝，柱上也鐫刻著對聯，是「立懦廉頑百世師長」、「成仁取義千秋完人」。站在亭中一眼向前看去，黑黝黝似乎無盡無垠，定睛再看，又彷彿隱隱有些光影，原來盡頭便是忠烈祠，雙門緊閉，門上有空格可以望見祠堂一角，裡面黑沉沉、靜悄悄，一脈肅穆莊嚴的氣氛，只神龕裡亮著燈，燈光下赫然供著一座座神位，首排中間是革命先烈，左右則為吉星文、趙家驤兩位將軍——我們不禁恭肅致敬，從心坎產生一股崇敬景仰之情，可敬的先烈勇士們，他們雖然為國捐贈了血肉之軀，但他們的精神不死，他們的人格永活在後人心裡，億萬年受著供祀，在這巍峨的山嶺上，明月星辰照耀，清風白雲長相伴，那偉大聖神的靈魂可以安息了。默默步下祠堂，我們的胸懷，我們的腳步，彷彿都增添了一些重量。緩緩地走完那一條長長的甬道，在跨下石階之前，我們又回首瞻望了最後一眼，月亮已不知在什麼時候上升了，斜懸在碑坊頂端，更烘襯出建築的壯麗堂皇。晶瑩清澈的月光，與道旁幽靜柔和的燈光無聲輝映，默默滲融，光盈盈，水溶溶，渾然成一片銀流四溢，那巍巍山峰，鬱鬱樹巔，那飛簷畫樑，如雲石階，全浸沐在銀輝裡，既莊嚴，又和諧，閃耀著一種空靈神妙的美，此時氤氳中，夜霧裡縹緲宇內，唯有那纖塵不染的皎潔……

縱使瞻依美景，低徊不已，我們終於還是跨下了石階。一級一級踏下去，一步一步更接近崖下的燈海，從哪裡來，仍須回哪裡去，雖然這一會高高在上，以眾睡獨醒的神態，俯瞰芸芸眾生、碌碌塵世，但一會兒投身燈海，還不是似一滴水滴入激流，立刻又被浪花吞沒？住在山上的人是有福了，因為他能保持身心永遠的澄清、超脫。

路原是繞著山闢成的，上山時我們只走了前面那一半，想像中另一半一定是靠西子灣那邊，可以眺望海港，聽聽海嘯，可是，由於時間所限，車子還是循原路下去了。這才發現一路上隔不遠便有一座石階，是專供步行上山的捷徑。這一次領略了夜高雄的燈海，下一次，揀一個晴朗涼爽的日子，我將再上山欣賞白天裡的海灣，但願這日子不會太久。

很快就回到了市區，依照那麼熱鬧繁華，耀目的霓燈，五光十色的櫥窗，閃電般掠過車前，但浮現在我腦海裡的卻仍是那一片燦然的燈海，那燈光輝映的奇景，猶如攝影機攝下的底片，鐫在腦中的印象將永不褪色。

岡山・民國四十八年十月二十七日

編註：本文原刊於《暢流》第二十卷第八期，一九五九年十二月一日，頁二十一。

筆耕十年

十年，在宇宙的永恆中，看似那麼短促，那巍峨山巔的白雲依然倏忽去來，那浩瀚大海的潮汐仍舊晨夕漲落，十年的時光悄然逝去，不起一點變化，也不留一點痕跡。

十年，在人類的進展中，卻又顯得那麼漫長，且擱開自由中國在建設上的突飛猛進不說，看我們的文壇從三十八、九年的荒蕪沉寂，進展到今天的生氣蓬勃，這十年的歲月便不曾空過，有多少辛勤的耕耘，血汗的交織，才有這豐碩的收穫！而「十年！」兩個字，在我彷彿寂靜的夜空砉然掠過一道閃電，不禁心神為之微撼，就像個揮霍的人從不計算他的財富，任它花開花謝，春去春來，我一向就不去數算日子。寫作雖是我生活的重心，但平時只事耕耘，不問收穫。不想筆尖在紙上劃劃，便又劃去了十年光陰。十年了，不也該結算一下、檢討一番！其中固然有值得告慰自己的，也有使自己慚愧失悔的，慚愧以那些不如理想的、不成熟的作品，博得了少許虛名，失悔那些過去未曾盡量把握運用的時間。但更重要的是檢討得失，作為未來的參考，努力的方向。

記得我在四十年出版的第一本散文集《青春篇》中，自序裡有那麼一段：「遠在十年前……我終於找著了寄託心靈、宣洩情感的路了——學習寫作。」如今，這該是第二個十年了。而從第一本集子印行到現在，剛好也出版了十本書。自然，這算不上什麼成就，只能說是寫作生涯中的里程碑，而該走的路還長著哩！回想來台灣初年，正值氣壓最低的時候，而我又放棄了原來的工作，儘管那時除了幾家報紙，出版雜誌很少，文藝刊物更是鳳毛麟角，但由於時代和生活的苦悶沉寂，我的寫作熱忱卻反特別旺盛，寫散文雜文，也寫小說、童話。寫得比較多的還是散文，四十年由海福書店出版的《青春篇》，其中除了四分之一是從在大陸寫的習作中選出，另外那些便都是選自那兩年中寫下的。我在序裡寫著：「我寫出自己心裡的聲音。寫出對光明的渴念，對真理、愛、和美的憧憬。以及對黑暗的詛咒。」那也可以說是我那時寫下那些習作的動機。沒料到這本小書出版後居然還暢銷，這給了我很大的鼓勵之後，四十四年大業書店出版了我另一本散文集《漁港書簡》。在這裡，我的筆觸從抒發一己的感情而強調：「藝術永遠是聯繫著時代的，今天寫出來的作品便應該賦予這時代的戰鬥生命的氣息，具有這時代新的和真實的美，因此，它不僅是表現一己的感情生活，更要從這時代人民大眾豐富的生活中去提煉，它不僅是刻劃個人的希望和理想，更要刻劃出這時代人類對明日的希望和理想。」我把這一段寫在該書前面，為的是勉勵自己在這一個課題和方向下，做更多的嘗試。同年六月國華出版社又印行了我第三本散文集《生活小品》。出版前原在《中央日報・婦女與家庭週刊》連載了一年。波特萊爾曾說：「把理想的生活，帶給那有現實生活的人。」我覺得那不是說說就辦得到的。而應該先「把戰鬥的精神，帶給那有現實生活的人」，「把發人深思、激勵人向上的意念，帶給那在苦難煩悶中的人」。我以無限熱忱，寫下這些淺薄的短文，只希望給生活在苦悶枯寂中的人，添注一份向上向善的意志，能從被塵灰油煙蒙蔽了的性靈中，發掘那豐富美麗的寶藏。已經出版單行本的散文集除了這三冊，還有一冊散文選，是四十五年印行的，手邊大概還有可以選輯一本的存稿。有人說寫散文是從事文藝工作的初步練習，但我從來不作如是想，它有它自己的風格和獨立性。而它特賦的那種深遠的意境、雋永的寓意，和內蘊的崇高氣氛，更是別的文藝形式所缺少的，往往我在一篇短短的散文上所賦予的感情、熱忱，以及在文字上琢磨和選擇的功夫，還遠超過一篇小說。

但是，儘管我比較偏愛散文，而在作品的產量上，卻是遠不及小說，尤其近年來更有專為小說的趨勢，這是因為我覺得有許多題材，感情和事物，是散文所不能表現發揮的，而小說的筆觸卻可以更深入這廣大繁複的世界，可以從更多角度反映這時代，但這並不是說我將放棄散文創作，只是當心靈之杯將溢滿時，我才讓它自然洋溢。

在小說寫作方面，多年來，我也曾試寫過各種的題材，如人性的、愛情的、社會的、民眾的。有些是自己熟悉的，從生活體驗中獲得的，也有些卻是先有了動機，再主動地去努力熟悉的題材。自然，這需要花費更多的時間和耐心，但我覺得那是值得去做的。十年中究竟寫了多少字，我尚未統計過，已經選輯成集的計有四十二年大眾書店出版的《生死盟》，四十三年帕米爾書店出版的《小樓春遲》，四十四年人文出版社出版的《魔鬼的契約》，四十六年復興書局出版的《夫婦們》，四十七年正中書局出版的《霧之谷》，和四十九年正中的《一家春》。正在排印中的還有一本《與君同在》和一本童話集。這便是十年來我辛勤耕耘的一點微少的收穫。

十年的時間說短很短，說長也很長，這期間除了必須與病魔作戰，和不時得把自己從庸俗繁瑣的生活中振拔出來，我的寫作生活可以說是平靜的。我寫作的信條是「不違背寫作良心」，以及「寧缺勿濫」。而我對自己的作品總是不滿意的多，近來更因為「眼高手低」，幾乎越來越不敢動筆了。只是由於許多年來的愛好和習慣，寫作已不僅是我生活的一部分，同時成為我生命的一部分。這一個「十年」不管成敗得失，已成為過去，且在這裡做一次總結。更期待於未來還有好些個十年罷。

編註：本文原刊於《文壇》第六號，一九六〇年五月，頁三十～三十一。

我寫作因生活寂寞，也可以說享受生活

有人說：「人在寂寞時，便能創作。」

有人說：「一個人能為自己的情熱，為自己的要求、興趣而工作，才是真正享受了生活。」

我寫作，因為我自幼便生活在寂寞中。我寫作，也可以說是在享受生活。二十年前，當我第一篇習作被印成鉛字時，學習寫作便開始滲入我平凡的生活中。而在台灣這十幾年，興趣加上習慣性的填格子，寫作更融入了我的生命，也使我深切地理解到寂寞時果然會創作，但寫作並不僅僅是為了排遣寂寞，而在發掘人性內蘊的寶藏，顯示人類心靈上被世故塵垢所蒙蔽的真和善，把理想的生活、戰鬥的精神、激發人向上向善的意念，帶給那有現實生活的讀者們。

我在第一本散文集《青春篇》的前面曾寫下：「……我寫出自己心裡的聲音和真實的感情，我寫下對光明及一切善與美的渴慕與憧憬，也寫下對黑暗和醜惡的詛咒與揭發。……」

在《生活小品》的前面我寫著：「……只希望給那生活在寂寞煩悶中的人，添注一些向上向善的意念，發掘自己性靈中那被世俗蒙蔽了的、豐富而美麗的寶藏。……」

而在另外第二本散文集《漁港書簡》的前面我又寫著：「……一切藝術永遠是聯繫著時代的，它不僅表現一己的感情生活，更要從這時代人民大眾豐富的生活中去提煉；它不僅是刻劃個人的希望和理想，更要刻劃出這時代人類對明日的希望和理想。……」

這三小段序文，也可以說就代表著我寫作的方向。許多年來，我一直循著這路線孜孜不息地求進展，但距離自己預定的目標，總是差著一大截。檢視這幾年的成績，已經結集出版的也不過是十二本小書，其中五本是散文集，七本是小說集。在產量上看來，小說要比散文多，但實際上我比較偏愛散文些，因為它純粹是屬於性靈的產物，思想的深永、感情的真摯、意境的優美，都是別的文藝作品所趕不上的。我覺得一篇優美、雋永而富有人生哲理的散文，往往比一篇小說更經得起時間的考驗，而有它永遠存在的價值。有人把寫散文看作從事寫作的初步練習，但我常常為寫一篇短短的散文所賦予的感情、熱忱，以及在文字和意義上琢磨和創造的功夫，還遠超過寫一篇小說。只不過寫散文更需要流水閒雲般的情緒、恬淡自適的心境，以及幽靜安謐的環境。而小說，它的筆觸可以更深入廣大的世界，可以從更多的角度反映這時代。因此，我寫小說要比散文更多。

寫小說，我覺得一個文藝工作者不一定只限於寫自己已經熟悉的題材。固然寫自己熟悉的題材比較容易寫得好，但個人的生活圈子太狹小，文藝既是時代的鏡子，那麼這面鏡子不應該只反映些身邊瑣事、狹隘的感情和思想，也該照得更遠、更廣。譬如由於某一事物的感觸而引起了寫作動機，亦可以主動地去「熟悉」，不過這必須要下一番努力，費一番時間去觀察、訪問，收集各種材料，然後加以剪裁、配製，使它們在心裡培養感情，醞釀成熟，一如原來所熟悉的，一樣可以寫成生動的作品。因此，在我寫的小說中，有許多是原來熟悉的題材，如〈夫婦們〉、〈小樓春遲〉等，也有不少是主動去熟悉的題材，如〈銀色的悲哀〉，是寫鹽民的，〈漁港書簡〉、〈東吉嶼海峽〉等，是寫漁民的。

我曾經自許為一把燃料，以之投入從事寫作的熱忱中，有一分熱，便發一分光。儘管近年來與病魔的搏鬥耗損了我更多寶貴的時間和精力，但這份熱愛已融入生命中，與我同在。

一九六二年五月

編註：本文未明出處。

我怎樣寫散文

當我踏上學習寫作的路子時，也正是我以曦光般初放的智慧開始去理解人生，去探索世界的時候。在那般年齡，青春本身便是藝術，生命更彷彿是一首詩篇。充滿熱情，充滿夢想，充滿對未來的憧憬。那坦率而真摯的感情，像野馬般奔放、火焰般燃燒，又像白雪般純潔。高興時可以擁抱整個世界，憤恨時又恨不得把地球踩一個窟窿。那易受感動的心靈，像那一觸即起共鳴的琴弦，常常為一瓣落花悲哀，為一首小詩激動，為一點不平之事義憤填膺。那些離奇的幻想，有似天際的雲彩，多采多姿，而又瞬息萬變。那些宏大的願望和抱負，有似旭日長虹，燦爛無比。年輕的心靈永遠崇仰真理、嚮往自由、謳歌生命、頌讚光明，追求著真善美，渴慕著愛情的鼓舞，也有寂寞苦悶時，淡淡的憂鬱、無端的感傷……這些、那些，感情的杯子因盛滿而外溢，年輕的心靈因載負太多而沉重，於是，我抓起了筆，寫下一點一滴。這便是我從事寫作初期的散文，是思想和感情很自然的一種流露。在我第一本散文集《青春篇》的序文中，也有這一段——人在寂寞時便能創作，在孤獨時思想便是慰藉——我終於找著了寄託心靈、宣洩感情的路子——學習寫作。寫出自己心裡的聲音和真摯的感情，寫下對光明以及一切善與美的渴慕與憧憬——我把學習寫作當作一支舵，按上我那在人海風濤中獨自奮鬥的小船——在那一個時期所寫的散文中，有年輕人對理想嚮往的狂熱，對未來幻景的渴慕，對青春的沉醉和對夢境的追尋。逐漸地，隨著年齡增長，生存的範圍擴展，接觸的人物較多，那動亂中的大時代，那廣闊而繁複的世界，給予我更多的啟示和感觸，使我感到寫作不僅是寄託心靈、排遣寂寞、表現一己的感情生活，更要從這時代人民大眾豐富的生活中去提煉，它不僅是刻劃個人的理想、夢幻和愛情，更要刻劃這時代人類對明日的希望和理想。同時，由於生活的磨練，生存的旅途上那種種挫折和顛簸，讓人發現展呈在面前的現實原是冷酷而無情的，沒有想像中的詩情畫意，也沒有綺麗的夢境。而人們又顯得多麼自私、庸俗、愚昧而又煩憂苦惱……但是，這並未使我失望和沮喪，現實只不過是對意志和信心的考驗，人性本來是美的、善的，只不過長時間被繁瑣的生活及世故蒙蔽了。我的筆，在這時應該做的就是拂除思想上的塵垢，掃除心靈上的油煙，發掘人性內蘊的豐富的寶藏，把鼓舞人心、激發人向上向善的意念，把奮鬥的精神以及對理想執著的信念，帶給自己和讀者。在面對平凡而冷酷的現實生活中，能獲得一種超越，能保有那份性靈的純真和智慧的光輝。在這個寫作方向下，我又絡續寫下了收集在《漁港書簡》、《生活小品》、《曇花開的晚上》這三本集子裡的作品，以及正在計畫寫作中的、比較有系統的兩部散文，一部《浮生散記》(已出版),和一部「你我的書」。

散文在文藝的領域中,是一種獨特的形式。在題材上,它可以任意選擇;在表現的手法上,它可以有多樣性的體裁。天邊浮雲,水面漣漪,心智的活動,思想的閃熠,萬象世界的一片色彩,實際生活中的一點一滴,都可以用文字寫下來。但是,儘管散文的範圍如此廣泛而又不受拘束,卻並不是說它容易寫,可以隨便寫。一篇完整的散文,自有它顯示的目標,涵蘊的主題,以及它獨特的風格。而要寫得文采斐然而看不出琢磨的痕跡,熱情流露而不顯得浮誇粗糙,含意深永而不陷入晦澀說教,更不是容易的事。因此平時我寫一篇短短的散文,所賦予的感情、熱忱、思考,以及在文字和意境上琢磨創造的功夫,就往往遠超過寫一篇小說,亦不是說散文一定比小說難寫,而在我個人,總認為散文是純屬性靈的產物,唯有它那真摯的感情,能觸及靈魂的深處,唯有它所創造的崇高的意境,能帶給人一種超越的感覺。一篇優美、雋永而蘊有人生哲理的散文,不僅能喚醒心靈、發人深思,同時也是一件最完美的藝術創造品。

在散文寫作的過程中,我認為首先要注意的有下面這幾點:一是學取正確的思想,對事物要有自己的見解,對善惡要有自己的立場,對美醜要有自己的看法,沒有思想的作品,如同沒有靈魂的軀殼,只是一堆字句的堆砌,唯有正確的思想,才能孕育最美、最健康的散文的感情。其次就是散文的感情,必須是真摯的、健康的,它不是無病呻吟或自我陶醉,也不是已死去的感情的渣滓，它是熱情充沛，但必須加以節制凝練，透過理智再自然地流露，它從這一時代的現實生活中去提煉，而又是超越現實，唯有真摯的感情，才能引起讀者的共鳴。再其次是意境的創造，要在一篇寫海的散文中使人感到海風的獷厲、海浪的奔騰，寫一篇在北國馳騁的作品中，便散發著草原的氣息，更有寫明天寫生命，充滿了希望、洋溢著青春氣息的意境，意境是一種美的感覺到美的感動，它能渲染讀者的感情，也能把讀者的感情帶入作品的氣氛裡，從思想的深密處，感情的旋律裡，生命的躍動中，以及豐美的文字中，去創造崇高優美的意境。

我把這幾點當作寫散文的支架，在這支架上再建立自己作品的風格。

如同樹木生長，都有它不同的形態與性質一樣，寫散文也一定要培養屬於自己的風格，在這一方面，我曾做過各種不同性質的練習，我保持我自己的觀點，讓題材經過心靈的整理和孕育，然而通過自己的觀點自然流露，我隨時吸收一切美好的、富有生命力的、充滿詩情的東西，使之潤澤心靈，我更需要經常保持性靈的真純潔淨，恬淡自適的心境和流水閒雲般的情緒。

在許多讀者只喜歡看那些色情的、冒險的、刺激性的長篇小說的今天，寫作散文是一樁寂寞的事業，需要不少時間去觀察、去閱讀、去寫作並修改，它不迎合讀者的興趣，不是專供無聊時消遣的作品，它是心靈的享受，是與一兩知友爐邊談心、林中散步，它不是入口即融的糖果，而是耐人回味尋釋的青橄欖。但是，只要還有人能領略這份心靈的享受，也就有人願為這寂寞的事業繼續耕耘。

一九六二年七月三十一日

編註：據艾雯手記，本文為「文藝櫥窗廣播」文稿。

湖上春不老

——大貝湖遊記

夜晚的遊客

遊大貝湖，已不知多少次了，由於湖上的景致永遠不斷地在開闢、擴建，因此每一次來，都有一個不同的、嶄新的印象。不過盤桓時間最大，留下印象最深刻的，卻要算這一次。還記得是前次來此，走了半天，人乏了，天色也晚了，而遊興似乎猶有未盡，我不禁有點悵然，總嫌來去匆匆，不能盡情領略湖上風光。湖上的主人——張廠長在一旁立刻笑著接過去說：「等招待所造好，隨時歡迎你們來盡情地暢遊一番。」這一個邀請，曾使我魂牽夢縈了多少日子，神往不已。如今，果真如願以償，我們選擇的日子，是生命中值得紀念的一天，而湖上無限波光山色，詩情畫意，又將添注不少美麗的回憶。

那天原來計畫好下午動身，只為臨時被瑣事羈絆，出發時都已經是夜晚了。晚上十點鐘，高雄市依然燃燒著七彩的霓虹燈，擁擠著熙熙攘攘的人群，蒸發著悶熱的空氣，汽車迅疾地駛離市區，駛向伸展在黑暗中的公路，兩旁的燈光，逐漸由燦爛、疏朗而至黯淡，越近目的地，夜越顯得沉寂、凝重。只有車前的燈，在無底的黑暗中鑿出一條光的隧道。駛過那座孤零零站在路當中收養路費的小屋，遠遠便看見那座大牌坊黑壓壓地矗立在半空中，彷彿肩承著整個穹蒼，比白天看來顯得更巍峨莊嚴。過了門樓不久，趄入給水廠的舊門。門裡，跟環湖路上一樣的幽靜，一樣的岑寂，車子減低速度，在樹叢間盤旋了一會，驀地眼前湧出一片光亮，原來已抵達新建不久的招待所，管理員和服務生正在門口笑顏相迎。

招待所的舊址據說便是大貝湖的發源地，以前來時，只是低矮的平房三五間，曾幾何時，卻變成一幢精巧美觀、設備完善的樓房！軒敞、明朗、整潔，而最大的特色，就是那份無比的寧靜，有似置身深山古剎。剛從塵囂中來，更給人耳目一清的感覺。能在此小隱數日，又何嘗不是享受了人間的清福！

水鄉情調盡入夢

無月的夜空，星星閃耀著。我們憑欄倚立在懸空的長廊上，覺得離開那撇在後面的俗世，跟我們距離那些星星一樣的遠。湖上颯爽的風一吹，早便吹散了那份倦意，清新的空氣，也滌盡了心頭所有的塵垢。怡然忭然中，誰也沒有顧念到夜深。

長長的走廊，隔著一排疏落的樹，廊下便是湖。雖然沒有月亮，映著從枝葉間投下的燈光，依然隱約可見一角幽暗的湖水，數級皚白的石階。滿園縱橫錯綜的小徑，一條條都隱沒在幽邃的叢樹深處，彷彿通向一個神祕的世界，一個無爭無憂，寧靜和平的世界，白晝在陽光下欣欣向榮的花草，此刻都已沉沉睡去，而在白天裡一直保持沉默的湖水，卻獨自在朦朧的夜色中輕拍堤岸，幽幽地吟唱著，不知是給環繞著它的一切奏著催眠曲，抑是向天上的星星傾訴柔情？

夜是如此幽邃、如此深沉，萬籟俱寂中，只有水聲淙淙，如泣如訴！

夜是如此安謐、如此寧靜，仰視蒼穹，俯瞰湖水，唯有一片冰心，澄澈如水！

但秋露深重，風透衣襟，夜畢竟深了，何況明日還要起早，回到房裡，用熱水洗清了一身旅塵，我帶著一卷《沉思錄》上牀，才看了幾行，我那思想未曾沉潛，卻又被不斷傳來的水聲吸引了，也許是夜更深、風更大，淙淙聲也更清晰，那均勻、緩慢的節奏，一記記輕敲著耳膜，輕敲在心坎，彷彿湖就在窗口，又彷彿置身船舷，迷離間，似乎房子真的在搖，牀鋪真的在動。我的一縷意識，便在輕柔的淙淙聲中逐漸遠引……

蓬萊幻境疑是真

醒來，靜悄悄、灰濛濛的，也不知道天究竟亮了沒有？我起牀披上絨衣，一個人開門走到廊上，外面也是一樣的靜悄悄和灰濛濛，晨霧充塞在空間，遮掩了所有的景物。只近處隱隱透出三五點未熄的路燈，已收斂了夜來的光芒，像是昨宵星辰中最微弱的幾顆，被貶落在樹梢上。我呼吸著新鮮而有點潮潤的空氣，等待著、觀望著那看似凝結一團，又彷彿在翻騰飄舞的霧，慢慢地，頭上呈現出一塊淡藍色，向四周漸次擴展開來，右邊最高的樹顛上，也著上一抹淡淡的金色，突然一聲嘹亮的「索索咕」，劃破了黎明的靜寂，接著，前後左右響起了一片吱吱喳喳的鳥聲，就在鳥雀們合奏的晨興曲中，霧散開了。首先顯露出一座三面臨水的小島，島上林木蔥蘢，掩映著一幢雅致的樓榭——貴賓招待所。近旁一座玲瓏翡翠亭，玉立在水中央，稍後又是一排三座古亭，綠簷紅柱、遙相掩映。遠遠望去，綽約隱現在煙雲縹緲中，宛如蓬萊幻境，神仙居處。更遠處長堤綿延，崖岸起伏，四周參差重疊的山巒，似一帶畫屏銜接著天際。再低頭看湖時，湖像美人的明眸，翹起濃密眉睫——那岸上的叢樹，剛從霧夢中睜開來，眼波盈盈，是那樣清澈、那樣明媚，望著她的人，禁不住讓自己迷失在她的眼波深處。這時朝陽已升空，遠山近樹，全沐浴在一片柔美的光輝中。

守望著大自然做完他莊嚴、和諧，而非常美妙的早課，我也彷彿接受了一次美的洗禮，身心有著無比的清醒和舒暢。一天中最美的是黎明，人類生活中最美、最可貴的思想和行動，也都出發於這一個時刻。我進房去喚醒惕非，卻見滿室燦明，他睜著眼睛，猶自擁枕高臥於臨窗的小榻上，不等我開口就笑著說：

「別以為我辜負了黎明，妳不見這晨曦，這曉風，這小鳥和微雲薄霧，全在窗口向我殷勤道早安哩！」

我們下樓時，草上花上還都沾滿了閃爍的露珠，自以為起身很早，不想張廠長更早穿戴得整整齊齊，趕在上班前接我們去他府上共進早餐。園裡已到處都是工人在活動。有的掃除落葉，有的修剪樹木，有的整理草坪，給水廠的那些大機器，也開始輸送出清潔的水，供應市民，而所有的花草樹木，正欣然在朝陽中抽枝、萌芽、茁壯、繁植……大貝湖的清晨安靜而又和諧，而在安靜和諧中，卻寓有生長和勤勞！

柔絲千縷綰鄉心

整個大貝湖觀光區被劃分成「水源」、「風景」和「遊憩」三個區域，而那一泓瑩澈碧綠的湖水，是這一切的靈魂。所有的美和靈秀，全縈繞在她一身。清晨，她第一個被曙光喚醒，波光豔瀲，不知給周圍的景物添注多少光彩。晚上，她輕柔地吟唱著，使大地入睡，而在白晝，在金色的霧雰籠罩下，她又顯得那麼平靜，凝滑的水面，宛如一面巨大的明鏡，反映著流雲彩霞，樹影山色。每天，霧在她表面呵著氣，陽光用纖柔的刷子仔細拂拭著，永遠保持著晶瑩明淨。白石砌的長堤，和銀色的欄杆替她鑲著邊，堤上，平整的小徑沿著湖濱迂迴迤邐，湖的容姿也時刻在變幻不同，寬闊處，煙波浩淼，一碧千頃。狹窄處，縈洄潺湲，曲折幽邃。站在凸出的萬象台上眺望，真是氣象萬千，坐在路畔的鴛鴦椅中小憩，別有一番情趣。更有幾座石階伸入碧水中，人在階上一站，游魚便成群結隊來階前巡迴穿梭，我們把預備的饅頭一塊一塊投進水裡，牠們立刻一擁上前，你搶我奪，有時撞著了石階，才慌張地掉身離去，有時又簇擁著一塊饅頭，一直向湖心推送。這些小小的水族有四五寸長，和二寸餘長兩種，但牠們爭食時總是自成一群，從不混亂——而儘管有這許多水族居住其中，湖依然明淨如鏡，絲毫不被沾污。

遊憩區真是一個宜遊宜憩的好處所，到處都鋪著如錦如繡，自然精工編織的綠氈，忍不住使人想脫下皮鞋，在上面走一走，躺一會，甚至打一個滾。無數的瀝青小徑，蛛網般散布在綠茵中，又一一引向湖濱。到處都是綠蔭沉沉。挺秀的椰樹臨風玉立，瀟灑的鳳凰木婆娑弄影。更有那些整整齊齊，夾道排列，層次分明，傍岸叢生的灌木和喬木，分門別類，集種一起，彷彿各個民族自成部落，分布在這遼闊的綠色王國，較多的幾種是彩色斑斕的變葉樹，嫩黃的凌霄，和嫣紅的扶桑，萬綠叢中，紅豔黃嬌，更點綴得生趣盎然，悅目賞心。但是，滿園蒼翠中，最使人情牽神馳的，卻是幾株台灣罕見的楊柳。

楊柳也斜斜地栽種在彼岸上，柔軟的枝條卻覆蓋著環河小徑，低垂於白色矮欄外。搖曳生姿，柔情萬種。枝梢輕拂過水面，畫著一圈一圈的漣漪，枝梢輕拂著遊人臉頰，不由得撩起天涯遊子無限離愁鄉思。想著江南，低吟著：「春風又綠楊柳岸。」……幾番說「走了！走了！」卻依然在柳蔭下低徊流連，猶如岸旁停泊著的小舟，隨波盪漾，欲進還退，只為一根繩索繫住了它。而千縷柔絲，已綰住了我荏弱的鄉心，又怎生解脫得了？

感謝栽柳人，栽下垂楊柳，使我舊夢重溫，恍如故鄉三月春。鶯飛草長，柳絮隨風飄舞。小橋流水人家，景物如畫。

又怨栽柳人，栽下垂楊柳，無端勾起八千斛鄉愁，萬般離恨，難以排遣！黯然抬頭，卻見對面樹上高懸著木牌：「薰風吹得遊人醉，莫把斯湖當西湖。」儘管美景當前，誰又能忘卻大陸錦繡河山！

最生動的一景

像是雕刻精巧的鏡框，烘襯著一幅美麗高貴的名畫。一處又一處的景致，拱衛著幽邃晶瑩的大貝湖。自由亭似一個守望著的前哨，綠盔紅甲，莊嚴地峙立在大牌坊後面第一個高坡上，亭下層層石級，引向近水欄。一叢叢鮮豔的夾竹桃，一帶紅磚花牆，圍繞著高高蔭蔽在濃綠中的更上台。湖水在台下彎曲蜿蜒，有如伸來一條手臂，正好環抱著長長的迎花架。架上藤蘿纏蔓，一束束、一串串紫花隨風搖曳，彷彿綴滿了纓珞。架下安置著好長的石凳，人坐在兩端，遙遙相對，就像在橋東橋西。煞是別致有趣。

「山水含輝」過來是「柳岸觀蓮」，一圈新栽的垂柳圍繞著一口蓮池，只見一片高高低低、密密層層的翠蓋，卻不見葉底下的流水。一朵朵紅蓮玉立在葉叢中，風過處，花朵微微顫動，翠蓋輕輕搖晃，滿池塘散溢著花的芬芳，葉的清香。池旁還有個百花崗，待來日百花齊放，爭嬌鬥豔時，一定更使人留戀陶醉。

到達「千樹林」時，老遠便聽見翠微叢中傳來一陣陣細碎的鳥語，越走近越是清晰，有千迴百轉，珠滾玉盤。有啾啾唧唧，低弄短笛。彷彿是一座鳥雀的音樂台，全在這裡聯合演奏。順著那條有雕砌石欄，彎入林中的甬道走一趟，也就欣賞了一次最美妙的演奏會。

「三亭攬勝」正好築在湖灣裡，一排三座六角形的亭子，綠簷紅椽，朱碧交輝。左右兩座亭子頂上，屹立著鹿鶴一雙，以藍天作襯。浮雲來去，彷彿鶴正在斂翅長鳴，鹿正在引頸低吟。三亭名「五洲」、「五嶽」、「五湖」，很夠氣魄。

遍攬環湖諸勝，景色幽美，各有千秋。而留下印象最生動難忘的，是豐源閣上的黃昏。

豐源閣是第二景中的一景。沿著進去的甬道兩畔，栽植一排葉子厚實豐潤的小樹，叫作「春不老」。我喜歡這個名字，不僅含意深永，更可以代表整個大貝湖的景物，有終年不凋的樹木，有四季常開的花朵，湖上風光旖旎，真是春焉不老。豐源閣純粹是宮殿式的建築，畫棟雕樑，簷牙高啄，十分典雅壯麗。中間有一座螺旋形的轉梯，登臨憑眺。全湖景色便盡收眼底。我們一路遊到那裡，已有點累了，便面向著湖，坐下來小憩。這時夕陽剛墜，遠山凝寂，樹靄溟濛，一片落日餘暉，深籠著幽邃的湖水。周圍那種寧靜祥和的氣氛，浸入性靈中，人彷佛都已淨化了。默默領略著眼前的景色，視線不經意地轉向左邊僻靜的一角，忽然眼前一亮，遠遠那極小的一座孤島上，白閃閃一片像是積雪的山丘。但這裡是從來不會落雪的。那麼，當真是什麼蓬萊仙島上的玉樹瓊花？

「那是什麼花？竟開得那樣繁盛！」我忍不住打破沉默，請教做義務導遊的邱課長。他望了望，有點好笑地回答：「不是什麼花，只是白鷺棲息在樹上。」

白鷺！我從來沒有見過這許許多多白鷺聚集在一起，就在我們驚訝審視間，遠遠那雲水蒼茫中，出現了無數點白羽，正向湖心飛來，領頭一隻稍微保持一點距離，後面很有次序地排行著一群。飛翔得那樣輕盈、那樣平滑，振翼時又顯得那樣從容和舒泰。牠們肅靜的行列迅疾地低掠過水面，在臨近小島時，才又升空高飛，彷彿一朵朵雪花融和在雪堆裡，倏忽間便一一消失隱沒在滿樹瓊花中。

這美麗動人的一幕，該是湖上諸景中最最生動的景色了！

邱課長告訴我：小島叫富國島，但我在心中卻喚它白鷺洲，空靈可愛的白鷺洲！

自然和人力的合作

造物創造了水，不僅供給自然和人類一切用途，最重要的是滌淨世上所有的塵污，使宇宙萬物保持無比的淨潔。因此，走進那水源中心的快濾大樓，第一個給人的印象就是乾淨清潔。無論是屋內的機器設備，外面的一草一木，都顯得一塵不染，似乎連空氣都被過濾過了。

大廈樓下黑壓壓的，全是些龐然大物，樓上有過濾池和各種儀器設備，池與池之間隔著小巧的水管小橋，池裡的水激盪噴湧，十分壯觀。儘管有耐心的管理員詳細的一一加以解釋，如何抽水送水，如何過濾沉澱。每日產水量若干噸，輸水道若干公里……但誰也記不清那天文字似的一連串數目字，機器的運用更是茫然不懂。唯一知道的一件事，就是憑這幢大樓中的機器設備，供給高雄市的居民、工廠，以及港灣艦船全部質良價廉的清潔用水。

水的來源是大自然的貯水庫之一——下淡水溪。而經過機器處理，源源不絕地輸送到各處，這該是和人力最密切的一種合作。

孩子們的樂園

靜靜地享受了兩天清福，第三天是星期假日，我們把女兒，陳韜伉儷把他們五個孩子，全接來了大貝湖。稚弱的身心剛從繁重的課程中解脫出來，一接觸到清新的空氣，廣袤的自然，立刻就像從脅下生出了雙翼，像一群從籠子裡放出來的麻雀，唧唧喳喳，東跑西追，一忽兒不見了，一忽兒又從前面的樹叢中鑽出來。園內不僅有運動場，有鞦韆架，另外還單獨為孩子們開闢了一個樂園。讓他們一顯身手。一到那裡，就同鴨子見了水一樣：爭先恐後地乘上空中吊車，搭上噴射機，爬進小火車，一陣陣歡笑和尖叫，響徹高空，迴盪在幽邃的湖上，深遠的山谷間。兩天來，欣賞的是自然靜的美，領略的是景物靜的情趣。而這一刻欣賞的卻是人類生命力的活躍，是動的旋律，動的樂趣。被孩子們那份單純的歡樂所感染，大人們也童心來復，做父親的也爬上吊車，在空中打上幾個轉，做母親的煞有介事地站在機場外，向噴氣機上的孩子揮手叫：「一路平安！」

幾番催促，才勉強停止了，孩子們玩得一身汗，大人沒玩也是一身汗，陪著在太陽底下曬的！

一停下來，孩子們才嚷著五臟廟裡在唱空城計了。原來時間已過中午。於是，滿滿擠上一車，循著環河路繞了一個圈子，駛出巍峨的大門樓，經過那孤零零佇立在路上的小屋，又投向萬丈紅塵！

難忘，難忘來日泛舟湖上

那靜靜的湖濱，那長長的甬道，那些樓台亭榭，小橋石階，到處都曾印遍我們的腳步，何嘗又曾留下半點痕跡？但是，不能磨滅的是深刻在心頭的印象。

難忘那樓頭深靜的夜，黎明被曙光喚醒的湖山。難忘那柔情千種的垂柳，空靈可愛的白鷺洲，更有那主人張廠長伉儷，和邱課長待客的無限熱忱。十年來，張廠長以篳路藍縷的精神，披荊斬棘的勇氣，開拓荒地，建設亭園，進步和發展之快，是台灣任何一處風景區所比不上的。最近又將建設寶塔和添置遊艇。再來時，我將登臨寶塔最高層，縱眺湖山景色，展望大海波影。再來時，我將揀一個月夜，泛舟湖上，看滿湖銀鱗閃爍，聽船底微波輕漾，讓湖上無限春光夢意，全融入心頭！

編註：本文原刊於《作品》第四卷第一期，一九六三年一月，頁三十七～四十。

旗山行

位在台灣南部的高雄縣彷彿是一只巨鼎，岡山、鳳山、旗山，三山鼎足而立。只是從鼎足到鼎足之間的距離並不算近。因此，在岡山住了八九年，最近才有機會去了一趟列為台灣十二勝之一的旗山。

在季節上說來，已經是冬天了，而在南部，風和日麗，正是旅行最好的天氣。汽車輕疾地駛行在平坦的公路上，兩旁蔥蘢的樹木，空曠的田野，蜿蜒的溪流，掩映在綠竹紫藤中的農舍，山坡上臨風招展的野花……就像是一長卷百看不厭的田園風景畫，徐徐展開在眼前，再加上同車的詹純鑑先生涵博幽默，談笑風生，確是一個非常愉快的旅程。

旗山盛產香蕉，素有「香蕉王國」之稱。進入鎮境，路旁綠沉沉一片，全是香蕉林，寬闊的蕉葉緩緩搖曳，鮮嫩的蕉心悄悄舒展，一串串香蕉沉甸甸地懸掛在莖梢，有的還套上一只只紙袋，像掛著數不清的燈籠，煞是有趣。二熟的稻穀剛剛收割過，田裡留下來未除的一叢叢稻樁間，卻已織錦般生長著點點新綠。有的才竄芽，有的已漫過了稻樁，栽的全是毛豆。趁那一段空隙，趕快播下種籽，等豆子收穫時，便正好一起翻耕。「地盡其利」，沒有比勤勞的農人更懂得這句話的運用和實踐了。在綠色的蕉林，綠色的田地邊緣，一道更深暗的綠色山脈，斜斜的迤邐而上。自山麓至峰頂，密密層層的樹林直插雲霄，一股清幽之氣迎面撲來，令人感到心曠神怡，汽車在地上迅疾駛行，浮雲在山巔悠然舒卷，望著、望著，恍惚自身也失去了重量，只迴繞著青山在旋轉、飄蕩。山坳裡，好像隱約露出一角簷牆，欲待仔細辨認時，卻又隱沒在濃綠叢中，不知是怎麼樣的寺院，深藏在那幽邃的山谷，修得一生清淨和寂寞。

這座山，因為形狀很像一面三角旗，旗山，便由此而得名。

我們第一個目標是中正湖，車子經過旗山沒停，便直開美濃鎮。美濃，這是個十分吸引人的地名，而山野間的景色，也確有一份純樸的美，彎彎曲曲不知轉了多少個彎，路越來越陡狹，路畔一簇比一簇稠密的竹子，像一重重青翠的拱門，又像在躬身迎迓，車子在一處斜坡上停了下來，前是連綿的稻田，後是茂密的竹林，卻不曾看到半點水的蹤跡。坡上孤零零的兩間平房，顯然是一家茶座，而在這不是賣茶的時候，緊閉著一排四扇鐵皮門，只一道無門的走廊敞開著，我滿腹狐疑地跟著大家跨上那幾級高低不平的石階，走進寂寥無人的走廊，驀地眼前一亮，噢！原來那一泓澄澈如鏡的湖水，便靜靜地展延在矮欄外，凝神望去，只見一碧無際，是那麼明媚秀麗，又那麼清幽脫俗。風過處，微波盪漾，銀光閃閃。這裡那裡，不時有魚兒躍上水面，又倏忽消失，卻留下一圈圈漣漪，逐漸向四周擴展散開。河身彎彎有致，宛如上弦新月，邊緣環繞著蔥蘢的林木，綿延不絕的青山。那層疊的山巒，一層層從深而淺，由高而低，層次分明，色澤顯著，竟完全是畫家筆下的一幅山水長軸，拿來掛在蔚藍的天幕下。不著半點鉛筆的湖上，唯一作為點綴的人工建築是一座六角形的亭子，迴廊曲折，雕欄巧樣，盈盈地佇立在水中央，一大叢濃鬱的修篁，似巨扇般撐開在亭側，更襯得幽趣盎然。那時夕陽剛自山峰下墜，滿天彩霞彤雲，倒映水中，一時天光水影，相映成輝，把湖山渲染得一片絢麗。遠遠的一葉扁舟正沿那落日餘暉，沿著亭畔盪向湖心，船上兩人，一個緩緩打槳，一個輕輕撒網，神態顯得那麼悠閒，又那麼從容，彷彿這片天與水之間，便是他們生存的世界，我真願意自己是那船上的一個！但晚霞的燦爛只是那樣短暫的片刻，不一會，光彩漸暗，湖上扯起了似霧如煙般淡淡的一層輕紗，那遠山近樹，那亭榭漁舟，全罩在一片空濛的煙霧中。儘管湖上那安詳寧靜的氛圍，滌盡塵俗的清氣使人留戀，也只得悵然離去。

這美麗的湖原來就叫作美湖，由於蔣總統曾來湖邊遊憩，地方上的人才改了現在這個名字。湖的面積有四十多公頃，終年不枯，汲之不盡。美濃鎮土地肥沃，農業豐富，就大半歸功於湖水源源不絕地灌溉。

我們從中正湖匆匆抵達旗尾糖廠招待所時，已經是萬家燈火了。這一天似乎與糖廠招待所特別有緣，中午在屏東的招待所午餐並休息，晚上又在旗尾連吃帶住。所內設備齊全，整潔安靜，周圍繞以小庭院，綠草芊綿，花木扶疏，兩口精巧的池塘裡盛開著紅的白的睡蓮。池畔垂楊飄拂，似有無限柔情，而主人杜廠長及麥副廠長待客熱誠親切，真有賓至如歸的感覺。一天的旅途勞頓，到此很快就獲得了恢復。晚餐後，嚐到旗山馳名的香蕉，果然與一般市面出售的不同，香甜細膩，薄薄的皮上灑著斑駁的小黑點。這在大陸，我們叫作「芝麻香蕉」，也算是最好的一種了。

第二天一早，在兩位林校長陪同下，我們先去參觀了旗山中學和旗山農校。旗中環境幽靜整潔，校園內到處是蔥蘢的花木，其中蓋著金黃色篷架的甬道，別有一種情調。布置得雅致幽美的女生家事室，十分出色，校內秩序井然，氣氛安謐，是莘莘學子讀書的好地方。旗農是一座歷史悠久的完全農校，廣闊的實習農場中擁有稻田、蕉林、魚池、苗圃、畜牧場，以及水塔、加工廠等，儼然是一座現代化的鄉村。新建三層中山堂大樓，新穎美觀，富麗堂皇，更是特出。雖然是走馬看花，卻給予人一種這樣的觀念：覺得在這比較算是偏僻的山鎮裡，能有這樣的學校，這樣的建築，由此可以想見自由中國的教育是如何普遍和發達，莘莘學子的前途又是何等的光明、燦爛！

離開學校，在街上繞行一周。旗山是個農業區，民情淳樸，頗有古風，婦女衣著白衫黑褲，很有大陸鄉村的風味。幾乎街上所有民房的屋脊上，都加蓋一間小小的騎樓，說是專門用來烘焙煙葉的。那也是鎮上的出產之一。旗山還有一個中山公園，開闢在鼓山頂上，據說在天氣晴朗的日子登臨山上，遠眺可以望見屏東平原、東港海濱，以及群山峰巒。俯瞰可以看到淡水溪一衣帶水，阡陌縱橫，風景幽美。只是由於時間限制，我們只能放棄登臨。且赴五鳳山。

從旗山人那裡聽來關於五鳳山的故事，是荒謬而又單純得可愛的。那山是屬於私人的產業，山上遍植果樹，出產頗豐。按照每年的收入，山的主人也可以算得個土財主了。但是他自小便看《西遊記》入了迷，對齊天大聖孫悟空有著無比的崇敬和仰慕。當他接管了這座山之後，便實踐他早日的心願：開始以山建山。自己盡量省吃儉用，將每日的盈餘一點一滴全拿來用在開山築路，建廟塑像上。把心目中的偶像，視同神明般供奉起來，而且十餘年如一日，拓建的工程，仍在方興未艾中。

五鳳山也叫秋涼山，公路車（民營）為了方便登山的遊客，才特地在這裡增設了一站。山不算太高，但面積深廣。山上樹木茂密，遠遠望去，綠沉沉一片蒼鬱。走進一道拱門，便是山麓。右邊闢出一角平地，鋪著水泥，乍看像是人家的庭院，院裡倒架了兩道鐵柵。第一道鐵柵內牆上塑了一隻龍頭形的噴水，底下一口池子。池裡雕砌著「明心」兩個大字。第二道鐵柵也是一口池子，好像砌了「明鏡」兩字。隔了一條拱橋，便堆土疊石，砌了一座假山。底下三個岩洞，中間寫著水簾洞，左右各站著一隻石猴。洞頂上一排三只碩大無比的石桃，中間蹲著二隻小猴子，桃子中空，後面也有門洞可以進去，上面寫著三桃山。再上去，還有好幾處岩洞，有裝了半截鐵柵門，裡面供著線香和水果。洞與洞之間，全是打通的，大概方便孫行者在裡面鑽來鑽去。假山緊偎依著背後的真山，山上的果樹綠竹，正好做為天然屏障。我們去時，遍地水泥淋漓、白堊斑駁。刷漆的、弄馬達的、攪水泥的，有不少人在忙碌，其中一個穿白汗衫、藍布褲，在砌石堤的中年人，據告便是山的主人。我們提出幾個問題向他請教，他只是搖搖頭回答聲「聽莫」，又聚精會神砌他的石頭去了。不一會，一個農婦模樣的中年女人給他提來一小桶水，說是山主的妻子。等我們走出鐵柵時，她順手便鎖上了門。大概是怕再有遊客來打攪她丈夫的工作。真是夫唱婦隨，一對志同道合的好夫妻。

上山的路有兩條，中間那條全鋪砌著光滑的石頭，順著山勢，迂緩上升，兩旁密密的龍眼、橘子、番石榴，以及不知名的雜樹，投下一片清幽的綠蔭，走不多遠，一抬頭，只見一蹲龍頭，張開巨嘴，正迎著來人盤踞在路中間，四周盤繞著許多張牙舞爪的小龍，底下還點綴了不少貝殼海螺之類，五顏六色，光怪陸離，不知是不是代表龍宮。再上去是一座涼亭，正面望去，亭子分明有兩層，樓上那層圍著雕花矮欄，門洞裡供著一撮線香，但底下不但沒有梯子，也找不出一點可以上去的跡象。大概那位山主人心想孫行者一個觔斗還翻三萬六千里哩，這一點高度，還不腳趾尖一踮就上去了。只不知他自己又是怎樣上去敬香的？亭子以上，沙石凌亂，路基卻被山洪沖毀了。我們便踅回頭再上另外的一條。這條路一上去便是一排整齊寬敞的石階，兩旁的花壇上栽著七里香、扶桑等觀賞樹木，似乎很夠氣魄。上了一、二十層石階，旁邊屹立一座石亭，石柱上浮雕著蟠龍，頂脊上龍鳳雙翹，綠瓦紅簷，青龍彩羽，過於繁複的雕塑和彩色，使那小小的亭子似乎負擔過重。亭內便塑造著孫悟空的石像，高與人身相等，身衣戰袍，一手舉在眉際作眺望狀，彷彿正從九霄雲中俯視地下的芸芸眾生。走完石階，迎面一座台基上，蹲著一隻形狀奇怪的野獸，非虎非豹，仰首張口，一腳高舉，像在無語問蒼天。座腳下還率領了六隻同樣的小怪物，大家打量了半天，只好說是姜太公的坐騎——四不像，在這後面，翠竹掩映著一帶紅牆，牆裡一座巍峨的六角亭，上面題著「照明台」。亭有兩層，也是一樣的有樓無梯，一切建築材料，都很嶄新，而亭外的圍牆花磚地，卻已磨損和傾圮。顯然從計畫奠基到全部完工，在時間上有著很長的距離。牆有草寮數間，養了好幾隻溫馴的水鹿，這也是山上的出產之一。再向上面望去，枝葉相接，槎枒縱橫，密密叢叢竟是一片蒼鬱，群樹巔上還隱隱聳起一兩處亭樓尖頂，也不知林還有多深，山還有多高，而山路到此又被沖毀了。下得山來，左邊山麓下立有廟宇一幢，看樣子該是最早的建築，但內部似乎尚未完成，所有這些色彩俗豔，式樣古樸而原始得近於幼稚的亭樓和雕塑，據說都根據《西遊記》的出典。只是我們這幾位遊客距離看《西遊記》的時候，已隔著漫長的一串歲月，誰也記不得那些來印證了。

從全部工程新舊懸殊的程度上看來，顯然這位山主是個任性而富幻想的人。隨興之所至，做到哪裡就是哪裡，就像孩子學畫，剛在一張紙上抹了幾筆，小腦子裡又有了新的印象，立刻撇下第一張，在第二張上重新開頭畫起。加上工程斷斷續續，缺少步驟。僱的民工工作技術又差，因此儘管他已投一百多萬（傳說）的資本，還是這邊在興建，那邊已損壞，不能整個完成他的計畫。據說當五鳳山漸漸出名而成為當地居民遊憩的去處時，地方上曾有意輔助他拓建完成，但他一口拒絕了，又有人建議他收門票聊作補貼，他也不予考慮。也許他認為這樣做會減少他的誠意，褻瀆了他心目中的神明。這與其說是迷信，也可以說是一種藝術的獨創性，賺了錢，不蓋房子、置產業、求生活的享受，卻用在開山築廟上，至少，那份虔敬的誠意，以及那片未被一般世俗沾染的、樸實單純的童心，是非常可愛的。

雖然只是一座平凡的山林，一些古樸而俗豔的雕塑亭閣，和一個胼手胝足，專心在磚石水泥中忙碌的樸訥的山主，卻給遊客留下一些不平凡的印象。

下山後，便原車返回岡山，結束了這短短兩天的旅程。我的收穫是：多一次與大自然接觸的機會，胸襟自然開朗，思想也就更加流暢了。

編註：本文原刊於《大道》第二九三期，一九六三年三月一日，頁十二～十四。

玲瓏寶塔春秋閣

卸下了笨重的寒衣，是那麼輕飄飄地，彷彿冬眠的動物從蟄伏中甦醒過來，重又充沛了生命活力，躍躍欲試。

軟軟的風拂過臉龐，暖暖的陽光曬在身上，是那麼舒暢神爽，彷彿從心裡長出雙翼，展翅待飛。

當春天來臨，當草木抽芽，從心底嚮往著空曠的自然，揀一個晴好的假日，我們開始出發了。目的地是左營春秋閣。摩托車疾馳在寬廣平坦的公路上，像在飛騰，像在滑行。蔚藍的天，金色的陽光，我頭上翠綠的紗巾一路飄揚著，是春天的旗幟。

坐在摩托車上，睥睨著龐大的巴士，爬蟲似的小轎車，一輛接一輛，裝滿了乘客，穿梭般掠過面前。也許，他們也去遊春，也去旅行，但此刻卻被關在鐵殼子裡，與外界完全隔絕了。而我卻沐浴在和煦的春陽裡，浸潤在清新的大氣中。聞著泥土翻耕後的氣息，和野花野草的清香。當馳過一望無際的田疇，我彷彿便挨著那嫩綠的新秧上輾滾過去，當馳過那防風木的拱形隧道，我彷彿正乘風穿過密密的樹梢，當馳過一座又一座的橋樑，我彷彿便隨著那湍急的流水，向前奔流。我便是春風，我便是流水，我便是田塍上的小花，從髮梢至腳踵，整個地融和在自然中。

公路美麗而莊嚴地伸展著，向遠方，向城市和曠野。一條條支路，猶如蜈蚣的百足。我們轉入了去左營的一條，路畔，堆得高高的草垛似一幢幢方方正正的茅屋，剛讓過一輛載滿西瓜的牛車，迎面又趕來一群羊。甘蔗田裡三三兩兩的蒙面女郎正忙著收割。彎曲的路在田野中劃著一個連一個的大括弧，括弧盡頭，兩行密密稠稠的垂柳，蔭覆著一道堤岸，一池清清淡淡的潭水，並峙著兩座寶塔——這便是蓮池潭春秋御閣。跳下車座，看一看手錶，從家裡出發至抵達目的地，費時剛好是三十分鐘。

春秋雙塔，是建築師手下的一對孿生兒。一樣的畫棟雕樑，綠簷紅柱。一樣的典雅玲瓏，古色古香。亭亭地並立水中，但又遙遙相對，彼此觀望。作為橋樑的是兩道曲折的迴廊，塔一共有四層。前次來時，我曾攀登眺望，那時池裡栽滿菱角，只見葉連葉一片深翠。展延向遠遠的崖岸。深綠叢中，點綴著一朵朵小小的白花，似滿天繁星。風過處，綠波微漾，清香幽幽。小白花閃眨不停，十分好看。現在不知為什麼鐵梯上加了鎖，只能在梯下悵然仰望。而水乾池淺，潭中也只有幾叢疏落的浮萍，漂在水面。倒是沒有了遮隔，塔影清晰地倒映在水中，一對成了兩雙。真真假假，虛虛實實，煞是有趣。驀地躍起一條魚兒，塔影碎了，塔上的浮雲亂了。搖晃著，顫動著，慢慢地重又凝成一座塔，拼起兩朵浮雲。而在塔與雲之間，又多了一雙影子，原來是憑欄俯瞰的人。雖然不能更上一層塔，站在底下一層，遠樹近山，天光水色，也還是盡收眼底。右邊是龜山，鼓著圓滾滾的高背，活像一隻巨龜正俯首在池邊飲水。頭頂上矗立著一座燈塔，像載負了一支驚天的蠟燭。當黑夜來臨，它將照亮著雙塔，又互相輝映，互相呼應。左邊是那座有著神話般傳說的半屏山。真是好利的神劍，竟把一座巍峨的大山，劈剩那麼平直陡削的半爿。兩座山莊嚴地左右拱衛著，烘襯著雙塔也就更加地瑰麗玲瓏。蓮池潭的面積據說有七十多甲。一眼望去，平靜無波。只天空雲彩，不時在水面變換顏色。如果能疏濬淤積，加深水位，再名副其實地遍植蓮荷。春夏間，放一葉小舟泛於潭上，人從花叢穿過，香由葉底翻起。沒有比這更饒情趣、更富詩意的了。

兩塔之間，迂迴的石橋環繞著一座半圓形的放生池。池子中央一座船形的假山石上，盤繞著一條昂首翅尾，鬚眉怒張的雕龍。噴泉已停止了噴泉，暗沉沉的水中，有不少烏龜半隱半現，載浮載沉。也有一些小魚，卻沿著池邊怯弱地躲躲閃閃，似乎唯恐撞著了那些龐然大物。假山石上斜斜地擱了一塊不到一尺寬的跳板，一頭沒入水裡，顯得不倫不類的，也不知道作何用途。等我們走了一圈，再經過池畔時，卻見板上已一連串匍伏了八九隻烏龜，一隻隻昂揚著細長的頭頸，伸展開短短的四肢，正舒適地在大曬其日光浴哩。那時日正當中，滿地氾濫著金色的光波。全池的烏龜都擁擠在板的一端，爭著向上爬。只是板的面積太小了，不能容納如許，那許多爬不上來的，只圍繞著跳板不住地掙扎、傾軋、排擠，有好不容易吃力地攀上了兩龜之間的一點空隙，腳一滑，又翻身滾了下去。半天才划得轉身來。那笨拙的模樣，看看可笑又復可憐。也許是水底太陰冷了，終年浸沉其中，就難怪牠們那樣渴望著曬曬乾軀殼，暖一暖硬殼裡冰冷的身子。

「如果放生為的是行善事。應該勸放生的人先放一道浮橋，讓能夠生存下去的活得更好些。」我望著池裡對旁邊的愓非說。來了這半天一直轉來轉去，忙著找鏡頭的他，卻不聲不響舉起了照相機，對準擺好姿態曬日光浴的烏龜們照了一張。

放生池對面，隔著花圃和一塊廢場，便是廟宇。中間懸著啟明堂的匾額，題的對聯是：「啟民族雄威，漢賊不容並立」，「明春秋大義，江山豈讓割分」。左右兩邊側門上更大書：「養天地正氣」，「法古今完人」。浩氣沛然，氣魄雄厚，就在今天談來，也不禁令人怵然警惕。堂內供奉的是孔子、關羽、岳飛和鄭成功，四位先聖先賢。平時崇敬四位聖賢而來廟裡拜禮奉祀的香火很盛。這天正在舉行春祭大典，廟前廣搭篷帳，懸掛旗幟，設立了香案供桌。一群善男信女都披上法衣，虔誠地在誦經朝拜。燭光熒熒，香煙繚繞。一片鐘磬木魚聲，迴盪在塔頂樹巔，橋上水面，自有一種莊穆的氣氛。人在幽美空曠的自然風景中，會感到胸襟開朗，俗念盡去，在一種朝聖的虔敬肅穆的氣氛中，也會感到心如止水，盡忘塵慮。兩樁事情，卻能到達一樣的境界。

從啟明堂前錦絲織成的「春」字上，又轉到門樓外面岸上的「春」色中，真正的春天，別處總比不上這池畔的柳樹叢中來得濃。遠遠的便讓人看到那簇綠，綠得清新、綠得嫵媚。走近了，綠蔭沉沉，教人覺得髮梢上、衣襟上，都已沾到了春。一陣風吹過，億萬條柳絲朝著一個方向飛舞著、飄揚著，看得人眼花撩亂，只見天上也是柳絲，水裡也是柳絲，人就纏繞在數不清的柳絲中。而無風時，它輕輕搖曳，盈盈擺動，又顯得柔情脈脈，無限風致。透過飄忽不停的柳條，隱約顯透出青山點點、水波粼粼。藍天白雲，亭榭迴廊，恍惚全編織在綠色的網裡，全在悠悠忽忽地飄動。幾時又曾見過這樣一幅奇妙的、鮮活的景致！

當我們來時，柳條輕輕搖晃，彷彿招呼歡迎，當我們離去時，柳條輕輕搖曳，又似款款話別。這時竟連太陽也為之黯然神傷，我們剛駛上公路，便下起毛毛雨來。雨並不大，但車子速度太快，飄到臉上的雨絲，倒像彈上來的綠豆。惕非考慮著說：

「這條路上前不近村，後不靠店。要雨下大了，怎麼辦？」

我說：

「不管。」

於是，彷彿要同風雨比賽，他又加大了油門。田野裡靜悄悄的，景物有似籠罩著一層淡淡的煙霧，比起在日光下，更有一種淡雅幽邃的美。三兩隻白鷺，卻在微雨中悠然飛翔起落。經過煉油廠時，大煙囪裡吐出來的煙又白又濃，像是一條白龍，在天空中飛騰遨遊。噴出來的火焰燃紅了灰色的雲天，耀人眼目。路走了一大半時，雨慢慢地停了。等抵達岡山，一抹夕陽餘輝，又照耀著樹巔。我摸一摸頭上的紗巾，卻還是乾的。春天的雨，真是縹緲不可捉摸！

民國五十二年三月十五日

編註：本文原刊於《大道》第二九五期，一九六三年五月一日，頁十八～十九。

在這屬於你的季節

一年中有一個最絢爛的季節——春天。人類也有他最璀璨的春天：那便是你，當代的青年！

春天，那是歌唱的，歡笑的，生氣蓬勃，欣欣向榮的日子。

青年，那是進步的，活躍的，發展的動力，創造的時代。

青年是人生的春天，而春天屬於你！在這屬於你的季節，展延在你面前的，是一片屬於你的園地。播種在你，收穫在你。何不揮舞你犀利的筆桿，開始墾拓，撒下你思想的種籽，勤加耕耘？

在這屬於你的季節，你賦有人類最真摯的感情：想唱就唱，想笑就笑。高興時只想擁抱整個世界，煩惱起來，又恨不得一腳把地球踩個窟窿，你那易受感動的心胸，宛似那一觸即起共鳴的琴弦，會為一瓣落花悲哀，為一首小詩激動，為一點不平之事義憤填膺。你豐富的幻想似天際雲彩，瞬息萬變，多采多姿。你宏偉的志願如旭日初升，光芒四射，你崇仰真理，嚮往自由，歌頌光明，熱愛生命，追求著愛和真善美。而你也有寂寞苦悶的時候，無端地歎息，悄悄地感傷……這些、那些，年輕的心靈不覺得負載太重了麼？小小的杯子不會裝盛得太滿了麼？又何不卸下一點，傾洩一些？思想上不少璨璀的火花，生命中不少奇妙的際遇，都是稍縱即逝，不留痕跡，又何不抓住那電光石火般短暫的一刻，永誌不忘！只要一支筆、一疊紙，便能減輕你心靈的負重，寫出你心底的聲音，使那易逝的不朽，短促的永存。

在這屬於你的季節，你擁有旭日般光輝，春花般燦爛的生命，也擁有這時代賦予你艱鉅神聖的使命。你知道這是個民主與特權對抗的時代，是善與惡對立的世界，當你撒播你思想的種籽，定要選擇那些最可貴的品質：信心、勇氣、博愛的精神，高尚的情操，奮鬥向上的意志，強烈的民族意識。使未來的文藝園地，更加日益蓬勃、茂盛、茁壯，荒漠成為綠洲，一片蔥蘢，無限春意！

沒有比從事寫作更不受時間、地點限制的工作，一支筆、一疊紙，這便是你的工具；書桌前、綠蔭下、走廊上，或是門口的台階上，都是你寫作的場所。而在你的周圍、在你的生活裡，在你生命的成長中，在你生存的世界上，有那麼多題材待你去擷取、去發掘。自然，你必須付出最大的耐心，必須接受寫作過程中遭遇的一些困難，但當你完成你的創作，不管是一首小小的詩，一則抒情的散文，一篇短短的小說，每一篇都將閃耀著你的智慧、你的情熱，和你的愛！

如果你有興趣和耐心，如果你靈台上那只小杯子即將滿溢，如果你聽到你良心命令你的聲音，那麼，你，可敬的青年人！那屬於你的園地正待你去開拓，為什麼還不馬上拿起你的筆來呢？在這美好的、可愛的，屬於你的季節！

民國五十五年四月

編註：本文為艾雯未刊手稿。

田園之歌

植物的種籽撒播在肥沃的大地，
思想的種籽撒播在人們心田。
一粒穀，結出纍纍的穗實，
一個理想，開拓出人類生存的美景。

一片金，光燦燦的金。一片藍，清澈的藍。一片黃，沉甸甸的黃。以及一撮銀，閃閃的銀。

金光燦燦的是陽光，黃澄澄的是稻穗。
金光燦燦的是陽光，銀閃閃的是白髮。
陽光照著稻浪，在風裡起伏。
陽光映著白髮，在風裡飄拂。

老人，一位白髮蒼蒼的老人，臨風佇立在田塍上，凝眸眺望。

眺望那一片莽莽蒼蒼的稻田，從他腳下伸展著、綿延著，穗浪萬疊，一直連接著天邊。空氣裡瀰漫著他熟悉的氣息：泥土的芬芳和禾穀的清香，他抽著鼻子，深深地呼吸又呼吸，吸進肺腑，彷彿是自家釀製的米酒，有一點甜醇，有一份醺意。

吸空氣也會醉人哪？

滿足的微笑在白鬚下閃耀著，氾濫到臉上，又從滿臉縱橫深刻的皺紋裡洋溢出來。

他彎下身子在田裡抓了一把潤濕的泥土，用堅硬的手指捏碎，勻細的土粒滑過掌中厚厚的老繭，從手指縫裡漏出去，復歸田地。

他在垂甸甸的穗桿上摘了幾顆穀粒，擱在牙牀上緩緩咀嚼著，只覺滿嘴清香，泛著甜涎，是上好的蓬萊，又香、又大、又細糯！

分明不是夢，但又恍惚是夢。

曾經是夢，但現在已不是夢。

儘管已有過不少次春耕，不少次秋收，許多年來，他依然會有做夢的感覺。本來嘛，那曾經是他們世世代代的夢哪！

世世代代務農、世世代代從泥土裡討生活。那份對耕作熱忱的愛好，已滲進了血液。那份對田地執著的依戀，已深植在心裡。風雨中、烈日下，無日無休地墾地、施肥、播種、插秧、灌溉、拔草、收割、打稻……一滴一滴汗，一滴一滴心血，肥沃了田地，換來了收穫。

然而，收成多半繳進地主的倉庫，汗血灌溉的田地是屬於人家的。地主一聲要退租，什麼也沒有，什麼也不剩。

什麼也沒有，什麼也不剩，一年辛勞落一場空！

他不會忘記，永遠不會忘記，那巨大的、憂慮的陰影，如同六月天的烏雲，常常壓在他的頭頂，壓在他們低矮的茅舍上。

他不會忘記，永遠不會忘記，他父親，他父親的父親，眼睛裡閃著那種朦朧的、奇異的光彩、喃喃新訴：

——莊稼人，長在這塊土上，吃在這塊土上，也老死在這塊土上，就該有自己的地嘛！

——莊稼人，總要扎根在泥土裡，在自己的田地上。

然而，眼睛裡奇異的光彩像燃了一根火柴，亮一亮就熄滅了。這不過是夢囈，到他自己，也仍舊懷著這樣的夢想，說著這樣的夢囈。

一年復一年，收成還是大半進入地主的倉庫，汗血灌溉的田地是別人的。

他們是命中註定只能做做這樣的夢，說說這樣的夢囈，從他父親的父親，他父親、他自己、他的兒孫……好長，好長的歲月呵！

……

但是，但是，這不是夢，泥土的潤濕還留在手上，穀粒的清香猶留在齒間，這片田地是他們的，他們的汗血滴在自己土地上，他們的收成堆在自己倉庫裡……

這是哪一年的事了？田租減成三七五，節餘的穀款繳納地價，慢慢地，田就成了他們的田，生活也隨著改善改進，蓋了軒敞的新房子，添了豬圈牛欄……老伴兒只要一提起這檔子改革的事，總是老眼閃著感恩的淚花，唸著佛說這都是菩薩賞賜的。

——阿母，兒子裕成也一再想糾正他母親。——菩薩賜給陽光、雨水、有好的收成。但田地是國家給我們的。

——唔，國家是什麼？比菩薩還大麼？

——不，這不是一樣的。兒子結巴著，極力思索別人告訴他的那些話。——國家便是政府，管老百姓的。我們偉大的國父體恤我們農民生活痛苦，教政府給田我們種。這叫……這叫耕者有其田。

——那麼，偉大的國父就是菩薩囉！

做兒子的語拙了，不知怎樣能解釋清楚。老人卻在一旁拈鬚微笑，他知道這不關菩薩的事，國父也不是菩薩。但他完全同意老伴兒的看法：好人是住在天上，而且永遠活在千千萬萬人心裡的……

一陣音樂夾著膠輪的吱吱聲由遠而近，老人不看也知道是他兒子騎著單車從城裡回來。

自從他買了那個小收音盒子，成天到晚哪裡都帶著，睡覺擱在枕頭邊，出去掛在車子上，下田時便放在田塍旁，一面做活，一面還咿哩哇啦聽唱歌仔戲。想想他們從前，要聽次戲，多不容易，得揀農閒的日子，得來回趕十幾里路，得花不少錢，現在，嘿！什麼方便都讓這輩子人給沾到了。

音樂戛然一聲在老人背後停止。裕成跨下車來，脫下笠帽扇風。

——阿爸，穀子價值看好著呢。我已跟人講妥，後天來收割。

——好囉，要你媳婦多備酒菜，趕明天把那頭大豬宰了……

老人的心裡有點緊張，也充滿了喜悅。收割是件大事，也是件樂事，他叮囑兒子，只是答應著。隔了兩畝田，那邊有人在招呼，喊話的聲音是禾稻上飄揚過來：

——嗨！裕成哥，看你們爺兒倆多開心，這二熟的收成可頂好哇！

——你家還不是一樣，糶出新穀，明年可以替你們老大娶媳婦了！裕成的話也一般從禾稻上飄送過去。

——別提了，念書唸成了迂夫子，說什麼不要媳婦還要再念書。倒是你家老二，明年農校畢業就可以幫你下田啦。

——哈，只怕他下田，我就老背時了，如今動不動就搬出家來的那套新花樣，什麼要機器化，什麼要科學化，還硬勸我明年栽種什麼台農選三號優良品種，說是可以早熟七八天哩。

——好哇，那不要好利用空閒實施間作了？敢請我們也要叨光、叨光！

——得啦。你老哥說什麼叨光？等你老大將來管我們修溝渠、築水壩，更是大家沾光。

兩人一齊迸發了哄笑，老人也笑得呵呵呵的。笑聲驚動了躲在禾桿下的鷺鷥，在半空劃一條雪白的弧線，又輕盈地落在遠處稻田裡。正在樹蔭下啃草的一隻黃牛，哞哞地叫著牠走遠了的小牛。

裕成小心地撥開稻梗，走下田塍，像一個貴婦檢視她的珠寶，這株稻穗托一托，那株稻穗拈一拈，一面還在搭訕著聊天。

——剛才我去了城裡，過幾天，可有得熱鬧的哩。

——這陣子不出廟會不拜拜，又有什麼熱鬧？

——嚇，你這還不知道？晚後天是我們的國父百年誕辰紀念嘛！要不虧他創始耕者有其田，我們哪有今天的好日子過？

——我知道，知道，前天老么還跟我說過哪裡都要慶祝紀念，還獻款哩。敢情我們也……

——哇！阿爸！這裡有一株雙穗的稻！裕成忽然像發現了寶藏般驚喜地嚷著，身子陡然矮了一截蹲在密密的禾桿叢中。——噢，還不只一株，是兩株，兩株雙穗的稻！

——恭喜、恭喜！那是吉兆。

——裕成！老人抑制著滿懷興奮，莊嚴地向兒子下命令。——你仔細著，把雙穗稻給做上記號，千萬別碰壞，晚後天我帶著上城去。

——你去城裡？裕成愕然站起來望著他白髮蒼蒼的父親。

——是啦，我自己帶著它和第一把割下的新穀去城裡，在紀念會上獻給偉大的國父，讓他在天上知道我們農家生活得滿好，也沒有忘記他。我帶小孫孫同去，要世世代代永遠感謝他的恩典。老人捋著鬍子，一字一字萬分虔誠地說。

——你老人說得對！就請你代表我們大家去向國父致敬！

不約而同他，三個人都仰起頭來，崇敬地望向天空。天宇高曠、壯闊、莊嚴而又寧謐。太陽投射下無限光和熱，萬物顯得欣欣向榮。天地間一片和諧，一片安詳，大家不禁肅然。

金色的陽光下，白髮閃閃，稻浪滾滾，時光默默流轉……

——爺爺！一個清脆雅嫩的聲音，像泉水噴自山澗，像鈴鐺抖動在風裡，老遠便喊著。——爺爺，阿爸，我放學了！

隨著兩隻白鵝伸長頸子，撲著翅膀，驚慌地喧鬧奔突，一個矯捷活潑的身影從田徑上飛奔過來，跑到老人身邊，摟著他的腿仰起了嬌憨的小臉問：

——爺爺，今天我又學會了一個新歌，叫〈農家好〉，唱給你聽要不要！

——要，要，要！老人撲著她一頭曬得暖暖的柔髮，慈藹地回答。

於是孩子抬起下巴，拍著小手，用清脆的聲音唱起來：

農家好，農家好，
青山綠水四面繞。
四望稻穀遍地黃，
微風吹過撲鼻香。
秋天忙過冬天到，
稻穀收割農事了！

唱到這裡，孩子頓了一頓，立刻，許多稚嫩的聲音前前後後，一起愉快地合唱著：

農家好，農家好，
你種田，我拔草，
大家忘辛勞。
收得米穀裝滿倉，
衣暖菜飯飽，

衣暖菜飯飽！

嘹亮的歌聲從四面八方湊合而來，飄揚在夕陽下，盪漾在田野中。老人牽著小孫女的手，踏著愉快的歌聲，緩緩地從田岸走回家去。新蓋不久的平房頂上，炊煙正裊裊上升，老伴兒已在曬穀坪上等著向這邊招呼了。從白鬍子裡，老人也不覺低低地唸叨著：

農家好，農家好，

青山綠水四面繞。

……

編註：本文原刊於公孫嬿等人編《國父百年誕辰紀念文藝創作集——第三集：收穫》，台北市：中華民國各界紀念國父百年誕辰籌備委員會慶典活動籌劃委員會，一九六六年五月初版，頁三四七～三五四。

文藝復興在今朝

五月，挾著光和熱，閃耀著繆司女神的彩翼，栩然來臨，給每個文藝工作者發出了響亮的信號：別忘了「五四」，那多采的、屬於你們自己的節日。

一年一度紀念五四，從當時的愛國運動，而思想革命，而文藝運動。事實告訴我們，這一個運動不僅在文學上開闢了新的途徑，奠下深厚的基礎，更是民主思想的導源，民族覺醒的號角，新中國誕生的轉捩點。由此可見文藝與國家民族關係的密切。一個國家的目標與文藝的目標是有一致性的：同樣地幫助人民追求人生的真、善、美。文藝的花枝，扎根在他民族的特性上；文藝的流向，遵循著他歷史的潮流；文藝的命脈，永遠配合著時代的脈膊，所以把五四定為文藝節，是提醒我們記取一個文藝工作者所負的使命。除了開會、宣言、雞尾酒的慶祝儀式，更不要忘卻文藝工作者對時代、對國家應有的貢獻。而在中華文化復興運動剛剛展開的今天，紀念文藝節尤其有著雙重意義。一則配合當前的現實任務，以民主思想導引文藝思潮的流向；一則提煉民族文化中優良的特質，予以發揚光大。然後鎔鑄於一爐，創立更新更正確的方向，產生更深刻、更完美的作品。

叨為一個小小的筆耕者，底下是我個人認為一個文藝工作者在現時代應有的責任、信念和寫作目標：

一、盡量在作品中表現並發揚我國傳統的民族特性：如崇尚德性、仁愛精神、堅忍奮鬥、刻苦耐勞。更進而陶冶民族的人格，喚醒民族的靈魂，塑造生存在這個大時代中每個堂堂正正的中國人的典型。

二、盡量創作配合這一時代的作品。提高民族的戰鬥意識，激發民族的戰鬥精神。幫助建設心防，不與惡勢力妥協，武裝思想，不向現實低頭，以文藝力量和戰鬥力量結合成一支巨大的洪流，摧毀強權，消滅紅禍。

三、多寫鼓舞人性向上向善的作品，發掘心靈中被生活湮沒的寶藏：例如博愛、同情、正直、慷慨、誠摯、容忍、正義感……堅定信心，提高人性的尊嚴，加強生存的勇氣，轉移世紀末人心頹廢的傾向。

四、作品的風格，即是作者人格的反映。因此在今天一個文藝工作者首先自己要具備積極的、進取的、健全的人生觀，高尚的人格，完美的品德，純正的良知，和嚴肅的寫作態度。不崇洋、不迷古，不為迎合一般小市民讀者的趣味，而粗製濫造，而灰色、黑色、黃色，貽害無窮。要致力在素質上改進、提高，進而幫助提高讀者的興趣，培養讀者高尚的情操。

在自由中國，每個文化工作者都擁有充分的自由，可以自由地寫自己要寫的東西，自由地發展，但因為自由，就更需要約束自己，警惕自己，絕不寫違背良心，貽害讀者，予社會不良影響的作品。愛惜自由、尊重讀者、重視當前的文藝使命，更必須珍重自己的筆！

在紀念自己節日的今天，在展開文化復興運動的前夕，每個文藝工作者都應該盡量發揮個人的智慧、才華，用整個心靈，全部生命力、全部熱忱，以及血、淚和汗珠，寫出經得起考驗的作品，使文藝成為文化復興的前導，更進而完成又一次光輝的文藝復興。

於岡山・民國五十七年五月四日前夕

編註：本文未明出處。

使命與方向

——兼致文藝營青年朋友

朋友：

你那充滿熱忱的來信很使我感動，你提出的：文藝有它的使命麼？是，又是什麼？這問題，也正是不多久幾位青年朋友與我討論過的。可以簡單地概括一句作為答覆：

文藝當然有使命，是服務人生。

為什麼服務人生呢？打一個最淺近的譬喻：我們都知道人類是不能脫離生活的，而生活可以分作兩部分，物質的和精神的。以物質生活中最普通也最不能缺少的飲食問題來說：我們喝水，不只是為的止渴；吃飯，不光是為的充飢，主要的目的，是吸收養料，使我們身體健康，活力充沛，可以從事人生的各種活動。平常，我們都習慣把文藝作品看作精神糧食，可見文藝對每個人的精神生活跟飲食對人體的健康是同樣重要的。我們欣賞文藝，或者創作文藝，不僅是為的消遣、娛樂，而是因為它能啟發人類的智慧，增進我們生存的勇氣，培養我們高尚的趣味和情操，豐富我們的思想和感情生活。鼓舞人性向上向善，更進而幫助我們追求生命的真、善、美，指引我們人生的目標，文藝的出發點既然是「反映人生」、「啟發人生」、「美化人生」和「製造人生」。因此，毫無疑問的，它的使命便是服務人生了。

人的生存，自有他的歷史背景、民族淵源、國家觀念、生活環境。當然，文藝與它的歷史路線，時代的潮流，以及國家民族同樣是不可分割的。民族是自然組合的，龐大而特殊的群眾團體。而做為文藝工作者本身自然亦是這某一大團體中的一分子。他說自己的話，也說大眾想說的話，他反映一己的生活，也反映這一時代的社會。他表達一己的思想觀念，也表現這一民族的精神和思想，他刻劃一己的希望和理想，也刻劃大眾的希望和理想。所有的作品，都包含著這一民族的特性。也就是說：某一民族所特具的文化、精神、道德，都需要文藝作品來互相影響，而使之發揚光大、永垂不朽。舉一部無人不知的文學巨著《三國演義》來說，不僅將我國傳統的忠、孝、節、義，民族精神表揚無遺，同時也反映出那一時代的背景、思想、生活。一部《雙城記》，也鮮活地反映出法國人的民族特性和大革命時的歷史背景。儘管滄海桑田，時光過去不留痕印，但藉一本文藝作品卻流向迄今，確稱得上永垂不朽。

我們知道了文藝的使命，也了解文藝必須循著歷史的路線，配合時代的潮流發展，而在今天，在我們所生存的這個時代，文藝當前的現實任務，應該是配合全人類為撲滅強權，爭取民主自由的戰鬥，全民族為挽救固有的文化道德，所做復興中華文化的運動，創立更新更正確的寫作目標和方向，開拓更健康、更寬敞的寫作路線。在作品中，盡量提高民族意識，激發民族精神，表現並發揚傳統的民族特性、道德，提煉民族文化中優秀的特質，鼓舞人心向上向善，提高人性的尊嚴，在平凡的生活中添注些勇氣，再給頹廢的心靈增加些活力，從醜惡的現實中去發現美和善……凡是能配合時代潮流，經得起讀者和時間考驗的作品，才是有意義的、可以流傳不朽的作品。

是的，我們寫作，為的是由於內心的情熱所驅使，但也由於社會責任和良心的需要。如今，年輕的朋友：如果你已決定選擇寫作。那麼，莫再躊躇，莫再遲疑，拿起你的筆，重視文藝的使命，認清寫作的方向，投入文藝陣營中，做一名勇往直前的鬥士。

編註：本文原刊於《中國晚報・文藝陣線》，一九六九年八月十二日，第五版。

不凋的花朵

——兼祝《亞文》一百期

看那花朵，那聖潔的花朵綻開著，
在朝露的潤澤中，在陽光的照耀下，
展示一片生意。

看那花朵，那純真的花朵綻開著，
在狂風驟雨中，在閃電響雷下，
顯示無限堅韌。

看那花朵，那高貴的花朵綻開著，
在飄雪的日子，在凝霜的辰光，
顯示無限倔傲。

那是思想的花朵，思想的花朵是長春花：永不在任何季節凋謝。
是那不凋的花朵，把春天留在人生的花園，讓芬芳散布在你案頭。
看那花朵，那絢麗的花朵盛開著，
在清朗蒼空下，在遼闊的原野上，
閃耀著鮮明的光彩。

看那花朵，那優雅的花朵盛開著，
在陰霾籠罩中，在濃霧密布下，
散發出瑩澈的光暉。

看那花朵，那璀爛的花朵盛開著，
在黃昏的暮靄裡，在黑夜的深沉中，
揚射出熾灼的光芒。

是那智慧的花朵。智慧的花是唯一發光的花，永不在任何時節凋零，是那發光的花朵，照亮你心中的明燈，照澈你的性靈。

不凋的花朵，開在永恆的春天，一朵花一個春天，一百朵、一千朵花，一百個、一千個春天。花朵自將賡續不斷地開放，且把春天長留在人生的花園，讓芬芳永遠散布在案頭，明燈永遠照澈你的性靈！

編註：本文原刊於《亞洲文學》第一〇〇・一〇一期合刊，一九六九年九月，頁五十～五十一。

沙漠變綠洲

——文壇的回顧與前瞻

二十年前，當我肩挑憂憤，心懷離愁，匆匆跨上台灣的綠岸，第一眼的感覺是不愧為美麗的寶島，當我卸下行裝，進入城市，進入鄉鎮，我卻不禁失望地感到，這竟是一座「荒島」！

一點不錯，對一個愛好文藝，或從事文藝工作者來說，儘管土地肥沃、物產豐饒，但它卻是一個貧瘠的荒島，一片枯燥的沙漠。儘管陽光普照，四季如春。但它卻面臨著一個淒涼的，文學上的寒冬。

「……作為反攻基地的台灣，我們的文壇卻停滯在真空狀態，零零落落的幾種雜誌，不是內幕性就是趣味性的；報紙副刊則是一盤大雜燴；書店裡陳列的只有言情章回，或武俠傳奇，純文學的作品簡直是鳳毛麟角。在反極權戰爭最劇烈的今天，當民眾最感苦悶動搖的時候，我們卻忘卻了最犀利的攻心武器，忽略了堅定信心、鼓舞人性的法寶——文藝。……」

這一文字，是我在民國四十九年年初，為響應文藝工作者的呼籲，所寫的〈再來一次文藝運動〉一文中，提到的當時文壇的空虛情形。

於是，有人在寒冬中，在堅硬的土地上，開始勤奮地拓荒，開墾……。不怕寂寞，不問收穫，只盼望自己獻出的一份熱，播下文學的種籽，喚醒沉睡的心靈。

報紙副刊首先帶來了曙光。接著，純文藝刊物和集子，晨晨般一顆顆閃現在黎明的天空。朝陽下，耕耘者的影子曳得好長好長，在那新墾的土地上。

五年、十年，看看二十年後的今天，又是怎樣的一番新氣象！

書店裡、書攤上，到處展示著一冊冊豐富美觀的文藝雜誌，一本本的文藝作品，和一套套整齊精緻的文藝叢書；各種文藝活動廣泛展開，上一代、中間代，以及年輕的一代，共同感受著時代脈搏的跳躍，共同肩負著時代的責任，共同拓展這無限大的精神領域。

各種的文藝獎金顯示出國家與社會對文藝的重視和鼓勵。

年輕一代的文藝愛好者是幸運的，當他們走上寫作的道路時，不再孤獨寂寞，而廣大的園地正敞開在前面。

荒土原來並不貧瘠，我們的園地中已花木茂盛，綠草芊綿，生意蓬勃，欣欣向榮！復興文藝的樹苗已深深扎下了根，不朽傑作的種籽已播種在肥沃的泥土中。

寒冬已過去。

當文學的春天來臨，沙漠便成了綠洲。

編註：本文原刊於《幼獅文藝》第三十二卷第一期，一九七〇年一月，頁七～八。

最好的慶祝

當春天來臨，擁有花朵的燦爛、絢麗，以及無限蓬勃的生意。

當五月來臨，閃耀著文藝工作者光輝的理想，充沛的熱情，和一片真誠。

五月，是文藝播種、萌芽、開花的季節，是屬於文藝工作者自己的節日。

有春天，世界才能繁榮不絕，萬物才能生存不滅，有勤奮耕耘的文藝工作者，文化才能不斷進展，我們的文藝園地也才能欣欣向榮、生生不息。

為維護真理和正義，維護人權和自由，我們的筆，是不流血的武器。

為追求更完美的人生，發掘更優良的人性，創造更豐富的生命，建立更合理的生活，我們的筆，是最好的工具。

為增加人與人之間的了解，聯繫人與人之間的感情，我們的筆，是最佳的橋樑。

隨時抓住那思想上迸射的火花，智慧所閃熠的光彩，生命力的躍動，感情上的激奮，和良知上的不平。用我們的筆，使那易逝的不朽，短暫的永存，無形的有形。

當我們以嚴肅虔誠的心情接受了文藝，便當視作生命的一部分。永不鬆懈、停止，或放棄。正如漢明威所說：「堅強地活下去，寫出不朽的作品。」

寫作的路是艱辛的，但我們有披荊斬棘的勇氣。寫作的路是無止境的，但我們有鍥而不捨的精神。寫作的路是寂寞的，但我們能化寂寞為熱忱。而這條路上，卻從沒有時間的限制，年齡的區別，學歷的徵選。在創作的生命中，年輕的果然年輕；已經不年輕了，仍舊保持年輕的心，創作便是進步，進步中是不會有衰老的。在有生命的日子創作，而創作，使生命光輝，使生命充實，使生命延續，永遠、永遠循環不息。

在這屬於自己的節日，我們當舉筆互勉，我們當自我策勵。投下全部熱忱，獻出全副心力，再接再厲，努力創作。唯有最好的作品，才是最好的慶祝。

編註：本文原刊於《台灣新聞報・西子灣副刊》，一九七〇年五月三日，第九版。

誰家好女兒

星期日的天氣特別晴朗，星期日陽光格外明璀，星期日的台北街頭人潮湧來湧去。不屬於這潮流的我，被波浪推動著、沖激著，像一滴濺開去的水珠，濺落在一家冷飲店裡。

唱片正播送著五花瓣合唱團，一個清脆嘹亮、優美清稚的歌聲，迴盪在室內，還不是上座的時候，三桌顧客彷彿一個不等邊的三角。我占了角外的一角，啜著冰鎮的檸檬水，暑氣全消，無汗自清涼。快樂而年輕的歌聲中，不時攙雜著快樂而年輕的笑語，細碎的、銀鈴似的，自斜對面的座位上飄過來。三頭飛揚蓬鬆鬆的短髮，三張純稚可愛的臉，三件明豔活潑的迷你裝。正是無憂無慮的年齡，寶貴的黃金時代！窗外的陽光沒有她們的笑容燦爛，瓶中的玫瑰不及她們的青春甜蜜。

那個清脆而甜潤的歌喉伴著輕快的旋律在唱：

……喔，媽媽，我是你的好女兒！

……喔，媽媽，我是你的好女兒……

正是誰家的好女兒！那個面對著我的女孩有一張娃娃似的圓臉，小小的鼻子，眼睛不住閃眨著，鵝黃色白翻領的衣裙，襯托得皮膚越加白嫩。她每次舀起一小匙冰淇淋來，總是先伸出舌頭來舐兩下，那動作顯得十分稚氣。另外兩個肩並肩坐著的女孩，裡面那個長得清清秀秀，側影裡柔和的線條有點像雷諾爾筆下的少女。靠外面那個是那種粗線條的女孩，大眉大眼的，說話時不停的比手劃腳，短髮被風扇吹拂在眼睛，總是那麼把頭一昂，一舉手一投足都顯出不在乎的樣子，那種誇張與矯揉與她的稚態頗不調和。她們三個如果說是姊妹，不但長得完全不像，年齡也不會這樣接近。大概是同學、朋友或鄰居什麼的。緊挨著坐在娃娃臉旁邊的中年男士想來一定是她父親罷，一手攬著她的椅背，不住側轉臉說幾句話。在人人都只顧著賺錢、忙著做公共關係、忙著追求物質享受的今天，一個做父親的能趁著一天半日假期，陪著女兒連帶她的朋友，出來看看電影，吃吃冷飲，輕輕鬆鬆，調劑調劑的，實在不愧為一個懂得疼女兒的好爸爸。

這一會，那做爸爸的又低下頭去，貼近娃娃臉的耳畔，帶笑在說什麼。出人意料之外的，娃娃臉竟順手在碟子裡蘸蘸，撮著三個手指向中年男士一彈，連水帶冰屑濺了他一臉。呀，這真是太嬌寵慣了，女兒這樣放肆地向父親開玩笑，未免太過分了些。再看那男士的反應，卻依然涎臉帶笑，毫無慍色。而且，仔細辨認，覺得那瞇細的眼睛裡似乎閃爍著什麼邪惡的光焰，那笑中有不潔的味道，那擱在椅背上的手攬著她的肩膀一摟一捏的舉動，不僅不像父女間的親暱，且顯得很輕薄——難道他們不是父女，那是什麼？年齡相差如此懸殊，好不蹊蹺，我怵然想起報紙上的一些社會新聞：純潔少女受色狼的誘騙……不，不會的。大概是我神經過敏，是我觀察錯誤。看人家那樣衣冠楚楚，儼然人模人樣，看人家那麼純稚嬌憨，分明是誰家好女兒。

忽然，坐在我前面座位的一個男士做了個手勢，那個不在乎的女孩子便坐了過去，當他們說話時，右桌上的一個男士也側轉椅子來傾聽，顯然原來是相識的。唱片正在這時轉完了，女孩子的聲音突然冒了出來。

……阿李給飛飛吃了三顆藥丸，發瘋一樣……

……小黑桃和老章……他說丟了五千元，真氣人！

……跳一個痛快，好愜意喲！……

簡直教人難以相信，這種語氣，這種說話，會出自一個小小的女孩子嘴裡，可是明明一句句像敲釘子似地敲進了耳朵，真不能想像！

音樂又掩蓋了笑語聲。但那粗線條女孩子比手劃腳，一副跋扈的樣子仍在自我炫耀；娃娃臉，揚著一頭短髮放肆地笑著，清秀的那個卻咬住吸管在噴汽水。三個大男人都涎著一副邪惡的嘴臉釘得牢牢的——真希望她們的父母這時候忽然在這裡出現，看看他們撫養大的愛女怎樣懵懵懂懂被惡魔牽引到深淵邊緣！當她離開你身邊時，是這樣告訴你的嗎？「媽媽，我到同學家去做功課。」「媽媽，我和同學去看電影。」可是，做母親的又在做什麼呢？忙著工作或瑣碎的家事，忽略了女兒的行動；忙著照顧更幼小的弟妹，冷淡了大女兒的感情，抑是自己浸沉在不良嗜好中，完全漠視女兒的存在？是誰的責任，是誰的錯誤？做父母的難道不知道她們天真，但也幼稚；她們純潔，但也蒙昧；她們善良，但也柔弱。需要小心保護，仔細照顧，諄諄啟導，原是半點也疏忽不得哪！

室內明燦燦的陽光，但是，我看不見衣冠楚楚的中年男子，看不見純稚可愛的小女孩，只有三隻披了人皮的狼，和三隻可憐迷途的小羔羊。

唱片又在重複著那支歌，卻不再是快樂活潑的旋律，彷彿在無可奈何地悲吟，聲嘶力竭地呼喚。

……喔，媽媽，我是你的好女兒！

……喔，媽媽，我是你的好女兒！……

我不忍再聽，我不敢再看，匆匆逃出冷飲店，又投入陌生的人群，淹沒在人潮中。

編註：本文原刊於《國語日報》，一九七〇年六月三日，第七版。

三點小小的意見

一、發展民族文學。我們知道文學與民族的關係是非常非常密切的。民族原為自然組合的群眾，而文藝工作者是這團體中的一分子，他生長於此，說自己的話，寫自己的生活，反映自己生存的社會，表現這一民族的精神和思想，亦即是說文學作品必須植根於某一民族的特性上，才能茁長和茂盛。我們可以在技巧上創新。在內涵中，在原則上卻不能脫離民族文學的本位。應當盡量在作品中表現自己所屬民族的優良特性，互相影響，發揚光大，使民族特性和文學作品融洽貫通，同垂不朽。

二、要有健康的作品。作為人類發展，時代邁進里程碑，不是歷史、不是科學，是小說，而散文是超越時空，提升性靈，純粹智慧與思想的結晶。在今天，我們要有更多能在動亂中反映時代，維繫人心，能在當前的風暴中，擷取人生意義，指出正確方向的小說，要有更多鼓舞人性向上向善，提升心靈至更高境界的散文。並遏制那些頹廢、色性、荒謬，如意識流、存在主義之類的氾濫，唯有健康的作品，才能在文學發展中具有重要的地位。

三、交流與發揚。文藝工作者所闡揚的是真理，所愛好的是和平。而如今面臨著一個共同的威脅，應該破除國際的藩籬，增進彼此的了解，團體一致，而要了解一國人民的生活、思想、社會背景，莫過於文學作品（還有別人的寫作技巧等）。在這方面，我們目前翻譯過一些歐美文學，對鄰近亞洲國家的作品卻鳳毛麟角，自然，我國的作品翻譯出書的更少而又少。希望能有這麼一個組織，有系統的介紹別國的作品作為觀摩，同時使我們的作品亦能發揚於海外。

編註：本文原刊於《文壇》第一二〇期，一九七〇年六月，頁十一，為「我們對文學的意見」專題文章。

童心

紅花瓶

約翰與愛德華弟兄二人，時常會為一些小事情而爭得面紅耳赤，他們每個人都說其他的那個完全不對。有一天他們的父親又聽到他們那白熱化的爭辯，於是，就把他們叫到書房裡，讓他們對坐在桌子的兩端，然後自壁爐上拿下一個一面刻有白玫瑰的紅玻璃花瓶來，放在桌子中央。他對約翰說：「你看到的是什麼？」「我看到一個紅花瓶。」約翰說。他又對愛德華說：「現在告訴我你看到的是什麼？」「我看到紅花瓶上有一朵白玫瑰。」

「孩子們，這就是因為你們的觀點不同。」

孩子們明白了，到如今，無論什麼時候，每當彼此為了意見不同而要展開那無結果的爭辯時，他們就會想起那紅花瓶，立刻知道又是觀點不同了。

鬆開的手掌

我十歲時，在學校中找到了我第一個真正的遊伴，我們之間的友誼對我是非常重要的。由於人天生的占有欲，我發現任何她感覺興趣的事如果不包括我時，我就會非常的嫉妒。我並沒有將這種心情隱藏起來，而她自然也生出了不高興的反作用。

媽媽知道這件事了，有一天當我們在玩賞雛雞時，我拿起一隻來緊緊地握在手中，幾乎將牠悶死，牠掙扎著要跑，自然牠一會就真的跑掉了。媽媽淡然地說：「如果你將一隻雛雞握得太緊時，牠只想跑開，試一試輕點握牠。」

第二隻雛雞安靜地臥在我放鬆的手掌上，媽媽說：「親愛的，你要知道人與雞是一樣的，如果我們將所愛的人握得太緊時，他就要為了自由而掙扎，手放鬆一點，他就不會覺得要窒息了。」

這幾句話是很有效的，雖然我有時仍覺得嫉妒，但當那安逸的雛雞臥在我放鬆的掌上的那幅圖畫重現在我心靈時，我就不再嫉妒了。

不只蠶蛾如此

我像大多數淘氣的男孩一樣，常常遇到困難，然後跑到媽媽跟前請她幫忙解決，可是媽媽總是讓我自己想辦法。我不懂她為什麼拒絕幫助我，直到有一天我看到一個蠶繭在跳動，我就用小刀將繭割開，好使蠶蛾很容易地出來。媽媽在一旁看著我做，使我非常失望的是牠並沒有飛，因為牠還沒有完全變好。

「孩子，」媽媽說話了：「這蠶蛾的掙扎是有目的的——為了多獲得一點力量，好使牠能在牠一直爬行的世界上飛起來。你不等牠長好，現在牠既不能飛又不能走。你也是這樣的，如果凡事都有人替你解決，你就沒有發展能力的機會了。我們如果能獨自經過一段困難，就可以建立一些新的力量，好應付下一次的困難。」

不能收回來了

我的小妹時常喜歡說些關於她遊伴的謠言，這個毛病常使我家和鄰居們吵架。她以為沒有關係，每次責罰她以後，她總是難過地說：「我將它們收回，只當我沒說好了。」

對於妹妹這種惡習，普通的懲罰是無效的，媽媽想起了她從她媽媽那裡學來的教訓。她叫妹妹到院中將鵝毛枕拆開，妹妹照做了，媽媽說：「我要妳將飛出的羽毛收回來。」

「那是不可能的！」妹妹說：「它們已經吹到四處去了。」

媽媽回答說：「它們正和妳亂講的故事一樣，只要它們散播出去，是沒法收回來的。」

現在每當我想重述謠言和閒話時，我就想到了這教訓妹妹的一課。

編註：本文原刊於《中國時報・人間副刊》，一九七三年三月一日，第十二版。

夫妻本是同林鳥

據說昔日英國一位侯爵，擬以家財一半，獎給天下永不發脾氣的賢妻，因他確信地球之上，沒人合格領獎。侯爵的意見，固然極妙，但是有資格得獎的人，事實真的很少。

想來他大概是受了夫人太多的氣，才作此牢騷語，說來男人也可憐，曾經此苦者不知千千萬萬。相信當年美國駐關島的空軍氣象組長也是「下官曾經此苦」，所以才定颶風曰某某小姐。

實在，颶風正像女子一般，無從預測，以女性名之，妙極，妙極。現在，且讓我們作一假定——大膽地假定尊夫人正在發脾氣，閣下面對雌威，怎辦？

一、你發火，迎頭痛責，比她來得威風，來得猛厲，吵鬧一陣，大打出手，誰勝誰負且不說，勞氣毀物也不置論，單說太太哭了、絕食、服毒自殺，如何善其後？要不就是回娘家，不回來了，那時還要勞動親友，調解呀，賠罪呀，面子更難看。更壞的是鬧離婚，何堪設想？

二、也許你不發火，只冷嘲熱諷，激起她吵、鬧、打，結果仍與前者相同。

三、或者你不出聲，只投以鄙屑的眼光，難看的臉色，但這樣不但沒有把她征服，反而挑起她憤怒與怨恨，事情只有擴大，而無益。

四、你置之不理，視若無睹，她為你的蔑視、冷淡，當然更不高興了，脾氣更壞。

說到這裡，也許你忍不住要問，那麼太太發脾氣了，該怎麼辦呢？回答這句話，真比寫博士論文還難，因為對付女人脾氣，談何容易？而且脾氣有多種，或大發雷霆，或長氣如絲，或忽怒忽息，或不言不語……單是分類，就可著「脾氣目錄學」，再述下去，必成大英百科全書了。

這裡不想寫博士論文，也不擬立言千古，只想輕輕鬆鬆從家常找點哲理。要輕鬆，最好當然是講故事了，現在且讓我來告訴你一位「標準丈夫」。

據說從前有一位先生，晨起太太發脾氣，他默然恭聽，太太問道：「聽到嗎？」答曰「聽到。」又問道，「對不對？」點頭稱是。太太像唸經般發牢騷，他聽訓無倦容。

看看日上三竿，時間不早，太太嘴也麻了，他才瞧瞧時鐘，柔言問道：「太太，沒別的事吧！我上班去了。」

聽到這裡，不論是褒是貶，你必拍案叫絕，歎觀止焉。無論如何，在他本人，堪稱成功，最低限度，有三種收效：一為檢討自己過失，做「正心」、「誠意」，乃至於「修身」、「齊家」功夫。何謂齊家？顯然地，家庭不致吵鬧，無啼哭、絕食、上吊、或離婚之憂。

二為訓練涵養功夫，有此功力，處世逆來順受，保無撞板。

三為不礙太太健康，給她發洩悶氣的機會，像酷熱時，下場大雨，人畜平安。

也許這對你只是假定，你的太太絕不如此。不過，凡事作最壞的打算，總保有備無患。

你也可隨機應變，學戚繼光。聽說這位名將，有一天，想起自己堂堂大將這樣威風，卻那麼怕老婆，氣憤不過，戎裝佩劍，走進閨房準備和她算帳。夫人睡在牀上，見他這樣子，問道：「為什麼佩劍入房？」他心一慌，肅然啟稟：「請夫人閱兵。」

你能「請夫人閱兵」，保證緊張空氣會馬上緩和下來。

另一個辦法，是把時間拖延，假如她因所求不遂而發脾氣，你一時應付不了，用緩兵之計如何？例如她要置新裝，而你無此預算，她正在發脾氣，這時你要解釋，難獲接納，那麼把問題拖延，求她考慮一兩天，在這一兩天內，你有婉轉解釋的機會——雖不敢保證地同意，總較當場衝突好。

此外，據說嘻皮笑臉，也可沖淡太太脾氣。你有無這種經驗？這種天才？不過，你得小心，你的嘻皮笑臉是否增加地反感？有些太太不許丈夫對她滑稽幽默，正像對著聖旨不得做鬼臉，否則就有大逆不道之罪。

但無論太太發脾氣有無理由，當其發作時候，切不可輕蔑，說不定一句傷她自尊心的話也會激起禍患，不可收拾。

有些可喜動作，也能使脾氣頓消。假定她喝咖啡，你願否動手一煮？要不然，清茶一杯，糖果一粒，相信，當你奉茶、呈糖、獻果之際她必拒絕，因她怒氣方盛，不接受乃常情也。不過，她心裡的怒火，經你這一手，已降一半，不信，不妨試試——那是「消火清涼劑」，常常有效。

然後你請她一道出外走走，下下小館嗎？看電影嗎？散步嗎？頂好到公園，到林蔭道上，萬綠千紫，讓大家散掉點俗氣，也看看人們恩愛的夫妻。這樣慢慢走了一趟回來，雖然彼此表情仍然默默，但她一定會懺悔著，也笑著剛才的發脾氣真無謂。

也許事情沒有這樣理想，那麼學點阿Q精神又何妨；夫婦間，何必逞強？退而自慰，不失為賢明之道。你可當她是上司，被上司罵幾句，有什麼法子？你也可當她大自然的天象，偶然驟雨淋濕了，是小事情。

也許你不這麼消極，那麼，積極更佳。你可深自檢討：第一、必是自己過失，以致太太這樣，那麼改過進德，向她認錯；賢者勇於自責，責備自己是頂漂亮的。第二、也許自己對太太敬愛不周，才致如此。今後應如何體貼、溫慰親熱，敬重，以求歡心？你能想到這裡，愛情已有進境。

編註：本文原刊於《中國時報・人間副刊》，一九七三年四月十日，第十二版。

美的喜悅・靈的享受

——記葉蓓芬畫展

使萬物不朽，自然再造，生命永在，世界恆新。什麼人有這樣的權威，這樣的魔力？畫家，和他那一支多采多姿、揮灑自如的彩筆。

已故大畫家吳子深先生曾說：「蘇州人都喜歡搨（畫）幾筆，就跟北平人都會哼幾句（平劇）一樣，是一種傳統的天性。」

記得小時候去遊覽蘇州古蹟滄浪亭，小橋流水，曲徑通幽，古雅幽邃的純東方園林中，掩映著一幢軒朗的建築——美專，只覺得在裡面習畫的人自己就在畫中，好不教人心嚮神往。

雖然生為蘇州人，也直嚮往那個超然物外的境界，許是天性、機緣都不夠，造化卻分配給我一支只能爬格子的拙筆，而同鄉摯友葉蓓芬，天生蘭心慧質，才華橫溢，集靈秀之氣於一身，既擁有比傳統更優越的天賦，也是著名的蘇州美專高材生，在校時就勤於探求藝術的表現，學藝超群。之後又負笈東京深造。抗戰初期返國，在母校及上海市立師範、新陸師範執教，開過幾次畫展，當時曾震撼春中藝壇。來台灣後，雖然由於本身工作轉移，平時依然忙裡偷閒，作畫不輟。不管工作如何忙累，生活如何煩擾，每當面對畫布構思揮毫時，她立刻付出全副熱忱，投入另一個物我兩忘的境界，甚至廢寢忘餐。她熱愛人生，忠於藝術，從事繪畫，有信徒的虔誠，卻又十分謙虛，作品從不輕易示人。

去年她去了一趟歐美，專事觀摩世界名畫，考察國際繪畫的新趨向，作為自己的借鏡。由於友好的一再鼓勵敦促，這次才從三十餘年的作品中，精選六十餘幀佳作，雙十節在新聞報畫廊作來台首次個展。

展出作品有風景、人物、靜物，大多以寫實為主的風格，而造形飄逸，意象典雅，筆觸細緻纖巧中兼有雄渾的氣勢，流動的神韻，給人的感覺不僅是視覺的愉快，更傳達了精神上豐盈的美感，引起心靈共鳴。畫家感情的醞釀，思想的昇華，以及內在的生命，完全藉畫面表達，充滿了感染的力量。葉蓓芬已掌握住所謂：「外師造化，中得心源。」充分發揮她精深的造詣，奠定了獨樹一幟的風格。

大自然原是最美的畫材，融貫了藝術家的意象與智慧。蓓芬似乎天生具有那份對自然的契機，畫風景時擅於先培植自然的形象於胸壑，復又捕捉自然的神髓於筆觸，化作彩色的韻律，音樂的氣氛，那空靈幽美的境界，令人沉醉，令人神往。

〈波影天光〉：蒼蒼鬱鬱的森林，兜一灣幽幽邃邃的湖水，樹的翠、天的澄藍、彩霞的橙黃、和遠山的一抹淡紫，全深深淺淺交輝映在平靜的水面，一雙白鷺正貼近那片透明炫麗的色彩之流，優美的滑翔。湖岸柔潤的弧線越加烘襯出樹群的蒼勁挺拔，疏朗中自有茂密之致。林中青苔披覆，荒徑淒迷，那份完整而幽美的寂靜，那種悠遠神祕的氣氛，彷彿只屬於夢中幻景。

〈日落而歸〉：日升、日落，太陽每天升降，一對平凡的眼睛絕不會發現夕照竟如此神奇和美妙。清澈的小溪、屹立的樹，以及駕牛車歸去的農人，只是構成一幅平靜的黃昏，可是一經落日餘暉揮揮灑灑染得亮澄澄的，一切便顯得生動起來；溪水披著亮麗的黃紗蜿蜒吟唱，兩岸小草也欣然搖擺，挺拔的樹彷彿還在往上竄高，也許想接近上帝。那片鮮黃的稻田像是一堆流動蒸騰的硫磺。人和牛沐浴在柔和的光線中，帶著完成工作的悠閒，一路欣賞野景，任憑牛兒緩緩自行。靜謐安詳中，流露出生命愉悅的節奏。

〈出海〉：好一片深遠、明靜的藍調子！藍的是天、是海，抑是破曉時分將現未現的曙光？凌晨的海是平靜的，浪花輕輕拍岸，一艘艘漁船安然停息港灣中。但向海討生活的漁民必須趁日出以前，航向遠洋。生活是一場毫不放鬆的搏鬥，不管海風凌厲、浪濤洶湧，正預備全力以赴。一色的藍，刻劃出山的沉雄，水的明澈，更有人們求生存的勇氣和力量。

〈夕陽歸帆〉：那一堆堆耀眼的、強烈的赭紅色和金黃色，老遠就震撼著你，穠豔的晚霞染紅了天、滲透了水，夕陽輻射了太多色彩，自己反因貧血而蒼白了。一點白帆，浮盪在遼闊浩瀚的海天之間，那麼渺小，那麼孤獨，海上辛勤撒網，歸程中不知載回的是收穫抑是辛酸？

詩為心聲，畫為心形。擷取思想的菁英，揉合了人生的哲理，和生存的原則。以個人的內心感應，用藝術的語言，訴諸創作，〈人生〉、〈少女的夢〉在形式上是一種突破，在內涵是豐富的真摯情感、生命的啟示、人生的探討。生命是什麼？人生又如何？永恆的，抑是短暫的？是光輝美麗，抑是陰暗而冷酷的？是豐富充實，抑是空靈貧乏的？是歡樂幸福，抑是悲哀痛苦的？幾株紅豔卻即將凋謝的玫瑰、一支餘光將盡的殘燭、一個木木然的骷髏。青春、愛情、事業、美女、英雄，任何燦爛輝煌，終究歸於沉寂。原是人生的歸宿，而蠟燭燃盡，也不再發光，但它究竟照亮過自己，也照亮了別人和世界。無限感慨中，卻仍然表達出崇高的人生觀，顯示生的意義。〈少女的夢〉——煥發的青春，花般年華，充滿了美麗的幻想。對人生有太多的憧憬，對生活有太多的構想，英俊的白馬王子、純潔的初戀聖壇、潔白的披紗裡輕攏著一顆熱誠奉獻的愛心。玫瑰花、康乃馨堆砌成詩情畫意的未來，錦繡的前程。每個女性一生中都曾擁有這樣多采多姿的綺夢，可以是一則雋永的散文、一首純情的詩，然則用鮮豔濃烈的彩色，優美錯綜的線條所表現的，遠比白紙上的黑字更生動、更雋永，更引人入勝——畫，原是人類最高思維的表現。

其他展出佳構，美不勝收，我曾在南部一住二十年，常去蓓芬雅緻的精舍分享她繪畫的喜悅。這次畫展盛舉，我卻遠在台北。唯有就記憶所及，寫下些外行人的觀感及愛慕之忱，代表我衷誠的祝賀。更盼望不久能在台北展出，讓更多愛好藝術的朋友分享美的喜悅。

編註：本文原刊於《台灣新聞報・西子灣副刊》，一九七三年十月十一日，第九版，後經艾雯添筆而成。

巨星不滅，永照宇宙

如果沒有那一天，閃爍半世紀的巨星怎會殞落？如果沒有那一天，照耀一甲子的慈暉怎會隱斂？如果沒有那一天，全世界民主堡壘中怎會遽然倒下了象徵自由的大纛？如果沒有那一天，人類拓展的歷史上也許仍將賡續不斷地創造偉蹟。

然而，那一天，民國六十四年四月五日，像一枚熾熠灼熱的烙印，殘酷地在每一個中國人心上烙下深痛的創痕。那一夜，清清冷冷的民族掃墓節之夜，猝然間狂風驟雨，沉雷轟輾，驚天動地。是顯示巨靈崩殂之時，天象示兆：是為拯救苦難中的中華民族而暫駐凡塵的天上星宿歸位！天鼓擂響，風雨開道，一夜之間，中國人卻失去了偉大的領袖，民族精神的象徵，仁慈的大家長。當噩耗遽然傳來，猶如迅雷轟殛，一瞬時天昏地黑，彷彿時間已停頓，地球在腳下崩陷，世界末日來臨。緊接著悲痛和哀慟潮浪般洶湧地淹沒了我，一波一波，不住在胸臆中沖激迴盪。

意識中，當我有記憶時起，就生活在總統蔣公他仁慈光暉的照耀下，涵泳在他完美人格的照射中，薰陶在他崇高精神的潛化裡如同沐浴著陽光、呼吸著空氣、吸飲著清水一樣自然，一樣密切。在澤照下茁長、成熟，承受時代的考驗，化柔荏為堅忍，戰勝苦難，克服生活，度過憂患，直到如今。

猶記得抗戰初期，隨父親江西赴任，七七事變，家鄉旋即淪入烽煙中。少年的我，著卡其布衣裙，戴青年團臂章，參加保衛中國，驅逐敵寇大遊行，壯大的男生高擎國旗，和蔣委員長威武凜凜、神采奕奕的巨像前導，我們一個個執著火把的行列似一條火龍，照亮了大街小巷，「中華民國萬歲！」「蔣委員長萬歲！」的口號歡聲響徹山城的夜空。而他英偉的巨像，是一支最亮最烈，永不熄滅的火炬。光芒四射，照亮每一角中國的領土，燃起每一個中華兒女抗戰必勝的信心。

抗戰末年，黎明前最黑暗的時期，避難的小城鄰縣相繼失陷，年輕的我甫遭失怙之痛，侍奉老母幼妹，翻山越嶺，隨服務的報社撤退至僻遠山村。風聲鶴唳中，仍不忘收電訊印報，偶然收音機中傳來他宣讀告同胞書的聲音，那一聲沉痛、有力、兼富感情的「同胞們！」，真能使人熱血沸騰、熱淚盈眶，縱使烽火隔絕，感覺上他就在不遠處穩若磐石地指揮大軍守土拒敵，領導全民衛國抗戰。訓示印在毛邊紙的報上，送報人矯裝紙販冒著萬死偷過山壑，分送到敵後，被搶著傳觀。「奮鬥到底，堅持到底，最後勝利必屬於我中華民國！」他堅決果斷的聲音迴盪在每個中國人的心裡，凝集成一股銳不可當、越挫越勇的戰鬥力，終於獲得最後勝利。

而紅禍氾濫，轉來台灣復興基地，總統府巍然屹立在交通要衢。來去經過，想著總統蔣公他老人家便坐鎮在裡面，日理萬機，策劃復國建國大業，籌劃民族福祉藍圖。那幢樸質古老的建築便成了萬民所以仰賴的精神堡壘。船上的舵室，海島的燈塔，二十多年的勵精圖治，寶島物產富庶，人人享受著安定中求進步的生活。紀念節日，更常聽到他金石般錚鏘的聲音，播揚在自由空氣中，有激昂憤慨，強調反共復國決心的昭示，有諄諄告誡，注意品德生活的教誨，有對青年的鼓勵和關懷，有對全國同胞耳提面命的親切叮嚀。去士林看花，總覺得花草特別鮮妍，樹木格外青翠，只因時時親近他的謦欬。他的形相聲音，精神意志，更是無處不在，無時不在，早已超越具象，深植在人民心靈深處，充塞在天地之間。有如陽光普照，大氣沛然，半世紀以來，他披荊斬棘，從混沌中創建了中國的現代史，他肩擔起這一民族的苦難。更為中華兒女鋪砌了民主自由的道路。他的偉大、崇高、萬能，在萬民心目中是神。但是是奉獻自己，深入人間，關懷民瘼疾苦的神。他的英明睿智，大德大義，是世人公認的曠世偉人；而這偉人又是仁慈寬達，親切愛民的大家長，生活極其簡單純樸的凡人。在他澤被下的子民，久已習慣於依賴他、仰仗他。「蔣總統萬歲」、「巨人當與天地同壽」，不是口號，不是歌頌，而存在於每個中國人的觀念中。及至巨人崩殂，猝然間失走了這樣一位當然的領袖，一時遽遭巨變的悲傷，和失去依靠的驚恐，使人心理和感情上都不能接受，使人茫然陷入思想的真空，待木木然的感覺機能從震撼中恢復過來，只有錐心的哀傷，只有泣血的悲慟。

我悲慟，像億萬同胞哀悼仁慈的大家長離我們而去一樣悲慟。我哭泣，像億萬子民因他老人家為我們承擔半世紀的風霜雨雪，一身留下如許創痕一樣哭泣。也為不肖的我們對他有所虧欠而哭泣。

在那些日月無光的日子裡，一聽見電視中悲淒的哀樂，熱淚便湧上眼眶，但我每天仍一次又一次，一面流淚一面收看有關他老人家的報導，和舉國民眾悲慟哀悼的感人場面。一看見報上怵目驚心的標題，悲痛便溢上喉頭，但我每天找來所有能買到的報紙，一份又一份拭著淚水，一字不漏地閱讀有關他老人家的一切豐功勛業，日常起居生活，以及出自民眾肺腑的感恩之言，含淚講敘親近謦欬的小故事。收音機廣播他老人家訓誨的錄音，哀傷便堵塞在我胸臆，但我忍住嗚咽，屏氣懾聲聽了一遍又一遍。

世界上，沒有一個國家的元首像我們的總統蔣公，既是神又是偉人，既是英雄又是慈父，既是鬥士又是信徒。集勇者、智者、仁者於一身。歷史上，沒有一個國家的領袖去世曾使全國百姓這樣悲慟逾恆，這樣錐心泣血，這樣團結一心。憂傷的人群，不分晝夜從四面八方，市井街巷，縣市鄉鎮，高山僻壤湧來，哀默也一個挨一個排成長龍，十幾小時忍饑受渴，風露立中宵，只為瞻仰遺容一眼，作最後的告別。烈日風沙中久久佇立道旁，匍匐地上，只為恭送靈櫬安厝，致最高的敬意，這顯示出民心對他的皈依、愛戴、擁護，已不只感恩，不只哀悼，所有懷有同樣哀傷的心，竟如此血淚相連，聲息相通。億萬顆激盪著同樣悲痛的心，在熱淚中串連起來，莊穆地凝結成一個意志、一個誓願，在過去的時日，他老人家曾引導我們度過多少風雨飄搖的歲月，帶領我們跋涉過多少烽火瀰漫的征途。在未來更漫長的歲月中，我們要恪遵他的遺訓，完成他尚未達成的心願，走完他尚未走完的路，以慰在天之靈。

「不朽的生命皆從死亡之中茁生。」總統蔣公的軀體雖然已仙蛻，他已立下英雄的典範在歷史中，他偉大的精神昇華為光，與我們長相左右，他崇高超潔的人格進入永恆，如日月星辰長照耀，他留下珍貴的昭示教誨是我們復興文化，讀書修身，做人處世，復國建國的寶典。

我不再哭泣，不是擦乾眼淚，是忍住淚水淌在心頭。流淚是悲傷的發洩，是消極的表現，忍住悲痛的淚水在心裡，才能凝聚成行動的力量。總統蔣公已經在他出殯的那天，讓他為我們擔當苦難，要流的眼淚構成虹彩，顯示在天空，我們也讓我們熱淚的激流匯聚成大注浩瀚澎湃的力量的活水源頭。悲痛所化成的力量，是無比銳利的精神力量，足以戰勝邪惡，摧毀強權。

我們不能喪志，卻不能不懷憂，忍住淚水，恭恭敬敬地奉上一柱清香，我肅穆地仰望蔣公的遺像，他老人家卻報我以春陽般慈祥的微笑。我忽然覺得他並未遠離我們，依舊活在我們心裡，活在億萬人心靈深處，巨星永不泯滅，這裡沉落，又在另一處冉冉升起，永照宇宙。

卸下兩肩重負，滿懷憂國憂民！靜靜的慈湖，綠水悠悠，柏樹青青，正合您純樸超凡的心意。待我們在中山陵旁建好中正陵，再來海上長風，恭迎靈柩安厝於故都。

編註：本文原刊於《中央月刊》第七卷第八期，一九七五年六月一日，頁五十～五十二。

精神砥柱

——祝《中央日報》創刊五十週年

三十八年初，我辭去工作，以眷屬的身分，偕同母親、潤妹和恬兒，隨外子來台灣。流離顛沛的日子甫告一結束，勝利還不曾回鄉，不想紅禍氾濫，又倉卒渡海。載重三千噸的繼光號，似乎也載不起如許離情鄉愁。三日兩夜，自廣州逆浪顛簸到高雄，一路嘔吐黃水苦汁，狼狽不堪。抱著一大堆脫下來的厚重衣服登陸，一上岸那灼灼的驕陽便熱情似火地擁撲上來，真讓人一下子承受不了。上船前分明猶在隆冬，下船卻驟然變成初夏，季節的差距更使人感到離家越來越遠了。不過，當時大家都抱著來台灣是等於停泊「避風港」的心理，只是短暫的過渡時期，一待腥風血雨過去，立刻就可以買棹還鄉。抗戰時期已習慣了克難生活，對物質的缺乏，生存的艱辛，倒也毫不在意，只要有一個遮風蔽雨的處所，節衣縮食，因陋就簡，日子就打發在默默期待中。

人天生是秩序的動物，動亂中安頓下來，生活又上了軌道。上班的回到工作崗位，讀書的上學了，我第一次做「純」家庭主婦，很不是滋味，何況家務和孩子，一向都有母親與傭人幫我照顧。從進入社會一天開始，八九年來，當公務員、當編輯，我一直是職業婦女。我尊敬我的工作，也重視我的責任，從未鬆懈怠忽，如同牛兒揹著犁耙默默耕耘，一旦解除我的犁耙，反而無所適從，覺得自己像一片失根的浮萍，思想與情緒總不能在自身安住。

儘管美麗寶島四季如春，風光明媚，但我那小小生命之舟，卻因為羅盤損壞，在台灣海峽迷失了方向。

失去了家園，失去了工作，末了連自己都迷失了。這份失落感深深侵蝕著我，以致終日惶惶恓恓，四顧徬徨。

那時台灣光復不久，物產雖然富庶，卻是文化沙漠。文藝的園地更是貧瘠荒涼，在號稱花園都市的屏東，三兩家小書店裡大多陳列些低俗淺薄的言情小說，沒有出版社，沒有雜誌，沒有任何刊物。幾家報紙副刊還保留著那種供茶餘飯後消遣的型式，談不上什麼風格水準。就在這時，一支精銳的奇軍突起在新聞陣線——《中央日報》遷台出版。那真是件令人高興的事。

當時《中央日報》在風雨飄搖中克服種種困難災禍，以篳路藍縷的精神在台復刊，卻依然保持它一貫的立場，嚴肅的態度，堂堂正正的風貌，在宣揚國策、建設社會、闡揚正義、鼓舞士氣、鞏固心防方面的宣導論述，為報界樹立一模範，尤其是《中央副刊》，取稿嚴正，編排活潑醒目，配上古樸趣味的刊頭圖案，內容平實近人，兼容並蓄，富創造性，而偏重文藝，可讀性大，水準高。新穎的風格猶如一股清新的晨風，越過海峽，吹散曖昧昏沉的暮氣，給台灣副刊帶來了朝氣和文藝氣息。

當我第一次看到在台出版的《中央副刊》時，使我有一種異鄉重逢故友的親切感，等我再仔細閱讀那些文章，忽然間彷彿一道曙光通過我那陷於蒙昧昏暗中的心靈，重又點亮被愁苦壓滅的心燈，喚醒了幾乎被遺忘廢置的興趣和熱忱。

——什麼時候竟忘記了我的筆？

是的，我那支稚拙的筆，在上班之餘，編報之暇，六七年來也曾寫過一些東西。這次越海遷徙，倒是放棄了不少身外之物，包括我心愛的藏書，部分剪貼資料，還有數冊經編的報紙副刊合訂本。但是，精神的財富、心智的寶藏、思想的庫存，是永遠不會丟失的；只是偶然被那份流離的傷痛，失落的沮喪所遮掩堵塞了罷！感謝《中副》的喚醒，寫作的熱忱又從心底泛升。記得那時物質依舊匱乏，我的老派克壞了，便跑去文具店買兩支蘸水鋼筆，一疊學生寫作文用的大格子毛邊紙。就在牀畔兼梳妝用的兩屜桌上開始構思塗鴉，一口氣寫了兩篇，投寄的對象自然是《中央副刊》。

沒有使我失望，文章很快就刊出了。第一篇是個短篇〈母與子〉，五月三、四日兩天刊出，接著八日刊出第二篇〈沙灘上〉。也就從那時起，剛好是抵達台灣的第三個月，我開始了我的「寫作生涯」，因為過去都是「業餘」的，我一直把它當作崇高、超然的「純」精神事業，一種心靈的寄託，與謀求生活的工作不能相提並論。這以後，卻去掉底下的「餘」字，而在上面加一個「專」字，全力以赴直到如今。

成為《中副》的讀者和作者，同時認識了主編耿修業先生，他是位謙沖、誠懇，很有立場和文藝修養的好編輯，與作者經常保持聯繫，偶然來個「命題」作文。還記得有一次在「台灣——第一個印象」中，我寫過——在大陸上正是家家忙著預備迎接春節的時候，我們踏上了寶島的土地。一上碼頭，衝臉迎著你的便是一個個碧綠滾圓、一片片澄黃嫣紅的西瓜，叫賣枝仔冰的直著嗓子繞著你打轉。如火如荼的陽光下，寶島女郎個個袒胸露臂，紗裙飄曳。我傻了，在家鄉不正是踏雪尋梅、圍爐取暖的隆冬嗎？僅僅三天的水程，怎地猶如從北極到了南極？走在街上，這邊迎面衝來，那邊又倏地擦臂而過，全是腳踏車。車上有主婦揹著孩子攜著菜籃，送貨員負著小山一般的籮籮筐筐，幼童將短腿從車槓下彎過腳踏，少女們就如穿花蝴蝶。腳踏車之多，真是多如「過江之鯽」，疾若「驚鴻游龍」……。如今，這第一印象已事隔二十八年，讀舊作卻依稀還能回味當時的感受。

那時住在屏東臨時性的眷區裡，還沒聽說報紙可以空運這檔事，從台北交火車運送到極南端的屏東，每天等報紙送到我手上時，總是黃昏時分了。萬一火車誤點什麼的，就只有看「隔夜報」。在精神糧食極為缺乏的情況下，看看當時對《中央日報》的那種渴切盼待：

……每天，每天，只要是沒有颱風暴雨的晴朗日子，吃過晚飯，照例端一張竹椅子坐在門口，守候著送報的光臨。在飯後到臨睡前的這段時間，我們總得同《中央日報》好好廝守一陣子。

雖然白天還是炎熱炙人，晚上卻已秋風颯颯了。眼看涼意將一堆堆納涼閒談的人趕進屋子，報紙還不見來。盡坐在門口不有點癡嗎？還是進屋子裡等吧！

九點鐘了，還沒有點動靜，我們這院子裡十幾戶人家，有六七家訂《中央日報》的。平常送報的一來，腳踏車總歇在我家門口，因此車子停下時那種老剎車零件發出的音響，早就聽熟了，今天怎麼老不響呢？

九點半時，突然一聲剎車劃破了靜寂，我連忙衝到門口。唉！原來是不相干的人。

院子裡很多家已熄燈安息了。我打著哈欠掩上了門。一面脫衣服上牀，一面對還在等的非說：「你去等吧，我要睡了！」但闔上眼，心裡卻總覺得還有一樁事沒有做似的……

同年十月二十日，《中央日報》不幸遭受回祿，損失慘重，翌日我寫了一篇短文，作為慰問和鼓勵。這一段便摘錄自該文，主編還在篇後按語致謝，並附告作者們存稿並無損失，不過有一篇在「婦女與家庭」版的文稿被焚了，又再重寫一遍。

給《婦週》寫稿，是在給《中副》寫稿四個月之後，主編武月卿女士選稿仔細認真。《婦週》除了刊載治家、育兒、心理一類家庭生活作品，也常常登些勵志進修的文字，鼓勵家庭主婦從事寫作。我除了陸續寫點短文發表，自四十二年十一月起，以「主婦隨筆」

為題，寫了一年專欄。寫該文的主題是「為鞭策自己，在生活中添注一點向上向善的什麼。也想給所有被生活壓扁了的人打打氣。——從瑣事中抬起頭來，環顧一下周圍的境界和事物，檢視一番心底的寶藏。——原來生活中充滿了情趣，有如蘊藏豐富的礦脈，只待人們去發掘。原來每個人都擁有世上最可貴的財富，乃是智慧、愛和快活的心地。可是我們都忘記了、忽略了……。」在連載期間，意外地接到讀者給我不少寶貴的意見和鼓勵。

另外，我也給孫如陵先生主編的報學週刊寫過一篇〈副刊性質的商榷〉，兒童週刊寫過童話。那幾年給《中央日報》寫得最多的時候，一個月怕不有五六篇見報。

說也巧，民國四十年我出版第一本散文集，用的就是發表在《中副》的一篇散文〈青春篇〉（三十九年十一月十日）作為書名，裡面有三分之一文章，是發表在《中副》和《婦週》的。四十四年出版第三本散文集《生活小品》，亦即是《婦週》專欄「主婦隨筆」。五十一年出版第四本散文集，書名又是發表於《中副》的散文〈曇花開的晚上〉，將近有三分之一的文章刊於《中央日報》。

最難得的，是兩個副刊與作者、讀者之間有一種融洽的氣氛。不僅溝通作者與讀者的意見，也使常有作品在同一園地發表的作者，成為很好的文友，常常在通信中討論作品，彼此勉勵，和交換書報雜誌。在人地生疏的異鄉，能結交幾個趣味相投，坦誠相處的新朋友，確是令人欣慰鼓舞的事，其中尤其使我高興的，是在抗戰時失去聯繫的老朋友、老同事——王琰（如）和墨人，都由於在《中副》讀到我的文章，而轉信來取得了聯絡。烽火連天，又有什麼能比故友重逢在自由天地中，更讓人感奮的事？

自《中副》首先邁出第一步，開創文藝風氣，各報副刊也在那時迅速地調整版面，加強文藝作品，彼此提倡發揚，形成一股文藝潮流，影響所及，水準提高了，新的刊物一家家副刊，書店出版社也開始出版文學書籍。隨著新闢的園地日漸擴充茂盛，我的作品也由於各處約稿，越來越分散。而近幾年來，又因健康情形較差，筆底不免倦怠。算起來，怕不有很久很久不曾給《中央日報》寫稿！但二十八年來，我仍舊是它忠實的讀者，更忘不掉當年那一份令人懷念的淵源。二十八年來，眼看它在艱辛萬難中遷台發行，在風雨飄搖中成長，在安定繁榮中壯大，作為正義的使者，民主的鬥士，文化的傳播者，一直擔負著愛好自由人民耳舌的神聖使命。而再放眼環顧自由中國今天的文藝園地，老樹新苗並秀、蓊鬱蓬勃、無限生意，亦該歸功於《中副》最初創導文藝風氣在先。正如近期文壇發表〈三十年來文壇的面貌〉一文中所說的，「《中副》對自由中國近代文學的貢獻是不可否認的」。

五十年，長長的半世紀，《中央日報》已為自己奠定了一座雄偉堅固的里程碑，相信正屆茁壯年的《中央日報》，一定能創造更壯闊的前程、肩負更艱鉅的任務，永遠成為愛自由、愛正義人民的精神砥柱，屹立於自由中國「心防」第一線！

編註：本文原刊於《中央日報與我》，台北：中央日報社，一九七八年二月一日初版，頁一六二～一六八。

成長之歌
——小男孩的字彙

一歲多的小男孩遲遲不說話，卻有他獨特的字彙。

那字彙，包羅了天地萬物、自然世界、文化藝術、生活瑣事，以及其他千百萬種未知數，非常豐富涵博。

那字彙，可以表示詢問、承諾、答覆、講解、需求、同意、命令、抗議、否定……含意深廣，運用鮮活。

那字彙，簡單明瞭，乾脆扼要。該是倉頡造字以來最豐富的美感，它只有一個字——「嗯」。

只是一個嗯字，語氣稍有變化。有時短促有力，有時誇張大聲，有時拖長尾音，有時輕輕一帶，有時轉成B調，也有時重疊連聲。

只有一個嗯字，必須以動作配合，伸出小胖手，手心向上，短短白嫩的手指半伸半屈，翹揚似玉蘭，遙指目標。

嗯。指著桌上的杯子，要喝水。
嗯。指著櫥頂的玩具，要拿下來。
嗯。指著身體的一部分，要上廁所。
嗯。指著門口，要出去散步。
嗯。交給你一個盒子，請打開。
嗯。指給你看椅子破了個洞。
嗯。聲音裡充著驚奇，告訴你狗在吠。
嗯。聲音裡有著欣奮，教你聽鳥在唱。
問他：
——浩倫是不是乖寶寶？
——嗯。輕輕的，甜得像餳糖。
——現在去洗澡好不好？
——嗯。肯定的，完全同意。
指著圖片問：
——看過真的老虎沒有？
睜圓眼睛，手向上抬，誇張地大聲說：「嗯。」

故事講到有壞人偷小狗。

皺眉聳鼻，小手重重拍著書上的壞人。大聲叱吒：「嗯！」

抱的人是軸心，轉動充滿好奇的小腦袋四面掃描。屋子裡好玩的東西可真不少！手指雞啄米式地指指點點，嗯字連珠炮似地迭連發射！

屋頂上，嗯？

——電燈

牆上，嗯？嗯？

——畫像、風鈴。

壁架上，嗯，嗯，嗯？

——老虎，狗，小娃娃。

書櫥上，嗯？嗯？嗯？嗯……

——石膏像，花瓶，照片，彩色球……

於是，倒過來，大人問：

——燈呢？風鈴呢？小娃娃呢？畫像呢？……

小手指便跟著一樣樣指點過去。誇他答得對，得意地展開笑靨，顯出甜甜的兩個酒渦。弄糊塗了，伸開兩隻小手向外一翻，無可奈何地一聲嗯。

園子裡美好的東西也多著哩，太陽給刷上一層金色的光，什麼都亮亮的。清澈的眼睛裡映著藍天、綠樹、花的鮮豔。半嘛的小嘴是另一種花，不停地像蜜蜂嗡嗡——

嗯，嗯，嗯？……

——樹，葉子，鳥鳥，花，蝴蝶……

問：

——葉子呢？鳥鳥呢？樹呢？花呢？噢，那不是花，是蝴蝶。花不會飛，對！這白的是蝴蝶，黃的是蝴蝶，有花的也是蝴蝶。……好多蝴蝶在飛。

開心得拍手、踢腳，長長的，感歎式的叫一聲嗯！

雙手握來了他最喜歡的寶貝——彩色精印幼兒讀物。放在你膝上，翻開厚厚的書頁，指著圖畫一本正經地「嗯？」

告訴他：香蕉、西瓜、葡萄、國旗、火車、飛機……

——香蕉好不好吃？

——嗯。點點頭、拍拍肚子。

——哪裡有國旗？

——嗯。指著你領上佩的那枚，又指指日曆上印的。

一本書翻完了，又換上另外一本。

——熊寶寶，兔子，松鼠……

——嗯嗯嗯！聲音裡有糾正的意思，手指重複地在原圖上敲敲戳戳。

——怎麼，有什麼不對？噢。原來不單是告訴名稱，還要講解。熊寶寶開車去動物園，載著兔子、松鼠——……

小鹿斑比和牠媽媽住在樹林裡，有好多好多朋友——

……

——嗯！嗯！聲音裡有著抗議，手指戳到身上來了。

——又怎麼啦？哦！原來講故事不可以打岔，反對講的人跟別人插話。

嗯，嗯，嗯！指東問西，範疇越來越廣。表達意思越來越多，這一個兼容並包，涵蓋一切的字的字彙，大人可還得好好下功夫研究。要不，實在難以應對。

民國六十八年六月八日

註：外孫黃浩倫學語較遲，以此為記。又，是時正值一家庭雜誌邀稿，擬以倫倫成長種種趣事寫一系列，囑恬恬配圖不成，就此擱置下來，好可惜！

編註：本文為艾雯未刊手稿。

自強年的文藝路向

——原則不變，方向不改

堅持信念，奮發自勵；孜孜不倦，自強不息，是做為一個文藝工作者鞭策自己、肯定自己的原則。

追隨歷史潮流，配合時代，反映人生，追求真理，寫植根於民族性的、健康的、真善美的、反殘暴、反強權的作品，是我們所遵循的寫作方向。

不管機械物質氾濫，國際橫逆衝擊，原則不變，方向不改，多少年來，我們一直挺立在自由中國文藝前哨。奮發自勵，自強不息。迎接嶄新的八十年代，響應自強年的號召，不是說今天，或今年才開始自強，而應該是一種自我針砭，一種新的挑戰，對執著的更加強鞏固，對不夠的更增進改善，對怠忽的應有所警惕，對一些不潔的烏煙瘴氣，逆風邪風，應該揮正義之筆，予以驅散廓清。

檢討過去，展望未來，有幾點要提出來作為自律、自勵，以及與文藝、報刊、出版界共勉。

我們一定要以嚴肅的態度從事寫作，堅持自己的立場，選正確的方向，維護人格的尊嚴。在思想上不斷擴展深與廣的領域，在創作上努力開拓更高、更美好的境界，不違背寫作良心，不迎合、不湊和、不降格以求，更不容許把文藝當作欺世盜名的工具，政治的墊腳石，權要顯達的敲門磚。

我們固然隨時期待有偉大思想、震撼人心的不朽鉅著產生，同時也希望經常能讀到更多鼓舞心靈，建設心理，啟迪心智，提高趣味，培養情操，豐富生活，美化人生，闡揚人性光輝，增進生存勇氣，鞏固心防，鼓勵人們向上向善的優秀作品。

很高興看到近年來文藝發展迅速，新人輩出，出版旺盛。卻有些偏差、囂張、浮華的風氣，亟盼能及早遏止，以維護文學純樸崇高的傳統。

瞻望自強年的來臨，作家與報刊、出版界彼此激勵提升，團結合作，為文藝發展做更大努力，使自由中國文壇呈現一片祥和、蓬勃、明朗的新氣象。

編註：本文原刊於《中央月刊》第十二卷第四期，一九八〇年二月，頁九十八～九十九。

艾雯情話

以青春寫成詩篇，以熱戀譜成樂曲，愛情的前奏是如此綺麗和諧。然而鎔鑄真誠、堅貞、信賴、諒解、容忍為婚姻的圓。在邁向幸福，追求理想的路上，相互扶持，彼此鼓舞。一起接受現實的挑戰、時代的考驗。人生的淬勵，使相屬的生命日趨光大，使相愛的心靈更見豐盈，使共同的生活益加美好。

編註：本文原刊於陳銘磻篇《情話》，台北：號角出版社，一九八三年十月初版，頁二十九，原題〈艾雯〉。

心中的島

有次去澎湖，看到那許多無人居住的大小島嶼，靜靜地散布在煙波縹緲中。不禁讓人心嚮神馳：如果能擁有一座蕞爾小島，遠離庸碌塵囂，做一個與世無爭的島主該有多好！

生存在二十一世紀，誰又能像小說中的基度山一樣，去買一座以自己命名的島？

其實，在我們內心，早就有一座小島。

「你隨時可以退隱到你心中去，一個人不能找到一個去處比他自己的靈魂更為清淨——尤其是如果他心中自有丘壑在，只要凝神一顧，立刻便獲致寧靜——用這種退隱的方法，使自己得到新生。」一千八百年前，羅馬的哲學家兼執政者瑪克斯所說的丘壑，也可以是島嶼。

無需外求，不必退隱，只稍斂神一顧，便隨時進到心中的小島。

島上可以是綠草茂林，一片幽邃，可以是峰巒起伏，別有洞天。可以是雲淡風輕，逍遙淨土。時常怎樣想，便是怎樣的境界，一憑自己薰染安排。

儘管浩瀚人海，風浪壯闊，波濤詭譎。小小孤島，穩如磐石，堅如堡壘。亮著智慧的燈塔，照耀聖潔的靈明。有著無比的尊嚴，絕對的和平。不受任何人侵犯、不受任何事干擾，在那個安詳寧靜的小天地裡，自己是唯一的主人，是閒逸的隱士，是權威的君王、是島主，也是忠實的守燈塔者。

當我身心交瘁時，在島上調息。當我感情受創時，在島上療傷。當我受挫時，在島上韜光養晦。當我無所適從時，在島上培養決斷。當我因不平而憤懣時，在島上平息恚怨。當我無法承受生活壓力時，在島上舒鬆自己。當我迷失時，在島上尋回自己。當我對人生有所困惑，對生命有所疑慮，在島上深深地沉思和反省。當我軟弱消沉時，在島上重新修煉提升……而每當我自心中孤島轉回紛擾人世，面對現實，自覺渣滓盡去、煩慮解除、思路澄清、心平氣和，重又獲得生存的勇氣和信心。

偶然，腦中也常映現煙波浩渺中閃耀的小島，是那樣撲朔迷離，似近還遠——

不是眼中有島，心中有島。

縱使眼中無島，心中也仍有島。

而熒熲不滅的是島上供奉的靈明。正是：

此島（身）有物主宰其中，虛澈靈台萬境融。

編註：本文原刊於《中央日報》，一九八四年六月二十六日，第十二版。

巧婦

老樹椿搭成灶，火光熊熊，枯枝落葉燒得嗶喇響。看那女郎正小心翼翼撥弄著一根根半焦透黃、橫豎排列，是在露營野炊，抑是烤甘蔗？

都不是，原來是在煮飯。

嘉義竹崎鄉盛產綠竹。除了編製各種竹器，還習慣把竹子斫成一段一段，去節、灌米，擱在火上烤，等火候到家，劈開，就成了香噴噴的竹筒飯，一人一筒，不但不用鍋，連碗都省了，飯後更是齒頰餘香。

像這種隨地取材，原始而又方便的烹飪法，巧婦並不難為，所以看來竟是那樣從容自持，嫻雅可人。

經過竹崎，可不要忘記嚐一嚐風味特殊的竹筒飯。

編註：本文原刊於《民生報》，一九八四年七月二十五日，第八版。

蘇州水印木刻

我國最早的版畫創始於唐代，原是佛像插圖。到了清朝，已經普遍發展為木刻「年畫」，一種包含民族特性、鄉土氣息和廣大民眾生活、感情、思想有密切關聯的民間藝術。蘇州「桃花塢」為其中翹楚，只是離亂歲月，世風轉移，年畫已經日趨式微，幾近失傳。

蘇州的藝術家，卻從未忘情這古老中國的傳統藝術。他們不僅一刀一筆，代代相啟承傳延下來，更開創了新意，融合西方繪畫的手法和東方文化精神，不斷嘗試改變，造就出有刀味、木味以及水墨暈染韻味的現代「蘇州水印木刻」。在八十年代轟動世界版畫界，獨步國際藝壇。自然，這裡只是幾張黑白影印本，與原畫相差甚遠。至少，可以讓不曾去過「地上天堂」蘇州的朋友，從小橋流水、塔影船陣之中，約略窺見這建城兩千五百年的文化古都，被歷代詩人題詠「君到姑蘇見，人家盡枕河」（杜荀鶴），「綠浪東西南北水，紅欄三百九十橋」（白居易）的江南的溫柔水鄉，迄今還保有獨特的風貌。

編註：本文原刊於《國語日報》，一九八九年二月十日，第二版。

舵

每一年有一個璀璨的季節——春天。

每個人生命中也有個絢麗的春天——青春。

在我生命的春天，卻分成兩個截然不同的時期：溫馨的懵懂期，和艱苦的黯淡期。

故鄉蘇州，河流縈迴，寧靜悠逸，在深深庭院的綠蔭下，寂寂古屋的書香中，那個在外婆雙親嬌寵呵護下的小女孩，不很健康，卻有點倔強、內向，受父親影響，喜歡看他畫畫，陪他種花，跟著他的腳步，徜徉在園林亭榭間，徘徊在古意舊書店，一知半解，便栽入書堆裡，更多的時間，那敏感的小心靈，總喜歡獨自浸沉於幻想的王國。無憂無慮的日子，恬淡自在的歲月，成長便是一種美，一種煥發著新意的喜悅。年輕的心忙著接受涵蘊這些，越是沉靜、矜持、多愁善感，書卷氣多過屬於女性的溫柔。在校時國文總是最高分，圖畫常上展示欄，數學、體育勉強及格，不慣嬉笑遊戲，愛好自然、藝術、一切美好的事物，任何事情要求完美。對未來有崇高的憧憬，對自己有遠大的期許，是個生活在幸福的雲端裡，懵懵懂懂編織著綺夢的少女。

那一年，日本侵犯我國，炮火震碎了寧靜的歲月，原是一家四口歡歡喜喜隨父親到江西上任，不想家鄉隔絕，不久父親又遽然去世，溫馨的家庭突然失去支柱，年輕的我唯有擦乾眼淚，挺起柔弱的肩膀接下了重擔，只是一個不知天高地厚，不懂人情世故的十七歲女孩。

想高飛的翅膀尚未展開，便已鎩羽折翼。

生命的春天蒙上灰暗的陰霾，失去了虹彩。

複雜繁富的社會，可以是無情的染缸，純潔的心靈毫無防備地投進去，不知染成什麼彩圖。也可以是不設教室的學校，在工作中學習擴充自己，接受深廣的自我教育，憑自己事事要求完美的性格，盡力做好枯燥繁瑣的種種事務，同時亦從工作中獲得經驗，從書籍，及各方面的接觸中吸收知識，培養興趣，探索新的領域，當轉入圖書館，每天接觸到前人豐富的智慧遺產，喚醒了血液中深潛的文學因子——幼時父親的薰陶，嗜讀的興趣，老師的培植，融匯成一股躍躍欲試的渴望，有外在的壓力，和內心的衝擊，更促使憂傷苦悶的心迫切尋找宣洩的出路，我獨自摸索著，悄悄地開始學習寫作，用自己畫的稿紙，嘗試投稿，順利的被選上、被採用——像無盡的長夜般，遮蔽了春天的陰霾終於散開，露出明澈的曙光：「……恰似一個溺水的人撈著一支浮木般，我終於找著了寄託心靈、宣洩情感的路子——學習寫作……慢慢地，我不再消沉苦悶，我不僅敢勇於於面對現實，對生活也堅定了信心，我把學習寫作當作一支舵，安裝上我那漂流在人海風濤中奮鬥向前的小舟。不管風浪猖獗，狂飆慘厲，我只是全心全力把穩著我的舵。」（《青春篇・序》）

在寫作中發現了自己，在思考中認識了自己，在接受時代考驗、生活磨練中建立了自己，在那個陰霾遮蔽，苦難重重的春天，我認清方向，確定了自己要走的路，不管一路上陰晴風雪，將是一生一世。

編註：本文原刊於《台灣新生報・副刊》，一九九三年三月一日，第十四版。

艾雯自述

艾雯，本名熊崑珍，一九二三年（農曆）八月十一日生出於水鄉蘇州，有著二千五百年歷史文化的古城，千水悠遠地縈迴潺流，居住著最懂得享受悠閒藝術的中國人。在深深宅院的綠蔭下，寂寂老屋的書香中，那個在外婆和雙親的寵愛呵護下，是個內向、羞怯、文靜、不很健康，而有點倔強的小女孩。當同年齡的孩子每天忙著計算雞兔同籠、忙著郊遊遠足時，那易感的小心靈常常獨自浸沉於幻想王國。父親能書善寫，嗜讀愛花，恬淡自適。受他影響，喜歡看他畫畫，陪他種花，跟著他悠然的腳步，徜徉在園林亭榭間，徘徊在古董舊書店，去茶苑聽彈詞吃零食，去圖書館尋尋覓覓。小小年紀便沉迷於古典文學、章回小說、新小說、彈詞腳本……，一知半解地從書本中去探索另一個神奇美妙的世界。歲月無驚、安逸恬淡的日子如絲綢般柔潤平滑、小河流轉般如詩似歌。成長便是一種美，一份怯怯的、煥發著新意的喜悅，年輕的心靈默默接受涵蘊這些美與善的元素，越是沉靜、矜持、多愁善感，書卷氣多過屬於女性的溫柔。在校的日子，國文總是最高分，曾被中學老師賦予特權，可以自由發揮，不一定限於他出的題目。圖畫偶然上上展示欄，數學體育勉強及格。不慣於嬉笑遊戲，愛好自然、藝術、一切美好的事物。任何事情要求完美，對未來有崇高的期許。那份懵懂的憧憬，一直到在滄浪亭發現那幢巍然屹立水畔、柳蔭掩映、莊麗典雅的藝術宮殿——蘇州美專，才天真地許下心願：那正是自己未來夢的殿堂。

那一年家裡忽然熱鬧起來，我獨自寂寞地過了十三年，母親才替我添了個妹妹潤珍。翌年——一九三七年初春，應至交的邀約，我們一家四口隨著父親歡歡喜喜去江西鴒處上任。原許諾外婆一定回家過年，不料幾個月後日軍侵略我國，戰爭爆發，炮火炸彈震碎了太平歲月。一九四〇年夏天，文弱書生型的父親又因憂憤交集，遽然急病去世，溫馨的家庭頓時失去支柱。故鄉隔絕，加上失怙之痛，年輕的我唯有擦乾眼淚，輟學就業，挺起柔弱的肩膀來承下了奉養母親、幼妹的生活重擔，只是一個完全不知天高地厚，不懂人情世故的十七歲大女孩。

想高飛的翅膀尚未展開，便已鎩羽折翼。

複雜繁富的社會，可以是無情染缸，純潔的心靈毫無防備的投進去，不知染成什麼彩圖，也可以說是不設教室的學校，在工作中學習擴充自己，接受深廣的自我教育，自周遭及各方面的接觸中，吸收知識、培養興趣、探索新的領域。從枯燥繁瑣的文牘、檔案而轉入圖書館——能被書本圍繞著真是一種奢侈的精神享受。每天接觸到前人豐富燦爛的智慧結晶，喚醒了血液中深潛的文學基因——父親的薰陶、嗜讀的興趣、老師的培植，融匯成一股躍躍欲試的渴望；而外在的壓力，和內心的衝擊，更促使憂傷苦悶的心迫切尋找宣洩的出路。我獨自摸索著，悄悄地開始塗鴉，用自己劃的稿紙，嘗試投稿，居然順利的被選上、被採用，彷彿無盡的長夜顯現出一縷曙光：「恰似一個溺水的撈著一支浮木般，我終於找到了寄託心靈、宣洩感情的路子——學習寫作。我不再苦悶消沉，不僅勇敢於面對現實，對生存也堅定了信心。我把學習寫作當作一支舵，安裝上那漂流在人海風濤中奮鬥向前的小舟。不管風浪猖獗、狂飆慘厲，我只是全心全力把穩著我的舵。」（《青春篇・序》）

第一篇習作是短篇〈意外〉，一九四一年應徵《江西婦女》月刊徵文，得小說組第一名，便取「艾雯」為筆名，以部分獎金自印稿箋，開始投稿。寫抒情散文、針對現實的雜文，和諷刺性的短篇小說，刊於贛州《正氣日報》、《青年報》、《民國日報》、麗水《東南日報》。在寫作中發現了自己，在思考中認識了自己，在接受時代的考驗、生活的挑戰中，建立了自己。有了小小的目標，也增加了生存的勇氣和信心，覺得世界並不是那樣冷酷狹隘，除了命運安排的工作，只要懂得怎樣去調適，並不斷策勵自己，還是可以另外開創自己喜歡的路子。只是那時我健康情況一直不佳，自幼遺傳到父親的呼吸系統脆弱，接連又患過兩次急性肺炎，除了八小時上班，來回四趟走路，不敢再多絞腦汁。而由於缺乏人生體驗，題材不豐，因此還是看得多，寫得少。

當一九四四年初，日寇迫近工作地大庾，我押著一船圖書物質疏散到叢山圍繞中的上猶城待命，卻由於投稿報社的主編介紹，進了當地的凱報社，先負責資料，不久又兼編副刊。新的工作更開拓了我新的境界。那時閩浙贛一帶未曾淪陷的區域，周遭與外界隔絕，形成孤立。東南一角人文薈萃，各報的副刊也蓬勃一時，熱烈地展開發展東南文藝運動。由於邀稿，可以接觸到一些成名的作家和許多充滿熱忱投稿的年輕作者。我是個孜孜不倦、勤奮盡責的小園丁，經常讓小小園地花草茂盛、生意盎然。為均衡和提高內容水準，試著擬訂一套編輯方針，讓主副刊「大地」成為純文藝作品，絡續又開闢了「詩藝術」、「文談」、「文藝評論」、「民間」、「大家看」等周刊或三日刊。方塊取名為「大題小做」，針砭現實、反映社會、警惕民心、鼓舞士氣。在當時當地還頗有點感召力量。及止到一九四四年底，敵人已成強弩之末，進退失據，終於步步迫臨這僻遠的一角。報社同仁及機器翻山越嶺避入山坳。在一座未完成的空校址內稍作安頓又印行出報。我在黯淡搖曳的油燈盞下看版面、校定文稿，手搖印報機在亮晃晃的竹篾火把下不停地轉動著。一捲捲印好的報紙用空白竹紙偽裝，送報的天不亮就挑著籮筐，翻過叢山、穿過田野，送去敵後的城鎮鄉村，直到打敗頑敵，我們第一個白紙黑字，印上抗戰勝利的消息。

八年戰爭隔絕，親屬家族亡故去世、流離失所，無從探聽聯繫。我不知如何才能讓母女仨離開那交通極不便的山城，更不敢貿然辭去工作返鄉尋親，只得仍留在工作崗位上。一九四六年與朱樸結婚，次年生下女兒恬恬。一九四九年春，一家五口同赴台灣。

圖書館五年喚醒我、啟發我、充實我，使我步上寫作的路，報紙副刊三年，增加我珍貴的閱歷，拓寬文藝工作的範疇，在學習發揮才能時肯定了自我。我是那樣由衷地喜歡那兩份工作，願視為終身職。但當我辭職來台時，卻只是一名無業的眷屬。

那時寶島文壇荒蕪沉寂，幾乎是一片浩劫後的真空。在狹隘簡陋的宿舍哩，坐在竹牀上湊著借來的舊課桌，我又拾筆寫作。慢慢地，報紙多起來了，刊物出版了，寫作的人越來越多，隨著文藝風氣的蓬勃，我也忙碌起來：「那幾年在辛勤的默默耕耘中，得到更多的體驗，有更深切的認識，思鄉、感時、憂國、探討新的環境和文藝的使命感，寫作的熱忱特別高昂旺盛。寫反映克難精神、闡揚人性光輝、刻劃這時代人類堅苦卓絕奮鬥的小說，寫鼓舞心靈、培養情操、提升生存勇氣、關懷自然萬物的散文。寫配合當時掀起文藝運動、文化復興的短文，也寫童話、雜文。寫得很雜，也很粗淺，卻付出我全部熱忱和心力。」（在飛揚的年代——《聯副》五十年代文學座談會）除了寫自己想寫的，還得應付報紙副刊和雜誌的約稿，寫作已不只為了興趣，已成為工作，成為生活，成為終身頂禮的精神志業。

有人說，人在寂寞時便能創作。有人說：「一個人能為自己的情熱，為自己的要求興趣而工作，才是真正享受了生活。」寫作正是為了自己的情熱、要求和興趣。挾著內心那股欲寫為快的衝激力量，滿足強烈的創作欲。我創作，是為了享受那份最崇高的心靈生活。

有人說：由於社會責任和你的良心，或某一種內心需要所驅使而寫作。

我熱愛人生、喜歡自然萬物，更關懷周遭一切的一切。我尊重生命的莊敬、人性的尊嚴、情操的高潔，所有向上向善的意願。我慎密的觀察、誠懇的探討、小心的嘗試。再融攝所有的愛心、關切、感受、領悟於方寸之間，鎔鑄成文字、織就篇章。告訴那些被忙碌蒙蔽的人，喚醒那些沉睡的靈魂，去注意周遭一切平凡隱藏中的美，去發掘性靈中珍貴的寶藏，培養高尚的欣賞品味。不要忽視生活中的種種情趣，發揚人性中擁有的種種美德：博愛、同情、慷慨、寬容、正直、關懷、真誠。讓貧乏的豐富，讓軟弱的有勇氣，讓孤獨的不寂寞，讓有理念的更執著，讓在悲傷中的站起來，在猶豫中的把握方向、讓只看見腳底的向前看；正如羅曼羅蘭所提示：「由於社會責任、和自己的良心，或一種內心的需要驅使而寫作。」我創作：只為提升精神、喚醒性靈，為生活添注一份美，為人生增加點意義，豐富生活、美化人生，期望於一個詩書禮樂、博愛大同的世界。而對創作藝術的追求，永遠是真、善、美。

開始寫作時，散文和小說等量並行，之後小說產量逐漸減少。生命是漸行漸深漸覺醒，想是由於年齡增長，生活體驗豐富，閱歷寬廣、觀察更深，思想暢達、領悟更多，散文比較適合表達，因此近年來寫的全是散文。

在散文的領域中，我寫多方面的內涵，我也曾試寫多樣性的體裁、和各具獨立性的形式。常說作家都有他自己固有的風格，但對我來說，風格兩字也可以把它分開詮釋：風是風度，代表一個作者的精神、人格和氣質。是心靈和德行的結晶，是不卑不亢的骨氣，堅貞的志氣，高潔的情操，和不倦不息的愛心。屬於人的本質和平時的修養，就像光附著於太陽上，融貫映照於所有不同形式的作品中。而作品的作風、格調，卻由於一貫的思想，獨立的內涵、文字、意境、技巧，形成各種不同的形象和體裁。也許我自己缺少點一貫作業的專精耐力，又怕侷限了格局而內容越寫越貧乏，總喜歡做多方面的嘗試，以期從變化中求創新、求突破。這些年來，尤其喜歡寫自成一系列的作品，像在觀點上一致、文字上自創一格、獨闢門徑。取材卻是多方面多角度的：或是一種新的領悟、或是述說一些事物、或是探索生命的真諦，或是闡揚理念、或是傳達喜悅……我就喜歡那種將構想付諸實踐，每次寫作時都有一種「創新的感覺」。新的姿態、新的聲音、新的面貌、新的韻味、新的涵蘊，都令人振奮鼓舞。也許，不具風格就算是我的風格罷。畢竟，寫作的路上，原是不斷的嘗試和創造。

小時候因為看書太雜，又是一知半解，說不上什麼影響，喜歡的卻不少，像《鏡花緣》、《西遊記》、《福爾摩斯》、《安徒生童話》、《聊齋》，之後比較有點「文學」感受的是冰心的《寄小讀者》、葉聖陶的童話《稻草人》、綠漪的《白鴿通訊》、阿爾珂德的《小婦人》。

從事寫作的人在閱讀的路上，一生總會遇到不少讓人心悅誠服、一見傾心的好作品，幾位啟蒙解惑、如師如友的千古知己。所受或多或淺的影響雖然隨著作品的提練融通已淡去，文學知交卻是長相伴隨。古：（一）曹雪芹，《紅樓夢》。（二）沈復，《浮生六記》。（三）吳趼人，《二十年目睹之怪現狀》。（四）張潮，《幽夢影》。（五）洪自誠，《菜根譚》；現代：（一）沈從文，《邊城》。（二）《豐子愷文集》。（三）林語堂，《生活的藝術》。（四）《徐志摩文集》。（五）肖乾，《人生四題》；外國：（一）《泰戈爾全集》。（二）梭羅，《湖濱散記》。（三）紀德，《地糧》。（四）梭維斯特，《屋頂間的哲學家》。（五）紀伯倫，《先知》。

一九五一年四月出版第一本散文集《青春篇》，「啟文」出版社因出版該書而成立，也是台灣光復後第一本文學散文。在當時荒涼寂寥、剛剛開拓的文藝界，很受鼓舞。其中〈路〉一文被收入初中國文教科書作教材。全國青年舉辦「最受歡迎的作家，及最喜愛的作品」，該書當選散文第一名（編註一）。及至現在，每當介紹訪問時常被稱作「永遠的青春篇——艾雯」。而一九八七年交由爾雅出版社重新排版出書時，我在新版題記最後曾說；

編註一：一九五五年十二月，由救國團、中國青年寫作協會舉辦「四十四年度全國青年最喜閱讀文藝作品及最推崇文藝作家測驗」，艾雯作品《青春篇》獲得散文類第一名。

「……如果青春不只紅顏，也包括一種心情，一種意志，一份永遠對事物的好奇，對一切美好的喜愛，對自然萬物和人類的關懷，對理念的執著；那麼，青春雖然不再，慶幸我還多少剩有這些，可以作為來日創作的資源。」如今，我仍然執著於這樣的說法。

已出版作品有二十一種，散文小說各半。已發表結集而尚待出版的約三～四冊。（編註二）

短篇曾被譯成韓文、英文。

以文會友：一九五一年起，被邀參加「中國文藝協會」、「婦女寫作協會」、「青年寫作協會」。

一九六五年獲中國文藝協會文學散文創作獎。

自小個性內向，拙於辭令，不善交遊，也許多少有點舊文人那種謙沖為懷的性向，總認為一個文藝工作者應該讓讀者通過文字去了解他的思想、感情，及旨趣所在，不必現身說法（尤其說得不一定好），展示本人，或炫耀自己。因此數十年來，儘管進入這樣的資訊傳播時代，總是盡量避免公開曝光，以致常被人誤會。為此，我曾在《綴網集・今之隱者》一文中寫到：「朋友常揶瑜我是今之隱者：隱於名利界、社交圈外；隱於物質橫流，科技囂張外的淳樸；隱於市廛紅塵中的淨土；隱於不合時宜的執著；隱於白底黑墨的鉛字背後。我雖不欲承認，亦不予否認。」我以心靈接觸氣息萬千的世界，以關懷體會人類的意願命運，生命的生長盛衰，涵泳於自然，投入現實又超越現實。融攝所有的愛心、關切，領悟於方寸之間，鎔鑄成文字，織就篇章，呈現在讀者面前的是我那心血之作；卻不必以自身詮釋作品。「我入世承受試煉，參與人生，站出來還我自我：自甘清靜淡泊，好似清風明月；喜歡自由自在，如同閒雲野鶴。儘管滿眼繁華，蓋世名利，我只取我的一簞食、一瓢飲。」

也唯有如此，才能領略：「獨立市橋人不識，一星如月看多時」的境界，而當我欣賞美好世界，當我參予人間活動，既可以超然物外，也可以與物為春。真正享受了「萬物皆為我備，眾生由我旁觀」。一如蘇軾題示：「靜故了群動，空故納萬物」。

一生健康欠佳，由父親血脈遺傳，受氣管宿疾牽制（慢性阻塞性肺疾），不知剝奪了多少人生樂趣，蹧蹋了多少可以寫作的時間。尤其近年隨著年齡增長，宿疾鬧得更厲，再加白內障，許多想寫想做的都延擱下來，或力不從心。幸好平時我習慣恬淡自適，喜歡大自然，喜歡生活中保留一份閒暇，享有一些小小的情趣。書和花是我朝夕相處的好朋友。當沒有了土地種植，我又發現了野生花草：溝旁崖邊、廢墟籬下、欣然相遇。購得圖鑑——植物字典，默默對照，仔細描繪，不僅眼中有花，心中也有花。朋友寫我「找回綠手指時代」。

編註二：本文寫作於一九九三年五月，此時艾雯共出版散文集九冊、散文選一冊、小說集十冊、自選集一冊，後又出版散文集《花韻》、《孤獨，凌駕於一切》、《老家蘇州》。

家人都愛動物，幾乎貓狗雞兔之類不斷。如今我只能關一櫥不吃不喝的小貓、小豬，不過早晨第一件事是以米飯餵花架上成群結隊的綠繡眼、白頭翁、小麻雀。切番薯、水果和花生米，餵陽台上來去自如的松鼠兄弟倆。收集火柴很多年，當發現第一枚蘇州火柴盒竟是一幅小小的水印木刻時，我託故鄉親友設法幫忙，從索取目錄，勾出所需，函寄甥孫葉放，再由他函購，用航空寄我，費盡輾轉，弄來幾百套歷史、文物、藝術、民俗的大陸火柴貼標，親手用卡紙做一只只盒子還原。朋友又寫我用「土法煉鋼」，我還準備自己攝影編本專集哩。而最使我沉迷的是故鄉蘇州。我收集並研究蘇州的一切一切，會為了幾幀攝影或畫，忍疼購下巨冊畫集，會為了有蘇州畫的展出，再累也要趕去參觀。拜託好親戚只要家鄉出版的書、畫冊、雜誌，全費心替我搜購。環顧室內，處處是來自故鄉的紅木小擺設、雙面繡、水印木刻、水墨水彩、法師題字畫、圖照。枕畔總堆疊著《蘇州雜誌》、幾本厚薄不一的蘇州新書古籍，慰我鄉思，伴我入夢。台灣的朋友笑我是「蘇州癡」，年前回鄉，鄉親們讀了我早年寫的「懷鄉草」（三生花草夢蘇州）（編註三），稱讚我記得多又寫得詳細，封我「艾蘇州」（范培松——《瞭望》）（編註四）。

我一直服膺英國作家吉辛所說：「病的是身體，是靈魂的衣服，思想的茅舍。而靈魂仍然可以遨遊宇宙中，頭腦仍然可以運轉自如。」是的，疾病並不能阻止悠遊歲月，思考創作。儘管體質上、性格中都有軟弱之處，但自問對做人做事的原則，對是非黑白的分辨，對寫作所持的立場，對美和理念的追求，卻是十分、十分地執著。唯一的遺憾是熱愛藝術卻一直沒有機會學繪畫，幸好女兒朱恬恬擅畫粉彩肖像花卉，甚感欣慰。

寫作是一種持續不斷鞭策自己、提升自己、超越自己的志業，總希望每一部作品都很重要，而下一部一定要更好。未來一二年已結集尚未出版的散文集有：《孤獨，凌駕於一切》、《山之雛型（或青山有約）》（編註五）、《三生花草夢蘇州》（編註六），正在寫作中的系列散文：「大自然的寵兒」（野生植物自己繪圖）、「花韻」（配木刻插圖）（編註七）、「你我的書」、「娜拉與我」、「我住柳橋頭」、「最愛是蘇州」，計劃中有「人在磧溪」、「青翠屬於我」、「我家寵物」、「溫馨小故事」、「物情物趣」——寫作的興趣已溶入生命中，成為心靈所繫、精神寄託，執著於理念，堅持寫作良知。畢生鍥而不捨，只

編註三：應指艾雯於一九九〇年起於《蘇州雜誌》發表的懷鄉系列散文作品，後收錄於《老家蘇州》。

編註四：：「艾蘇州」稱號源於蘇州大學中文系教授范培松於一九九一年於《瞭望》第14期發表〈「艾蘇州」——台灣女散文家艾雯散文印象〉而來，後又撰〈艾蘇州——艾雯的懷鄉散文〉，收錄於其與金學智主編《插圖版蘇州文學通史》（南京市：江蘇教育出版社，二〇〇四年五月第一版，頁一三九九～一四〇二）。

編註五：此書後未出版。

編註六：此書即為《老家蘇州》，二〇〇九年一月由蘇州古吳軒出版社出版。

編註七：此書已於二〇〇三年九月由雅逸藝術有限公司出版。

要健康狀況允許，永遠會有下一部新作品在構思中。

一九九三年五月

編註：本文為艾雯未刊手稿。

心嚮往的地方

——心之所繫

有一處地方，儘管你已離開了它，千山萬水阻隔，但天涯海角，它永遠跟你在一起。儘管歲月悠久，歷經艱辛苦難，滄海桑田、紅顏轉白髮，而它始終長相伴隨。寂靜中，夢迴時，稍一動念，略一回顧，轉瞬顯現，隨時到達。你生根於彼處，彼處植根於你心中。那正是每個人生於斯，長於斯的故鄉。

門前走過千百次的長巷，潔淨的鵝卵石光滑如洗。青石台階、黑漆屏門，白粉牆頭探出一兩枝桃李。小河縈繞迴轉，潺潺流過楊柳岸，傍水人家，櫓聲欸乃，滿載蔬菜瓜果的小舟駛過身邊，收網的漁船穿越腳下橋洞。園林處處，總是詩情畫意。高聳雲天的寶塔，永遠是方向的指標。動亂歲月、漂泊人生。風雲失色，世界變遷，心中夢中，永不褪色的是那故鄉的山山水水，萬種風情。

在那裡，總有一些血脈相連，恩情融貫，水親土也親的人。親暱地喚你的乳名，抱過你、拍過你，知道你小時候一些可愛的舉止，一些可笑的糗事。還有不少堂兄弟表姊妹，和自小便一起在牆門間踢毽子，大廳上造房子，花園裡捉迷藏，又一路勾肩搭背上學的親密玩伴。

在那裡，你聽到的是比世界上任何聲音都動聽、都親切的聲音，那是你生命最初接觸的聲音，從耳畔的呼喚、教誨，到牙牙學語、吟唱兒歌、讀人手刀尺、娓娓申訴、狡辯……。一朝身在異鄉，縱使在眾音喧譁中，只那麼輕輕一句，便能震撼心弦，又那樣安舒地熨貼每一根神經。

在那裡，有任何地方吃不到的好東西，「酸不輓胃、淡不槁舌」的餚饌，精緻的點心糖食，田裡樹上鮮嫩沁甜的蔬果，塘裡的蓮藕紅菱，河中的魚蝦螃蟹。產品中有醇厚的鄉土味、調味中滲著濃濃的親情，早已嗜食成癮。

在那裡，地域性的優異文化薰陶你的心智，山水清華滋潤你的性靈，卓越的人文精神導引你的性向，傳統的習俗風尚培養你的生活情致，高雅獨特的審美觀決定你的品味。這些都已形成你性格的原型、觀念的基因。不能磨滅，也難以再脫胎換骨。

最初的愛，最早的啟蒙，最深的根蒂，是你刻骨銘心的恩情和惓惓憶念。

臍帶剪斷了，兒女的心永遠繫戀著母親。

離開了故鄉，遊子的心，始終眷戀那片萌芽生根的土地。

最愛是蘇州

一生癡迷總不悔

就像春秋闔閭築城以來，二千五百多年縈繞著姑蘇城潺湲迴轉的河流，永遠是那般不停不息，不急不徐地流過悠遠漫長的歲月。「水流不競」的古城，世世代代住著「寧靜無為」的居民。愛和平的蘇州人習慣了恬淡、安逸、雅緻、知足常樂、風雅自賞又與世無爭的生活。一向安土重遷，誰也忍受不了離鄉背井的苦辛。有人要離鄉去求學或做事、創業，叫「出遠門」。「出一趟遠門，少則三兩個月，多則一年半載，就要轉來咯。」然而，我們一家四口出趟遠門，竟是五十多年。戰火隔絕，父親遽然病逝，只剩母女仨放逐棄鄉，「天涯失鄉路，江外老華髮」。從年少到白頭。半個多世紀中，外侮內亂，失鄉失怙，顛沛流離，歷盡艱苦，而家鄉永遠是心頭不敗的據點。兩岸隔絕後，故土音訊杳渺，親人家族生死兩茫茫。魂牽夢縈，總是化不開的鄉愁。銘心刻骨，只是解不開的情結。

愁鎖難解，情深難遣，懷鄉已不只是血脈地緣情分，也是精神文化的皈依。我以童稚赤子之忱，從最早的記憶出發，絡續寫下一系列三生花草夢蘇州（懷鄉草）。但筆墨難罄千斛愁，總難紓解鄉情結，我熱衷於做個拾荒尋寶的人，不息不倦地從各種書報雜誌、故紙堆裡，舊書鋪、藝廊畫展，到處尋尋覓覓。古今作家的文章詩篇，一則指導、一段紀錄、發黃的圖片、褪色的照相、斷章殘篇、語絲文屑，我都視為至寶，設法弄到手，便仔細貼存、抄錄、收藏。偶或在畫展或攝影展中發現兩三幀〈蘇州〉，便央求讓照相，又轉輾請託友人打聽來源，在那文物資訊短缺阻斷的荒漠年代，一切都是那麼難能可貴。覓求中，有些際會緣遇和趣事，讓人難忘。

六十四年，封閉的出版界曙光初露，印行了第一冊大陸河山全集，細說《錦繡中華彩色珍本》，對開精裝，重甸甸的一鉅冊，那時一本文學作品售價大概三、四十元，而畫冊訂價高達一千兩百元。猶豫很久，我畢竟還是忍痛買了生平第一本最重最貴的書，緣因刊有十六頁蘇州的圖片。接下來幾年絡續購有：《大哉中華》、《江山萬里》、《中國園林藝術》，其中一冊《蘇州古典園林》，係建築用書。當我打電話去出版社探詢時，被告書已售完，只剩下「樣本」，聽我述說原委，不僅答應將該非賣品讓售給我，那位熱心的楊主編還親自騎摩托車攜帶那冊鉅書，從新店一直送到天母，真教人感動。

第一本純蘇州攝影集《水の都蘇州》，是作家文友郭嗣汾介紹，再託同鄉輾轉從日本購得，他還送了我一本他自己的藏書《靈岩小志》。

一次逛書展，無意中在一座書架的底層，竟發現了平放在角落的一冊《文衡山拙政園詩書畫三絕》，三十一幅景致，以三十一種字體，題了三十一首詩。仿古線裝，素雅大方，寶貝似地捧回家，翻閱時，字畫閃現出另一幅景象，陽光將天井裡的竹影畫在玻璃上，臨窗的畫桌上豎著竹架，擱著文徵明的千字文小楷，一個短髮覆額的女孩正握筆摹臨——彷彿眼熟。也許，在父親收藏的許多畫冊中就有一本吧。

在商務印書館發掘到一本《清嘉錄》，詳記時序節候、風俗習慣。不少習俗縟節都是小時候親身經歷過的，重溫一遍往日的情境如夢似真。

偶然在某本雜誌讀到一篇相關文章，我會專任去光華舊書店翻遍所有過期雜誌，在圖書館看到署名鄭逸梅的集子，恍惚記得那是蘇州老一輩專寫隨筆的作家，忙去出版社購得所有他的作品，找蘇州有名史學家顧頡剛的書，不只因他是同鄉，更因這位蘇州人的史志筆記中有蘇州。我在杜荀鶴、白居易、韋應物、袁宏道、唐寅等詩詞中的蘇州神遊心馳，在舊書店找到二冊：《說書小史》和《彈詞考證》。一翻開書頁，耳畔彷彿就響起了繁管密弦。在中央圖書館影印到半冊《中吳紀聞》。向友人強借到易君左的《祖國山河戀》不還，因為其中有篇〈姑蘇影和花〉（那時還沒有影印）。文友們也會提供他們筆下的蘇州：像寫《錦繡中華》的郭嗣汾，諺語大家朱介凡……筆記本上抄錄的一則吳歌：「蘇州河裡氽一隻蕩湖船」，卻是散文名家張秀亞在電話裡唸給我聽的，當時聽她以字正腔圓的天津話，來唸嗲聲嗲氣的蘇州方言，有趣極了。原來她年輕時曾做過顧頡剛小祕書。

有一年，年輕的建築工程師黃永洪，輾轉請人去蘇州拍了幾套幻燈片，以「蘇州古典庭園的藝術和設計」在耕莘文教放映講解。我邀請了至親好友同去觀賞。當那些違暌了四十多年的亭榭迴廊、竹塢荷塘曲水，如詩如畫般，顯現在眼前。我震撼、激動、心悸而沉醉，終至泫然歡喜。真箇是「復如遠道望鄉客，心繞山川身不行」。我擠在年輕人中趨前向英俊熱誠的主持人致意，感謝他慰我鄉思，多謝他將蘇州精緻文化介紹給世人。之後在美術館又趕去聆賞了一場，情有未盡處，善體人意的小文友鍾麗慧為我找來三冊刊載園林圖文的《漢聲雜誌》，圖文並茂，介紹詳盡。一直盼望能登下去，出版單行本，可惜無有下文。

最早自報刊剪下的蘇州運河圖片，是郎靜山於民國二十二年所攝〈吳門為棹〉。而我真正擁有二幀寶貴的原照，是一九八六年《讀者文摘》轉載了我一篇〈聞聲聊慰故鄉情〉（刊《倚風樓書簡》）。最令人高興的是配了兩幀名家陳志強所攝蘇州水巷和園林。忙去信索取，熱心的主編林太乙很快就寄我二張五×七的放大照片。我將水巷陳列案頭：靜靜的河水委婉展延，兩岸粉牆黛瓦，楊柳桃枝，倒影水中，一葉小舟穿橋傍提，輕盈地駛行在水中的白雲藍天間，兩人扶櫓，一紅衣小孩端坐一側，動中若靜，竟是如此寧謐從容。每當停筆沉思，焦點凝聚在堤盡轉彎處、心隨水轉。神倚風馳，情思恍惚，猶如身在河上航向曲流無盡處……

對故鄉的種種渴慕思念，我總是貪饞若飢渴。

朋友戲稱我是「蘇州癡」、「蘇州迷」，一生癡迷終無悔。

溫情和敬慕

水是故鄉甜，土是故鄉肥，人是故鄉美，總以為有點偏心，待這些年尋尋覓覓，一路探索過來，發現原來故鄉之傑出，遠超過區區一份鄉愚之忱。

試述蘇州與眾城不同的獨特風貌。

在地理上，先就占盡優勢。山靈水秀，氣候宜人，風物清嘉，是千里大運河江南為最豐饒富庶，領先文明的長江三角洲之中心。挖三江，跨五湖而通海，東鄰上海，南達浙江，西濱太湖，北枕長江，寬闊的護城濠交流貫通，不盡源頭活水，一年四季灌溉著良田百頃，滋潤著花木園林，「平野稻香，碧波魚躍，天下水之美，莫過於平江」。城內濱河縱橫，水巷迂迴，兩岸桑柳映人家，處處橋樑處處花。漁樵耕讀，安居樂業。生活雍容和諧，一脈寧謐悠逸的水鄉情調。不只占天時、地利、人和，更拜領了獲益最大的「水利」。

在歷史上，是我國最悠久的文化古城。自春秋闔閭正式建城以來，已二千五百多年，只比萬里長城年輕一百歲。豐厚的歷史文化累積層，蓋山鋪地，繽紛繁茂。走過大街小巷，不定就踢到秦磚漢瓦，去訪幽探勝，空氣中可以嗅觸到唐宋煙塵。參拜祠廟殿堂，彷彿感覺到聖賢先哲凝聚的精魂。傳說和典故附著在任何人物古蹟上，去到虎丘劍池，就讓人想起闔閭在此埋下了三千多把寶劍陪葬，干將鑄劍喪命，秦始皇找劍捥遍山壑。登上靈岩山、姑蘇台、玩月池、采香逕……恍惚處處都遺留著那個為政權犧牲的浣紗女子芳蹤。壯麗的北寺塔高聳雲霄，卻讓人猜疑當年孫權獻宅蓋建這七級浮屠，可是為犯了「賠了夫人又折兵」那樁婉妹的糗事而贖罪。蒞臨寒山寺，腦中先浮上張繼。耳畔是悠悠鐘聲，看寒山、拾濤兩個嬉笑玩世的小沙彌，怎麼也不像是文殊、普賢菩薩的化身。經過干將坊，不由得想起那對採五山之鐵精鑄劍，不惜殉劍喪生的干將、莫邪夫婦。而踏上皋橋，又會想起另一對昔日賃居橋下舂米為生，「舉案齊眉」相敬如賓的夫婦梁鴻和孟光。登臨滄浪亭，不由人不想起《浮生六記》中的沈復與芸娘，貧困不減生活情趣，中秋在亭中賞月的淒美故事。走進深巷中樸雅的曲園，在當年俞樾講授國學的春在堂泡一盅碧螺春，茶香中彷彿亦飄拂著書香。拙政園內一架紫藤、春來花葉蒙茸，盈盈披拂垂掛，香溢院巷。竟是明朝文徵明的手澤……太多太多的例證，讓人難以想像這樣一座寧靜古樸的小小城廓，竟貯積蘊藏了如許文史遺蹟、人物傳說、悲情故事，風流韻趣，文學藝術的芬芳、民俗傳統的風貌、情操氣節的典範、生活文化的豐澤。正如錢穆大師所說：「對知道的歷史，讓人感到溫情和敬慕。」

優異的吳文化

獨樹一幟的吳文化，在中華民族的大文化系列中，一直領先諸多區域文化，有非常凸出的地位。在明清時代，更代表中國最高水準的文化藝術成就。也許，正由於優越的自然條件，豐厚的歷史遺產，安寧的社會氛圍，自成一格的文學與語言，特殊的風尚習俗，卓越的人文精神，以及注重倫理道德，傾向美即是善的價值觀念，形成一股秉承於傳統，卻又具有鮮明特色的、藝術型的文化。蘇州人在思維方式上，習慣以儒為基本，兼容道、釋，而採取中庸更接近莊子趨向天人合一的諧和，愛和平寧靜，喜淡泊超脫。厚德載物，多情善良，風雅自賞，知足常樂。最早是中國歷史上第一個把美學範疇應用的季札，提倡藝術精神，給吳文化開創了重視美育的傳統，培養了高雅的審美觀念，平時十分注重生活的文化品味，總喜歡將周遭的居住環境，將日常生活中的每一個層面，都提升到品味的高度。服飾穿著，優雅舒適；自織絲綢，輕柔絢麗，冬暖夏涼，滑不沾膚，正是「和帶當風，飄逸有致」。飲食考究精美，重時令、尚新鮮，菜肴花式眾多，點心精緻可口，糖食鮮甜不膩。蘇式住宅粉牆黛瓦、庭院深靜，間有明清古屋，錯落有致。臨河人家，饒有情趣。水巷與街道並行，「以船為車，以楫為馬」，橋樑處處，千姿百態，以曲線的結構，來體現力學與美學的結合。蘇州古典園林，是綜合了園林藝術與文學藝術交融的寫意山水，自然幽雅，四季入畫，「不出城廓而獲山水之怡，身居鬧市而有林泉之致」。掌中別有春的盆景園藝。彼白居易讚為「織為雲外秋雁行，染作江南春水色」的蘇州絲綢，光彩絢麗，輕柔潤澤。早在春秋時期，蘇州人已出有「綾綺」之服了。精細柔美的傳統技藝，融進了西畫明暗透視的優點，是「錦繡文章五色絲」的蘇繡。式樣高雅美觀，雕刻精細花巧的蘇式紅木家具。精湛絕倫的微雕、玉刻、檀香扇、篆刻、碑刻、刻書，最早的發祥地是蘇州，所謂「刻書賽積德，藏書勝藏金」。所以藏書風氣極盛。樂曲委婉悠遠，神韻身段細膩優美的崑曲。說唱動聽，雅俗共賞的彈詞，民間流傳的吳歌，淳樸的民間藝術，以及豐沛的文學和繪畫。從追求生活品味的美，而創造精緻和諧的生活，在在涵蘊微妙雋永的情趣，也豐富了性靈，提升了精神生活。承襲了中華民族優良傳統文化的菁華，凝聚了二千多年來無數蘇州人的智慧、才能和心血。在我國南方，蘇州應該是最能代表中國風格，具有特殊水鄉澤國風情的古城，是中國品味的典範。

萬物之柔的智慧

一說：水是生命，思想的象徵。

老子認為：水是萬物之柔，和尋向低處的智慧的象徵。

莊子認為：水是心靈平靜，和精神瑩澈的象徵。

水既最萬物之至柔，思想的象徵，生長於水鄉澤國的蘇州人。性格上總是柔韌有餘，剛強不足。喜愛平靜，遠離爭奪。在歷史人物中，除了吳氏家族，闔閭、夫差，似乎再沒有叱吒風雲的戰將和野心勃勃的侵略者，而在教育，學術及藝術上，卻代代人才輩出，成果卓然。「天下有學自吳郡始。」「吳中盛文史，群彥今汪洋。」韋應物。「吳為人才淵藪，文學盛行，甲子天下。」歸有光。俗諺：「一街三進士，隔岸兩狀元。」溫文儒雅的蘇州人擅長「詩文才情」，尊重的是「道德學問」。例如：晉朝文學批評家陸機，描述從事創作過程應如何於作品之中利用直覺以捕捉永恆和無限：「觀古今於須臾，撫四海於一瞬，籠天地於形內，挫萬物於筆端。」寓意深永的至理雋句，直到今天，仍是散文寫作的圭臬。西漢的辭賦學家朱買臣，將漢賦提升到頂峰。宋時集政治、軍事、文學家於一身的范仲淹，在岳陽樓題下震世名句：「先天下之憂而憂，後天下之樂而樂。」至今仍能警惕人心。明朝歸有光文章第一。明清時的思想家、文學家、愛國學者顧炎武，標榜：「國家興亡，匹夫有責。」第一個表達反對統治的進步思想。開我國文學理論與批評之先的金聖歎、通俗文學家馮夢龍、田園詩人陸龜蒙、高啟、范成大。近代辨古史的史學家顧頡剛、我國第一位不用仙人國王寫童話的作家葉聖陶……藝術上的成就更是燦爛，書法家及畫家、詩人有陸機、陸雲、張翰、范仲淹、范成大、陸龜蒙、倪雲林、黃公望、祝允明、王寵、顧愷之、張僧繇，到明時又沈周、唐寅、文徵明、仇英四人創立了影響畫壇至今的「吳門畫派」。清代徐揚繪製了一二二五厘米長卷〈盛世滋生圖〉（姑蘇繁榮圖），以及一直為世界各國收藏的民間年畫「桃花塢版畫」，其他建築方面有參與明故宮設計的蒯祥，世界第一個撰寫園林建設，而又文采斐然的《園冶》作者計成，以及當今蜚聲國際的世界級建築大師貝聿銘。若說人才薈萃是地靈人傑，策建姑蘇城的是楚國人伍子胥。吳越對峙時又從山東跑來一位軍事學家孫武，像一般來了蘇州就捨不得離開的人一樣，一住四十年，終老水鄉。其間完成了一部曠世鉅著：《孫子兵法》，迄今仍被重為兵書聖典，商界妙策。

蘇州人多情、心軟、重義輕利、感恩圖報，歷任父母官只要清廉愛民，對地方稍有建樹，或對蘇州有所關愛的任何人，總是銘感在心，為文寫傳、立祠刻碑、橋路命名，世代敬重，如白居易、韋應物、況鐘……僅滄浪亭一處，就嵌立了聖賢刻像五六九方。名人身上，總會附會些似真實又誇張的故事傳說，家喻戶曉，代代轉述，越陳越香。蘇州人不太一本正經地提豐功偉績，只喜歡講點刻苦勤奮的經歷，和生活中的逸聞趣事，像范仲淹的「斷齏畫粥」，說他自幼貧窮，每日僅煮一罐稠粥，凝凍後畫為四塊，早晚兩塊拌韭菜和鹽而食，苦讀到天明。朱買臣的「馬前潑水」，說朱年輕時上山斫樹賣柴為生，卻不忘發憤攻讀。妻子因嫌窮離去再嫁後，朱苦讀終有所成，又來要求重續前緣，朱將一碗水潑灑馬前，說如能掬起地上的水便能重返朱家。因哭廟控告貪官冤枉問罪的金聖歎，人人樂於傳誦的梗概說是他臨刑前的遺言，花生米與豆腐干同食有火腿味。唐伯虎的傳奇更是滿筐滿籮，他畫的楊梅樹落地會生根結果，又大又甜的東山楊梅就叫唐梅，他畫的麻雀會從紙上飛出去啄米，他畫的風景畫，藏在箱子裡四季會變化。韋應物治理縣城有功，就將城名封贈叫韋蘇州，況鍾任蘇州知府十三年，為百姓申冤破案，蘇州人為他編了一套崑曲〈十二貫〉，後來又拍成電影。這許許多多軼事逸聞，說來純熟順口，舌燦蓮花，千百年跟三五年無啥差別，彷彿他們一直生活在深巷古宅裡，不久才乘畫舫款乃駛離，隨波逐流，不知在浩淼的三萬六千頃太湖上、七十二峻峰間，泛舟何處遨遊。

有麝自然香

謙沖為懷，含蓄內斂的蘇州人，一向認為種種美好都是原該如此，若是「腰裡掛秤，自秤自讚」，就顯得小家子氣，有失風度。「有麝自然香，何必當風立。」那就聽聽自古到今，史書記載及各方人士對蘇州的看法和說詞罷。

君到姑蘇見，人家盡枕河。故宮閒地少，水港小橋多。夜市賣菱藕，春船載綺羅。遙知未眠月，相思在漁歌。——唐・杜荀鶴

閶門四望鬱蒼蒼，始覺州雄土俗強。……闔閭城碧鋪秋草，烏鵲橋紅帶夕陽。處處樓前飄管吹，家家門外泊舟航。雲埋虎寺山藏色，月耀娃宮水放光。——唐・白居易

風物雄麗，為東南冠。

吳群之於天下，如家之有府庫，人之有胸腹也。

當今，用多出江南。江南諸洲，蘇為最大。

蘇州是從水底升上來的，美麗、偉大、高貴的城市。——馬可勃羅。

可歎人生，不向吳城住。——宋・吳文英

從來人說蘇州好，水草崖岸一味香。——清・龔自珍

蘇州好，城裡半園亭，幾片太湖堆崒嵂，一篙新洲接沙汀，山水自清靈。蘇州好，茶社最清幽，陽羨時壺烹綠雪，松江眉餅炙雞油，花草滿街頭。——清・沈朝初

昌明隆盛之邦，詩禮簪纓之族，花柳繁華地，溫柔富貴鄉。最是紅塵中一二等富貴風流之地。——清・曹雪芹

文章是有字句之錦繡，錦繡是無字句之文章，……姑即粗跡論之如……姑蘇——張潮

蘇州！誰能想像第二個地名有同樣清脆的聲音，能喚起同樣美的聯想……比是樂器中的笙簫，有的是蝸蝸的餘韻；比是青青的柏子，有的是沁人心脾的留香。在這裡不比別處，人與地是相比無媿的，是交相輝映的，寒山寺的鐘聲與吳儂軟語一般的令人神往。虎丘的蓑草與玄妙觀的香煙同樣地勾人留戀。——徐志摩

蘇州，城內外遠近各山勝蹟，園林古剎美不勝收，到處皆是，舉世古城市，當無一可與倫比。——錢穆

恨不生為蘇州人。——曹禺

由我看去，南京、上海、杭州均各有其價值與歷史，唯若欲求多有文化的空氣與環境者，大約無過於蘇州了吧。物質充裕，生活安適，由我們習慣於北方困窮情形的人看來，實在是值得稱讚與羡慕，吳語文學的發源地。——周作人

重遊，正初秋，紅闌杆畔，白粉牆頭，橋影媚，櫓聲柔，清清爽爽，靜靜悠悠，最愛是蘇州。——易君左

一位美國百萬醫師說，他最夢想的生活方式便是法國式和中國式的，我更正說其實應該是「巴黎式」和「蘇州式」的，巴黎是歐洲的蘇州，蘇州是東方的巴黎。只有巴黎佬和蘇州佬才懂得什麼叫「生活」呢！

中國各地，真能把這種文化生活——林語堂筆下的「生活的藝術」普及民間，而為一般平民百姓所共賞的，恐怕「夜半鐘聲到客船」的蘇州，先要首屈一指了。這種傳統的流風所及，乃使蘇州在中國成為特出的文物之鄉。在一個健康的商業社會裡，公餘之暇，我們應該多培養一點生活情趣，提倡一點玩物而不喪志的「蘇州式文化」生活。——唐德剛

我也曾到過許多地方，而夢中的天地卻往往是蘇州的小巷。面前著這些深邃的小巷，沿著高高的圍牆，踏著細碎的石子，扶著牌坊的石柱，慢慢地往前走，去尋找藝術的世界，去踏勘生活的礦藏，去傾聽歷史的回響。——陸文夫

蘇州是我常去之地，海內美景多得是，唯蘇州，能給我一種真正的休息。柔婉的言語，姣好的面容，精雅的園林，幽深的街道，處處給人感官上的寧靜和慰藉。

蘇州，是中國文化寧謐的後院。江南小鎮是我們作家藝術家的小島。有了這麼一個寧靜的家院在身後，作家藝術家們走在都市街道的步子也會踏實一點。——余秋雨

蘇州的刺繡是「沉靜的創造」，菜餚是「明亮的喜悅」，歌詞是「不設防的溫柔」，園林是「恬美的詩情」，街道是「寧靜的幻夢」，生活中蘇州式的「古老、沉靜、溫柔。」是對一切「美善」、一切建設、創造和生活本身的珍惜與保護。——王蒙

蘇州是個好地方，一個人出生在蘇州，或生活在蘇州，是一種福氣，也是一種機遇。——楊柳

如果中國是一部大書，蘇州是其中耀眼的一個小小篇章——有些地方未去過是種遺憾，而未去

過蘇州，卻是種罪過——因為我們的民族曾把蘇州拿來和幻想中美麗的天堂對比。上有天堂，下有蘇杭。何止對比?簡直有與天堂一較高低的架勢！——陳楚年

到了蘇州，所有的感覺都像用手撫觸著絲綢的細膩！

我想，世界上再也沒有一個城市，能為街巷取那麼多好聽好記的名字——除了蘇州，一定不容易找到。——吳敏顯

蘇州，是中國品味的典範。真箇是「山山水水入畫，世事掌故能成詩」。看了古今文人學者，以生花彩筆、錦鏽文章，描繪自己對蘇州的印象和讚美，益讓我這個離鄉背井、漂泊了半世紀的蘇州人，對故鄉有另一份體驗經歷以外的認知。

古城一直以歷史文化深厚，物華天寶豐澤而名聲遠播，也許還沒有多少人知道它在科學上的定位，蘇州它不一定是地下的天堂，但確確實實是天上的星宿，無限空廣的蒼穹、燦爛的星星群中，有一顆瑩澈的小行星，被鄭重地命名為「蘇州星」，國際編號是「二七一九」，原是中國南京紫金山天文台在一九六五年發現的。不採用發現地南京式中國，卻獨獨光榮了蘇州。

夜晚，仰望蒼空，知道那閃爍的群星中，有一顆正遙遠地投射出清澈的光亮，照耀引領，猶如故鄉溫柔親切的召喚。

三十六陂春水

不是隔世，不是夢。那無形無質，卻厚重陰冷，嚴密封鎖了四十年的閘門，終於開啟。兩岸壓抑已久的人性、感性、堵塞的文化藝術、截阻的資訊音息，獲得釋放和交流。遲，總勝過永訣。

靜靜的海峽沸騰起來，探親返鄉的人潮掀起了波濤。赤子之心，永遠是被親情鄉情搓合成那根柔韌的絲牽繫著。朋友，同鄉，一個個很快地返鄉又旅遊。打從蘇州來去，都不忘記給我捎回一點紀念品：一把雕刻精緻的檀香扇，不熱無汗也打開來散發幽幽的香風。一條手繪的絲巾，瀟灑地向頸上一搭，炫耀著純白中端墨瀋淋漓的「蘇州」二個字。二包采芝齋的麻酥糖，一盒稻香村的松子糖，還有玉片糕，裝在玻璃瓶裡「望梅止渴」。一組風景卡，一本小冊子，一冊《園林之城》攝影集，朝夕相對，養眼補神。數幀到達一遊的相片，只羨慕風景中的人為什麼不是我。兩卷錄影帶，不時放映，心隨神遊，幾番迷失。一只旅社的火柴盒，竟是一幀水鄉風景的水印木刻，以錦盒珍藏。還有密封的塑膠袋裡是一撮同鄉家人自釀的玫瑰醬，一包同鄉親人曬製的太湖白殼蝦乾……難為朋友們為慰我鄉思，憐我癡迷，採集著這些心意，轉輾旅途，真是情比禮更重。

超越任何資訊物質的是圖畫，不管是水墨、水彩、水印木刻、油畫，或攝影木刻。那似曾相識，依稀熟悉的景物、圖象、風光、情調。望一眼就令人震撼、心悸，而屏息靜氣完全投入。是解凍後的花季，荒旱消褪，蟄伏的藝術家忽然如春筍般出土，是久處繁忙榮華，渴慕悠逸恬淡，對心儀的水鄉風情有所嚮往。有從海外、大陸、本鄉本土絡續來台展出，有自此岸專任越洋造訪，有人花費三個多星期，只在水巷古橋楊柳岸間穿梭逗留，狂熱地捕捉神韻。有人在烈日下一蹲七八小時，為的是好讓水鄉千萬種風情一一入畫。有人說沿著粉牆漏窗，傍水人家，走過幽巷，一拐彎就是一幅畫。有人慨歎自己不曾習藝，來到這悠遠古城好想做個畫家。展出很多是一系列一個主題，百十來幀畫不盡的漪旖風光，該目眩神迷。有重點標榜也都能把握住景物的神髓風貌。很吸引人，那些時日，我不斷進出藝廊畫坊，還有連去二次仍意有未盡。徒歎「心繞山州身不行。」神遊之餘，也記取了那些色彩繽紛的名字：馳名國際的大家吳冠中、陳逸飛，來自故鄉的水墨水彩畫家楊明義、劉懋善、孫君良、徐源紹、江淳、貝戎民、平龍。水印木刻家潘裕鈺、沈民義、周興華、勞思、吳鴻彰、周偉明、王勉、盧平。版畫年畫張曉飛，和台灣的楊興生、張韻明、龐均、倪朝龍、陳陽春、吳漢宗、張炳南、王祥薰、周志剛、李小鏡……等的油畫、水墨、水彩、攝影。敬禮！可敬可愛的藝術家們。

同鄉好友葉蓓芬又將刊有她畫蘇州秋景的《吳縣家鄉美》畫冊，割愛自美國寄贈。

睹物情益切，觀畫心更遠。窗外，鷓鴣聲聲催不如歸去，藩籬撤除，路已通暢，那渴切躍動的歸心，早已按捺不住。然而，我卻如此拙於行動。

情怯，只緣當年「出遠門」時年紀還小，是個只會做夢的懵懂女孩。離鄉三月，抗戰爆發故鄉旋即淪陷。三年後，掌握資訊的父親又遽然逝世。烽煙瀰漫，風雨飄搖中，絡續傳來外婆和大姑媽在蘇州去世的噩音，在上海的祖母和三姑父一家、杭州堂兄一家，也不知去向。抗戰勝利後工作在身，母女仨不知如何還鄉；之後來台灣，兩岸隔絕，更是四、五十年音訊渺杳。無處探索，無從問起，分明已聽到故鄉親切的召喚，幾乎伸手便可以觸摸到那滋養我的土地。但我兀自焦急、惶恐、迷亂而又懊傷地引頸佇立彼岸。漂鳥欲待歸去已無巢，親族存亡散失，不知從何探問，何處落腳。

我嘗試著寫下一個沒有門牌的地址，一個知道他抗戰勝利後不曾回鄉的名字，介紹了自己。我也向紅十字會要來尋人表格，填上一連串沒有任何背景資料的人名，投石問路。卻不敢抱太大的希望。

居然「冷鍋裡爆出熱栗子來」。天外飛來佳音，隔絕四十多年第一次獲得故鄉來信，是我離開時還不滿二歲的表侄女（大姑媽的孫女）——由我那賢淑的表嫂一手撫養長大受良好教育的畢鎔。現在已是四代同堂了。為要回答我許多問題，她讓小兒子葉放作更詳盡的報導，令人驚訝的是年輕人的一筆字竟寫得那麼好，且是繁體字，文字更婉轉流暢，畢竟是深受「吳文化」薰陶，家學淵源，又學的是藝術。一封又一封，他生動地描述蘇州現在的種種景況，又誠懇地表達全家盼望我能回去看看，他保證會妥善安排，不會讓我太疲累。其中一封委婉地說：「若走不動，近一點的地方，我可用敬老車（速寫了一輛輪椅）推著您四處散步，隨走隨停。任意漫遊。風物景點、園林水巷，細細品味感受，慢慢回憶體驗，怡然自在。這樣可行，可好？……」這個熱誠、體貼、懂事又開朗的大男孩，沒見面就教人喜歡！土親人更親。他的說服力，化解了我心裡的疑慮和顧忌。

女兒更以行動鼓勵我，要伴我走一程蘇州。

春天到夏天，我散步時盡量多走幾步，為蘇州。我做深呼吸增強肺活量時，盡量耐心吐納，為蘇州。我三餐進食時盡量多吃營養食品補充體力，為蘇州。

蘇州呵蘇州！

楊柳鳴蜩綠暗，
荷花落日紅酣，
三十六陂春水，
白頭相見江南。（王安石）

一九九三年十二月二十四日

編註：本文為艾雯未刊手稿。

北寺塔

——蘇州的標竿

九月的秋風，吹得臉頰有點發麻，眼睛有點痠澀，繫髮紗巾飄舞如獵獵飛揚的旗幟。我側向而坐，緊貼著敞開的車窗。列車正疾馳在一碧無垠的江南綠疇平原。行馳過時光和空間。拋離在後面的是流逝的歲月，接近的是回憶的落實。我試著伸手窗外，挾帶著塵沙的勁風穿透掌心指隙，猶如急流沖激。真實的感覺告訴我，那不是夢。

那不是夢，我坐在上海—南京的藍鋼皮快車上，穿越不盡的青青田疇和靜靜河流。旁邊坐著女兒恬恬，隔著小茶几，對面是來接我們的表外孫葉放。搖晃的韻律，單一的節奏，和車廂中起起落落的親切鄉音，都在提醒我這是去故鄉的行程。噢，我魂牽夢縈的蘇州，我終於一里又一里地奔向妳的懷抱，攜帶著五十年的鄉思，半世紀的離愁。

田一程、水一程，熱切的情緒隨著輪轉起伏。原來按照葉放排的行程：昨天下午他同麵包車來上海接機，當晚就可以抵達蘇州，但由於我的堅持，才費了那許多周折，乘坐這班火車。我要在光天化日中一步一步接近故土，要清清楚楚讓蘇州的標竿——北寺塔婉轉進入眼界，捕捉住心神交匯的剎那。

小時候跟隨雙親去上海，每次總喜歡跪坐在窗口，依依不捨地凝望著高聳天際的寶塔，漸行漸遠漸小，終至消失在煙嵐裡。便打從小心眼裡悶悶不樂。外婆、玩伴、學校、石橋河濱……不知又要隔多久才見到。上海有祖母三姑母家的表兄表姊，但我一點都不喜歡狹隘的弄堂房子，和擠擠攘攘的陌生人，好不容易盼望到回蘇州了，到時我仍舊跪坐在車窗前，迫切地期待那城牆圍繞中直聳天際的一支巨筆出現！漸行漸近漸清晰，回家的喜悅也漲滿了胸懷。忍不住在心裡低低呼喚：「北寺塔，我回來了。」而那一年，一九三七年初春，清明自祖墳折回插在大門上的柳條，枝葉猶青，白粉牆頭，桃李正繽紛。我們告別外婆，乘黃包車出平門，搭上火車去江西，我跪坐車口望著寶塔消失，竟在五十多年後的今朝，才等到這重新印證回憶的一刻。顧不得勁風猛吹，煙塵撲面。我肘擱窗台，手扶相機，嚴陣以待。這一次，我不僅以眼、心，更要用鏡頭捕捉住分分秒秒的迫近，那心神景物交會的震懾，好讓未來回憶時有更真實的憑依。

永遠屹立的北寺塔，是蘇州城的守護神。向出去闖蕩的子民作最後的叮嚀，向倦遊歸來的浪子第一個表達歡迎。

小河、石橋和寶塔，對蘇州人來說，就像太陽、月亮、星星一樣自然。城裡路順水轉，河倚街行，橋繫兩岸。而塔中之冠——北寺塔，巍然矗立空中，上接天庭，俯臨眾生。坐鎮城廓，卻投影四面八方。潺潺的水流和靜靜的石橋，總讓人感到一脈舒緩悠逸的情調，而莊嚴的寶塔顯得安定穩重，寧靜祥和，給人一種精神的引力。

蘇州最長的一條街——護龍街，從北到南，縱貫全城。塔就鎮在龍尾，目標顯著。所有的街巷像魚脊骨分兩邊排列。不知道方向沒有關係，只要望一望塔的位置，從火車站進來，左邊可去拙政園、獅子林、玄妙觀。右邊到曲園、怡園，再就是我家住的瓣蓮巷。儘管長巷水巷錯綜如葉脈，塔是永恆的方向針，蘇州人從小就不會迷路。有時候，情緒低落，只顧沒精打采地走路，一抬眼，卻驀然跟挺立在上方的塔打了個照面。不由得怵然一驚，自然而然地提起精神，抬頭挺胸，腳步踏踏實實地邁進。塔是大家的精神堡壘，有時心裡正想著事情，要如何如何，眼睛不經意地一瞥，只見塔正探過屋脊俯視，彷彿已一眼窺透思緒，不禁會心地一笑，原來心事除了天知地知還有塔知。塔是最有默契的知己。有時乘著黃包車在巷子裡穿來繞去，塔也在樹巔牆隙忽現忽隱，像在和人捉迷藏躲矇矇。若是坐船在河上緩緩行駛，塔總是在陸地上保持著距離，遠遠兒地跟隨著繞一程，又悄然引退於煙嵐中。走進古典園林拙政園，經過曲折迴廊、傍水亭榭、竹塢池塘……移步換景總是畫。來到一處叫「別有洞天」，老榆傍岸、垂楊拂水，其間隱現幽幽月洞，半亭、拱門倒影水中，背後竟是壯麗古塔，聳立雲霄，參差相映，似近還遠。原來塔被請來巧妙地借景，使平面的景致有了高峰。

隨著氣象和季節的嬗變，塔一直有著不同的景觀：晴好的日子，它貼著淡淡的藍天，輪廓清朗，意態悠遠。當白雲馳繞四周，那層層翹揚的簷角，彷彿也正振翼待飛，影隨雲移。太陽照耀中，它散發著莊嚴的光輝，瑞氣瀰騰。晚霞滿天，烘襯得神祕而又詭異。兀立風雨中，肅穆凝重，顯得沉鬱孤傲。而飄雪的時光，竟是那樣瑩潔玲瓏，似玉雕石砌。但儘管韻姿萬千，只是自然之神在加工修飾，而空靈又深沉的塔，永遠以不變應萬變。

古老的北寺塔，雖然不及蘇州城久遠，卻也有一千七百多年的歷史了。三國時代孫權為紀念他母親，將住宅改建成「報恩寺」，俗稱北寺。塔在寺內，所以叫「北寺塔」，是中國樓閣式佛塔，一共九層（原十一層）八面。朱槅、白欄、灰瓦、重簷層疊、翼角飛揚、塔頂金盤銅戟，直聳雲霄，巍峨、雄偉、氣勢挺拔、壯麗又莊嚴。當幼時的我站在塔下向上仰望時，總覺得有種力量吸引我、提升我，目光一直向上攀援，身體越來越向後仰，心中凝聚一片虔敬，竟是赤忱皈依。相信那是天、地、神、人間唯一的相接相通。

塔內廊有木梯上去，每層八扇拱門通向外廊。登臨最高頂層，可以遠眺山峰河川，俯瞰城郭。郊野叢樹掩映萬家屋瓦，稻秧菜花展延千里平疇。煙波浩淼的太湖裡點點漁舟帆船，像蚱蜢，像白翅小蛺蝶。在閃亮的水面緩緩滑行，遠山起伏在雲霧蒼茫中，彷彿巨幅水墨畫。人在高處絕頂，藍天碧虛，四周是無垠空曠。天風獷厲，吹得短髮飛舞，裙裾飄揚，只怕隨時會被輕輕舉起，化作羽衣仙子。我雙手緊握欄杆，貼靠著父親，聽他興致高亢地吟誦那首登塔古詩：「巍然一塔通雲寒，絕頂登臨眼界寬，淺淡河山歸杖底，參差樓閣出林端。」一風卻奪走了音韻語句，滲和著清脆的簷鈴聲，斷斷續續，一起散落在縹緲雲天，青山綠水間——那一次隨父親登臨北寺塔留下一生難忘的記憶。

塔是屬於東方的建築藝術。一柱擎天，堅固卓絕，孤零零屹立地層數千年，興建時也不知凝聚了多少優秀人才的智慧與勞力。建造北寺塔，亦流傳下來不少故事傳說：什麼魯班再世，神仙指點，諸葛亮出主意要在塔頂立一個「塔剎」，用五千四百斤銅澆的葫蘆。尤其當策劃初期，眾家一再討論商議，意見紛紜，總不得要領。之後蘇州人就習慣用一句雙關語：只要幾個人討論一樁事情，七嘴八舌，得不到結論，就說：「又在商量北寺塔哉！」

北寺塔的名字一定要吳音唸出來才真切。臨行前還跟女兒惡補了一切，「博士」、「剎柿」、「八字」扯了半天，最後勉強用注音符號給拼了出來。

有遊客到蘇州時問塔叫什麼名字，地導照說了，卻聽得人家一頭霧水。「明明是座塔，怎麼說『不是』塔？」（註）

註：吳音唸「北」、「博」、「八」、「剎」、「不」有似「ㄅㄚ」、「ㄅㄛ」；唸「寺」、「是」、「柿」、「字」有似「ㄗ」。

車窗口驟然陰暗，竟是一片綠蔭浸潤。就在路畔田塍上栽種了密密一排水杉，秀挺蔥蘢。貼近了駛行，光影閃爍，彷彿「刷刷」有聲。一路延伸，綠滿車廂。樹盡處，豁然開朗，又是敞亮的河漢田野——我的一顆心猛然跳到咽喉，全身僵直，期盼中的一柱寶塔，赫然出現在遠遠的左前方。背負湛藍微雲的天空，在午後的太陽照耀下，祥氣絪縕，光被四表，煥發著莊嚴靜穆的美。隨著行進，我展開赤忱的懷抱迎上去，又彷彿它正悄然移動向前。在雙目交會，心神投授的剎那，我已熱淚盈眶、狂喜若癡，激動地呼喊：「北寺塔，別來無恙！」疾忽間交錯而過，又杳然消失。當從忘我的情境中驚覺，才懊惱失聲，竟完全忘了按快門。

汽笛迭連長鳴，車將進站，葉放收拾起另碎勸慰我說：揀一天，我們專門去照塔。當然，我可以遠遠近近、裡裡外外、上上下下將塔的莊嚴寶相盡納入鏡頭。但又怎能攝住心神激盪的感應？只是又一次覆印重疊在心版上逐漸淡褪的痕印，留待他年回憶，思念一轉，靈光乍現，有更清晰的顯影。

而我在心裡另外還有個壞主意：小時候常聽外婆說，北寺塔裡供奉的一尊註生娘娘，如果來生想做啥格人、投啥格胎，只要在她生日那天，用紅紙寫下自己的生辰八字，心中許著願在香案前焚化。算準還有幾天便是農曆八月初八，就揀那天去拜塔，我會在紅紙上端端地寫下我的生辰八字，在註生娘娘神龕前敬香焚化，祈求保佑我來生仍做蘇州人！

編註：本文原刊於《蘇州雜誌》總第五十七期，一九九八年四月十五日，頁三十六～三十八。

文學情緣

情與緣，有時是偶然相值，有時是必然的發展。有時是因情結緣，有時是因緣生情。但一旦當情緣相互滲透融和，就像水和乳，泥和沙，渾然一體，堅貞不移。

最早，我是對書一見鍾情。故鄉蘇州，是歷史悠久的文化古城，也是寧謐祥和的清靜水鄉，老家庭院深深，長日靜靜寂寂，空氣中經常若有若無地飄浮著淡淡幽幽的花香、書香、墨香和檀香香。小時候，我是個寂寞的孩子（十三歲才添了個妹妹）。個性內向、羞怯，又有點好強，身體不太健康，因此上學常常停停續續跳著念。伴著我的是沒有生命的玩具和洋囡囡，集外婆和雙親的寵愛於一身，也難填小心靈的空虛。直到悄悄發掘到父親的藏書，開啟了懵懂的生命中第一道窗。所有神奇可愛的事情像初升的曙光投射進沉睡的心靈，輕輕地喚醒，美妙地接觸，驚訝那個用文字的魔術所建造的世界，竟是那麼美妙神奇而通向無垠寬廣！那時很少兒童讀物，從章回小說、彈詞腳本、古典文學、白話文作品、新文藝……儘管是一知半解、囫圇吞棗，閱讀帶給我無窮的樂趣，是沒有其他能比得上的。而從蒙昧童稚一直伴隨到兩鬢飛霜，書籍給予我的啟發、教益、激勵、感悟……更是終身享用不盡。

如果說對文學作品「一往情深」，那開始寫作便是「因情結緣」，由偶然而必然。長期的閱讀是一種薰陶，一種潛移默化。自然增強了文字組織的能力，也形成一種意志，暗暗推動原有蟄伏在我們血液中的資源。當我跳級上了中學，第一篇作文就蒙國文老師特別賞識，鼓勵我自由發揮。寫寫壁報，偶然嘗試投稿給當地縣報副刊，當時只是一種「隨緣」的心情。之後由於對日抗戰爆發，父親遽然逝世，故鄉烽火隔絕，必須負起責任輟學就業。外在的壓力和內在的衝擊，使年輕的心靈因載負太重像杯子因盛滿而外溢。我開始藉文字宣洩苦悶，紓解憂傷，寫出對未來的憧憬，對自由的渴慕，對愛與美的追求……「把寫作當作一支舵，裝置在那葉在人海風濤中奮鬥向前的小舟」（《青春篇・序》）。〈路〉文便是後來為鼓舞激勵自己，以及同時代失鄉、失學，歷盡艱辛的年輕人所寫。

學習寫作同時，我的工作轉入圖書館，長日浸潤在前人的智慧結晶中，作學相長，益使我從體驗和寫作中建立了自己，逐漸擴充生活範疇，關懷周遭一切，不僅是抒寄一己的感性心靈。更從這時代人們多采的生活中去提煉，去從平凡中發現新穎的美，去發掘心靈中的寶藏，闡揚人性的光輝。將激勵向上向善的意念、奮鬥的精神、對理念的執著和信心，帶給自己和讀者。增添生存的勇氣和美化心靈，開闢一個和諧，淳樸、悠遠、長新的天地。

寫作是無路可循的事業，寫作的路更是永無止境。從隨緣、投緣，到緣結一生，一路上孑孑獨行已是半個世紀。芒鞋踏破終不悔，韶華老去，只求筆底存年少，文學情緣更是孜孜惓惓，綿綿不盡。

擷云小築・民國九十三年一月十二日

編註：本文為艾雯未刊手稿。

人在礦溪

春晴不在家

春天到來，暖陽初現，驅散了連日來的冷雨寒風，久陰乍晴、預兆豐稔，正好讓芒神春牛風光風光。

春晴不在家，自去訪礦溪。

去礦溪朝水，是我的早課、我的靈修，只要是天好人健康的日子，起牀第一件事，便是去赴約，夏秋趕在日出之前，常常是晨星稀微、露珠濡濕、草木將醒猶醒。薄寒稍涼時，卻與太陽同步。披一身光輝，像枝葉般發亮、花草般歡欣。一路上鳥雀遠近呼應、低掠迴飛，清冷的空氣涼沁心神。出門右拐，步上淺淺斜坡，調整呼吸時順便望一望兩旁人家牆內的櫻花可曾著苞，籬外的珊瑚刺桐是否茁紅，路邊高聳的油加利永遠是風向的指標。三株根節蟠虬、蒼鬱稠密的老榕樹，濃蔭覆遮著一座深邃的大圓環，路從這裡呈放射狀，最直的一條便通向公園，沿著路的伸展，叢樹雜草前、綠籬矮垣間，菜農鄉民們或立或蹲地展售他們摘自田裡的小小產品：青翠的蔬菜、帶花的瓜果、沾泥的竹筍，早起的人們來往穿梭其間，有去散步的，有去運動的，也有去登山的，赴大自然的約會，人人神清氣爽，步履輕盈。眉眼唇角像蔬果般透著鮮潤。額上映著晨曦的光澤，和善可親。

走到路右公園牌坊前面，才知道走的路應該算是山上，路邊崖堤直直削砌，自小小的平台上望下去，蓊蓊鬱鬱、枝柯交叉，不知有多深，一座森林窪地，並列兩處入口。右向便沿著山崖迂迴曲折、順勢迤邐。左側傍著花圃，右階拾級而下，兜擁著長長一帶綠園，茂密遮天的樹叢掩映著一處處跑道、場地、台基，和鞦韆、滑梯、單槓等。翠微間不時飄揚起國樂、迪斯可、民族音樂、現代舞曲，及口令以及隨聲閃動的身影。清淨的空氣被帶動得活潑起來。就在這些飄浮的音韻間，總有另一種深沉、穩定、持續而悠久的聲音，彷彿來自天際，又像出自地層，充斥空間。穿過草地，移步向前，越近越響，隨著眼前豁然敞亮，自身已淹浸在聲源中，沿著綠岸邊緣。仿竹欄杆下，竟是一道婉轉奔騰的溪流！

一道湍急的山溪，自上方濃蔭深處奔騰直瀉，一路穿越溪牀中堆疊著大大小小的石塊。浪花沖激、水珠迸濺，發出巨大的呼嘯，蓋過所有大自然及人類的聲音，唯有那股澎湃的聲勢氣魄，那種生命行進中無比的歡暢，充沛了宇宙空間。

從第一次第一眼見到磺溪，我就被震撼、被懾服、被吸引，為之傾心、為之忘我、為之皈依歸順、頂禮朝拜……一直到如今，而每一次接觸會晤，感受依然如新。

我滿心歡喜地想把發現溪流的消息告訴城市的朋友，誠懇地邀請他們來共享這清澈的溪之饗宴。

我許下心願準備好好記述與磺溪和大自然的交往，以及因之結識許多野生植物、飛鳥蟲媒、松鼠山雉的種種愉悅、啟示、心得、憬悟……有性靈上的修為，有精神上的鼓舞，微妙的情趣，曠達的心境……還有那些誠樸人性的溫馨。

然而，也許是太多的寫作計畫亂了步驟，也許是太多的愛好禁不住分心，也許是對做好這份紀錄太鄭重了些。還有，那阻塞性的宿疾總不住糾纏消耗，我寫是寫了，用豐盈的感受，輕靈的思想，在黎明時分，蘸著晨曦，悄悄寫在水面，寫在急流和漣漪間。

溪水永遠不停地奔流沖激，那迸濺的浪花水沫中有我不盡的感恩文思及靈感。水過不留痕，數千個日子流走，竟是未著半點墨跡。

毅然選了今年「立春」開工動筆，「春」自不必說，一切生命的開始、萌發，蓬勃有朝氣。我更喜歡「立」字，肯定、堅決、做好行動的準備，一種蓄勢待發的銳健狀態。

今朝立春，

春晴不在家，自去訪磺溪。

迎春納福

過了春節就立春，春天到來一切興旺，正合乎傳統的祈願：「迎春納福」。

好一個「納」字，不只接納，而且容納。一種契合和蘊藉，交融互滲，運轉自如。福是能源的充沛、生命的展場、成長的喜悅、收成的歡暢，無限生機、一片祥和。而涵納蘊藏兼容的大自然正是這一切的淵源。

接近淵源，我從囚蟄的小樓下來，去到公立的林蔭路，一季的冷雨似乎浸透了整個世界，黑色的土地一腳踩下去會冒出水來。膠底鞋仍有彈性。冷冽的空氣就像冰凍過的啤酒泡沫，撲濺上臉頰眉睫。冷風吹拂著肌膚，冷空氣吸入肺腑，我御冷風以遊，群樹列隊，掉臂前行。一面深深吐納，一面顧盼俯視睽別多日的花草朋友，擔心太多的雨水，會浸蝕根脈。太長的寒冷，會摧抑生命力。畢竟，是那樣的柔梗纖莖、嫩葉幼苗，一經從大地的子宮孕育出土，野地裡植物的小貝貝就得全靠自己成長生存。

廢墟的斷垣殘籬下，堆積著些敗枝腐葉。路側的溝渠石罅中，填塞了污泥砂礫，但那些比較高眺的枝莖，早已超越了種種障礙，四季不凋的咸豐草依然疏疏朗朗地開著小白花。高壯的荒煙草葉底已孕育著簇簇小花蕾。昭和草垂著軟搭搭的寬葉。冇骨消、刺莧、鱧腸、睫毛蓼、刀傷草正在枝高挺秀。火炭母草的葉片尚未印上烙紋。紫背草、酢槳草的嫩葉細莖顯得怯怯地，大車前草卻平平地展開它的瓜紋葉，剛竄出來的馬齒莧像一枚枚厚肉瓜子。雷公根和馬蹄金各自貼伏在地面悄悄蔓延。最獨特的是細緻的早熟禾，一叢叢挺直了纖長淡綠的嫩葉，儼然一副禾稻的雛形，不管氣候如何，它總是領先一步。

淡怯的初陽漸漸明亮加溫，天空藍而深，壓彎的群樹枝葉一一向上伸揚，瑟縮的鳥雀展翅飛翔歡唱。我不住頷首、微笑，回答鄉農誠意推介他們鮮潤豐美的蔬菜和瓜果。今天餐桌上會有初春的翡翠白玉。自然，不會忘記補充幾枚出土的紅番薯，給來訪的松鼠磨牙齒。

我習慣沿著路旁傍山崖的石徑下到公園，迂迴曲折，有蘇州園林曲徑通幽的情趣。從崖頂俯偃的樹幹，和地底上聳的樹梢，枝柯交參成深邃的林蔭拱道。喜歡潮潤的蕨類植物經過冷雨的淋沐，長得茂盛極了，尤其是壯碩的長毛腎蕨，叢叢簇簇從崖壁上成拋物線翹揚懸垂。褐色的岩石有了綠色的豐腴。幼嫩的鳳尾蕨欣然展現它精緻的圖案，伏岩蕨才長出指甲般緊貼石上的三五片。姑婆芋甫出土就不同凡響，嫩葉顯出寬宏雍容。迎春花串綴著小黃花，人叫它金腰帶，春神繫著它。

我一個緊急煞車停住了腳步，一隻淺褐色帶橄欖綠的蜥蜴正惺忪地昂著頭橫過山徑，迅疾隱入另一邊草叢，那倉卒的模樣，彷彿剛從冬眠中醒來，怕錯過了什麼似的。

傾斜的山徑盡頭，正是公園中心點，兩側似長翼伸展。迎面是落盡葉子呈現出枝幹之美的苦楝，沾雨開的紅白杜鵑有點單薄。半枯的草地還是濕漉漉的，到處散落棕色帶針刺的楓香種籽。我踮著腳尖踩空隙前進，耳邊已傳來熟悉的水聲。來自前方、來自空中、來自四面八方。清越、悠忽而又持續，具有磁性的吸引力，是在召喚、是在招呼，我撥開拂面的榕鬚，繞過高矗的雲杉，已望見水躍光閃，待俯身在仿竹綠欄杆上：急湍清流盡收眼底，全在腳下。一時眾聲俱寂，獨有奔騰喧譁充沛天地綠野，也覆沒了我。

溪流自上游濃蔭深處，順著弧岸躍進，越過河牀中堆積的大小石塊，迸裂成無數支流，浪花四濺、聲勢浩大。匯流到平坦處，又微波瀠迴，悠悠潺潺。水面比平時豐盈了許多，淺灘淹沒了。那些像海象、海龜的巨石只露出脊背，兩岸植物都飽吮水分，不需灌溉，溪流儘管一路歡暢奔放，不時捲著幾片落葉沖浪，撞到石頭激起密密麻麻雪白的泡沫，串成數不清的一條條銀鰻騰躍翻滾，我上半身俯伏在綠欄杆上，雙頰沾濺，深深被吸引融入，感到生命的歡欣在心中澎湃，活力在血液中提升，思想活潑起來。溪流傳遞了春的音訊，響應春的感召，人和自然萬物再重新出發。

置身在大自然中，感受生命的喜悅和力量，接納宇宙間無盡的靈動和氣韻，能親近這一切一切生命淵源的人有福了。

編註：本文原刊於《中國時報・人間副刊》，二〇〇四年二月，E7版。

越冷越開花

——磺溪續記

冷氣團一個接一個，滾滾而來。低溫、酷寒、潮溼、關緊的門窗內布下暖氣，衰弱的軀體內塞進暖包，台灣好像從來不曾這樣冷過，莫非天亦變了？但氣候冷冷熱熱遲早總會輪替，只要不影響到情緒，心情鬱卒憂傷；以致不提防讓生命的冷流侵入血液，可禁不起哩。

「囉囉窠、囉囉窠！」遠遠傳來鵪鴣鳥一聲聲哀怨的申訴，那些小鳥的草巢溼透腐朽，真不知為何棲宿？幸好今天放晴了，氣候回升，行動解禁。路上被寒氣耗盡了的樹木，有點黯淡蕭瑟，嚴酷的冬天是植物生存的考驗，誰又不是呢？畢竟都支撐起腰桿維護著尊嚴；橡樹厚實的葉子重甸甸地，野桐葉皺皺軟軟低垂著頭，榕葉相互偎依，楓香袒裼裸裎，相思木維護得不錯，銀合歡瘦瘦怯怯虧它挺過來；什麼閃過眼角一亮？腳步一頓，只見掩映在暗綠中一株光禿禿的枝桿綴著點點紅豔。再搖頭，斜對面的樹頂也竄出疏疏朗朗幾簇。這邊殘垣旁，那家荒園中……噢，是櫻花。前一陣出來還渺無所見，不想幾度寒流，竟花開處處，只記得「不經一番寒澈骨」、「越冷越開花」，說的都是高潔的梅花，怎知緋寒櫻還趕在寒冬回歸之前，大自然安排的律則，小小人兒憑一知半解焉能猜測？

來了這裡，才結交了緋寒櫻，不是春天常見的那種淺淺粉粉、柔柔嫩嫩，一陣微風飄飄揚揚，迷濛紛沓墜地作春泥。未若花時，黑褐色僵僵直直的枝梗，彷彿是錘鍊過的金屬鐵條之類，全無植物天然韻致，常被忽視或遮掩，不知幾時悄悄萌芽茁苞，幾番寒冷催促，乍然迸發，倏忽綻放，深紅色繖形花序四五朵一簇，密密稠稠繞著枝子掛滿了小鐘小鈴鐺，點亮自己，試圖喚醒猶在冬眠中的族群夥伴。眼中有春光，心中有暖意，那家門口站著位老先生，稱讚他園中櫻花開得好，笑說回頭來折幾枝送妳。公園中，傍著山徑栽了兩株，竟是冷樹冠上迂迴下達。穿越松柏草坡，將提袋掛在竹欄杆上，面對著奔騰的溪流，只覺得被困蟄了許久的心胸豁然爽朗開敞，抑鬱儘去。先深深地呼吸著水的靈氣，森多芬的清冽。配合歡暢的激流聲，做些輕柔的動作，伸手展臂，踢腿扭腰，又忍不住東張西望；挨著水面的楓香落盡了葉子、溪牀更寬了，欄杆旁的雀榕竄高了點，水位沒有降落，漂石不見層次，濺起浪花似白鯉魚上下跳躍。對岸叢密的什樹間，卻也開了一樹瘦高的緋寒櫻。挑攘眾儕、臨流獨照，做「香功」的有一式明睛遠眺，以雙手食指與姆指成三角框罩在眼前，選景物為目標，定睛、聚焦、凝視。我以櫻花為景點，連框三十六次。

公園門側一排長椅，正好憩息又作日光浴。自隔垣幼稚園斜伸一株緋寒櫻過來，蓋過數株蓮霧，高聳擎天，遮霞亭台，穠花密集的枝梗，縱橫參差，相互交疊，織成熾熠的網，網住一片藍天。豔彩流金閃閃爍爍，更吸引了最愛蜜汁的綠繡眼，呼朋喚友，似蜜蜂般傾巢而來。輕靈嬌媚的身影忙不迭在花間忽上忽下，穿梭跳躍，倒懸側臥，攀緣垂吊，急速翕霍的鮮黃羽翼，更煽動得繁花如燃。清脆又富音樂性的啾唧悅耳動聽，就那樣一面恣意嬉戲逗趣，一面歡喜的享用著豐盛的春宴，嬌小玲瓏的身軀竟充沛如許活力！大自然創造的生命真令人驚訝感動。我看得忘情，逕自沉醉在美妙的場景中。面前三三兩兩有人走過，有的放慢腳步，有人停了下來，「噢，真美！」「真美。」回眸相視一笑，兩個完全陌生的人，只是對眼前美好的一幕由衷的讚歎，竟可以如此坦誠接近，儘管是一剎那，原來與人共享大自然的喜悅是那樣簡單容易。正如歌德所說：「共樂樂，樂上加樂。」出去走走，常會遇到這樣淡淡的相知。

若正好帶著相機，就順便留下這般景致，有時，也寄二幀給太忙、或懶得去擠擠攘攘費時費腳力趕花季的朋友，一份春天的問候。

去年潤妹和女兒陪我守歲，看照片時都不相信花上綴滿綠繡眼，偏說是葉子。大年初一，風和日暖，穿上富有節慶氣氛的新衣衫，一起去訪磺溪，沒有人運動，園中幽靜安詳，草地潮溼，苔蘚潤澤，群樹猶帶著冬眠甦醒的惺忪，溪水不停沖激奔流，掀起浪花四濺。大自然的一切恆常不變，在不變中悄悄運行，一一彌新，生生不息。靜靜領略那份感受，不說話但共有一種默契。下去時循著樹蔭蕨枝交拱的山徑，上來踏上海棠列隊的石階，仰視上空早一片露彩相迎，鳥聲喧嚷。活潑秀麗的小繡眼在絢爛的櫻花叢中樂翻了天，陽光下豔紅鮮黃流金幻影，竟有種節慶的喜氣。

樹木總是年年竄高長大，盡量擴伸，坐在長椅上的女兒忽然呀一聲側臉察看，紅毛衣肩上一小堆白斑，原來頑皮的綠繡眼給她著了顏色，我笑說：「牠證明給妳看，照片中是牠們不是葉子。」

新年的第一天，親情與自然萬物交流融合，忘憂無我，天人合一……

緋寒櫻，寒緋櫻，越冷越開花，年年交會。相看兩不厭。

編註：本文原刊於《中國時報・人間副刊》，二〇〇四年三月六日，E7版。

青春的里程碑

初秋的陽光灑滿菜園，一株絲瓜從我背後的土牆腳攀緣著竹竿迂迴伸展，燦爛的金黃花朵正斜倚我閨閣的小小木窗。自父親去世，母親便不穿彩色衣衫。蘇州帶來的幾件，被我改成潤妹的連身裙，或染成黑色，用來雙邊鑲滾嫌小的陰丹士林藍旗袍，我身上穿的便是。頸上扣一枚銀鷹別針，鵬飛萬里。那天沒有響空襲警報，日正當中，拈葉微笑，且留下青春的里程碑，母親和同仁安排了一桌宴席，慶祝我二十歲生日。

有幸生在文化古城、寧靜水鄉——蘇州，在花香、書香涵蘊，外婆雙親呵護下是一個內向、文靜、柔弱而有點倔強任性的女孩，愛自然、愛所有的美、愛做白日夢。常隨父親去園林、書坊、聽說書（評彈）、看花展。一知半解浸沉在書本中，嚮往的是滄浪亭那幢羅馬式的藝術殿堂。歲月安逸、年幼懵懂，以為理想就為繞城河水，總是潺潺向前暢流。

一九三七年父親答應好友幫忙一年，第一次攜眷出遠門去江西大庾，偏遠貧瘠的小城卻有全世界最豐富的資源——鎢。同年中日戰爭爆發，三年後父親逝世。烽火隔絕，遽失棟樑。那年我十七歲。初生之犢，套上沉重的犁，在那動亂時代，惶恐地為母女仨生存而搏鬥。進入圖書館，是轉捩點，能接觸前輩豐富優異的智慧，喚醒了血液中沉潛的文學因子，工作竟能與志趣愛好相輔相成，真是不幸中的大幸！我開始學習塗鴉、投稿，宣洩內心的憂傷、積鬱、憤慨……責任使人長大，苦難使人成熟，而寫作、思考、觀察和關懷國運使人建立了自己。

青春隨時激發奔放生機，任何惡劣環境不能壓抑阻擋。一支筆，一份愛，一份熱忱和自信，以及母愛的支持護衛，化柔荏為堅強，化憂傷為力量。

日正當中，我拈葉微笑。相信勝利即將來臨。生命仍然無限美好！

編註：本文原刊於《文訊》第二二三期，二〇〇四年五月，頁四十二。

母親與我

春三月，乍暖還寒，淡淡的陽光照進和合窗，父親手栽的素心蘭幽香滿室。很少出門的母親忽然心血來潮，說要帶我去照張相。母女倆打扮打扮，坐上黃包車。一路經過鵝卵石小巷，青石板路，白粉牆上探出粉粉桃杏，拉上拱橋，楊柳拂岸，河中船隻往來，臨水小樓有人垂下筏籃買新鮮蠶豆、春筍。軟軟的風自水面吹上橋，還帶點涼意。我打了個噴嚏，母親連忙說：「長命百歲！」

母親那天穿得很時髦，茄紫色素面織花軟繡旗袍，鑲滾黑絨織花絲邊。寬下襬、七分袖，無指長手套，米色絲巾流蘇輕拂。秀髮挽個橫愛司髻，斜插一枚翡翠簪正好配翡翠耳環。額前瀏海飄逸，明眸皓齒鵝蛋臉，標緻、端莊，一副大家閨秀韻姿。我穿一件淺橘色夾襖，外罩墨綠長馬甲，也都滾花邊，絨綿帽子壓得濃濃的瀏海蓋住眉眼，露出圓圓的月亮臉。光彩絢麗，輕柔潤滑，穿的都是蘇州的特產——絲綢。

攝影師安排母女倆坐在一片風景前的藤椅上，又擺一隻瓷貓替代我家咪咪。母親摟著我，我緊偎在母親懷中。好新鮮，好幸福！鎂光一亮，留下了永恆。

那是母女倆第一次合照，母親三十四歲，我五歲，在故鄉蘇州。

儘管時光流失，歲月悠悠，任何時候看到照片，當時的情景又清晰地呈現腦中，心裡泛溢著溫暖、甜蜜和安詳。那美好的時光，深摯的親情，生命中的最愛，就像縈繞迴轉在蘇州古城二千五百多年來，永遠潺潺不息的河流，母愛的養分一生一世滋潤女兒的身心。母親捨我仙逝時，高齡一百零二歲，而我今年已八十二。有時逢上憂懼無助、惶惑不安，常常怵然一驚，總感到母親就在身邊。

編註：本文原刊於《文訊》第二三五期，二〇〇五年五月，頁四十八。

也是流域

——人在磺溪

流域，字典上的註解是：水流經過的區域。水流經過的地方，土壤潤澤，物華豐美，氣流通暢，生命從容舒展，親水的居民平易和善。有幸生長在一處歷史悠久的流域——那是綿長四千里大運河最是婉約柔曼的江南運河段，也是碧水三萬頃的太湖流域；運河水和太湖水滲融城河迴轉縈繞水鄉——蘇州。數千年來，豐沛潺湲的水是生命的滋養，文化的孕育，生活的情調，歲月寧謐安詳，純稚童年、豆蔻年華。身心浸沐吸吮優渥水文化，涓涓滴滴總是美的養分。

動亂時代，人是失鄉放逐的羊兒，避災禍，逐水草，流離跋涉，山山水只是倉卒的旅程。駐足寶島，南去北來，此村彼村，不過是隨遇而安，孜孜耕讀作息，閒時藝花玩物，數十年光陰便從指隙筆底悄悄流走，自日正當中而黃昏日暮。漸覺行動疏慢，腳程遲緩，宿疾更頑強糾纏。那曾經流經我們血液的母親之河，那負荷歷史憂傷，及失鄉人們千千萬萬斛鄉愁的壯美流域，卻是似近還更遠，更遠……

北上第一個十年，新村「倚風樓」租賃期滿，遷移目標乃轉向女兒家附近，不奢望遠離塵囂，環境安靜、空氣清淨，是必要，周遭能有些迴旋餘地，綠樹青草，更好。覓得小樓緊貼隔壁菜圃興建，門前僻靜小巷順著對面人家偌大荒園彎曲展延、茂密叢樹越牆遮奪一線天。巷口兩端竟全是不同街巷路牌，一眨眼岔過，渾不知門戶在何處。好在小巷有如放射樞紐，牽牽連連，總可以通達所有具備生活功能的道路，巷衖縱橫，街道交叉，看似平地，但進出任何一處總有坡度，從若有若無，緩緩起伏，到高低陡然落差。轉彎拐角都有伏筆，路因有了節奏不再單調。只是走時不免有點氣喘，尤其巷口左邊那一條，坦坦蕩蕩、房屋疏落、行人稀少。走上一百多步，只見對面一排樓房斜斜建設，底座彷彿削了一層。再二百步，跨上四叉路口三株老榕樹蔭覆的圓環小憩，一輛汽車繞過周邊，駛向我來時路。行不多時卻疾忽消失，就像在岸上滑落水中，那角度約莫是我出來的巷口。隔不久，路那端另一輛車彷彿自地底冒出直駛前來。在綠色盡頭轉了彎。沿著路長長一雜樹密林，應該是荒蕪了的住宅罷。濃蔭隱約掩映著數幢小白屋，沒有人跡，植物反倒恣肆生長，栽植和野生的參差交纏蔓綠絨攀上雲杉枝梢，槭葉牽牛裝飾了相思樹。野桐猖獗地衝出路面，蔭庇下那些橄黃淺紫、淡粉乳白的咸豐草、藿香薊，刺莧、睫毛蓼、酢醬草、魚腥草、黃鵪菜、紫背草，稠密地鋪滿了石罅溝渠，踩下去軟軟的又帶點彈性，卻又生怕踩傷了什麼。輕輕一轉身，對面雲天遠山，竟是一片空曠。

大自然的寶藏

路的盡端，是險峻懸崖，是陡直削壁，原始森林般蓊鬱的蕨族，和蒼翠的叢樹中，蘊蓄著大自然的寶藏——一道奔騰湍激的山澗：磺溪。不曾預期，更不曾尋尋覓覓，不期而遇那種驚豔的歡悅，遠遠勝過慕名訪求的感受。源自陽明山硫磺溫泉地區的磺溪，北經馬槽、金山鄉重光、南勢，由磺溪港出海，南經北投、天母、士林區洲美，出基隆河，逶迤轉折全長十多公里。翻山越嶺，穿越城鄉。澤被周遭植物花草，盡攬自然景物風華。溪水流經範疇，便稱「磺溪流域」。

獨善一脈，孤迴自轉，來自崇嶺高山，潔淨明澈，流經幽深谿谷，清涼自在，轉輾通過城鎮，局促於狹隘水泥溝渠，不見天日，進入市區，橋樑攔腰跨峙，車輛日夜灑撒煙塵，那些不設防的工廠住宅，偷偷排洩污水混濁，那些不珍惜自然資源的饞人，溪畔烤肉時殘渣炭屑，任意蹧蹋。任人欺辱、委屈、褻瀆，在這僻靜的南磺溪一帶，市囂不到，繁華未染。崖底素樸園地群樹簇擁，堤欄呵護，寬闊的溪牀一任恣肆奔躍飛騰，沖捶層層疊疊漂石，水石相交的喧譁充塞空間。石是頑固的執著，水是溫柔的堅持，悠悠歲月，尖厲冷峻的稜角，全消磨得渾圓溜滑，長期浸泡在高酸鹼中，大如桌櫃、海象，小如木瓜、芒果的漂石，呈現出各種不同的顏色；如褐色、栗殼色、赭色、灰色、橘色，更隨著朝夕陰晴、水淺水深，色澤變幻，層次分明。磺溪水沒有生物，但也無色無味，只在上游山洪暴發，或風雨欲來前，變得煙雲瀰漫，霧氣氤氳，空氣中散發著微微嗆人的硫磺味。水面驟然升高擴寬，水色暗綠，漂石盡淹沒，水流不再奔騰沖激，悠悠緩緩一派從容，有泱泱河道的浩淼。這樣的情形也不過一兩天，又恢復浪花跳蕩，水珠迸濺。

緣分與福分

自公園溯溪而下，也就是循著路來處，沿岸一帶路燈處的大花圃、白流蘇、雀榕、野桐、五節芒、菜田，小小土地廟，漸行漸靠近。水、路平行時，一道木橋橫過溪流銜接大路兩端，竟是兩個區域：北投、石牌。士林、天母。女兒家，吾家。溪流穿過橋又是另一番光景，溪牀寬闊，平坦，舒暢自在，東去西來，總愛在矮欄杆旁佇立片刻，俯看悠悠流水在遠遠轉彎角上突然消失，不知又奔向何處？逢上秋天欒樹季，岸旁數株茂盛欒樹衝上橋端，枝枝葉葉竄出欄杆空隙，路人只是讓身閃避，少有砍折，深紅鮮黃的花萼間，成群綠繡眼嬉戲啄食，沿途吟唱，倚欄引頸，貼近葉叢，只感到花瓣溫潤拂臉，鳥兒輕捷閃翅就在眉睫。半酣微醺間，全忘了背後咫尺來去車輛急忙奔馳，煙塵飛揚，橋身兀自震顫顛動。

乍然見到溪流滂沛湍急的聲勢，總會讓人感到震撼；屏息懾氣、噤默相對、觀望久久，漸漸感覺喧譁中有一種穩定持久的節奏，安撫情緒、熨平神經、滲透思維脈絡，恍惚身心已融入聲韻，隨波舒放。

與水相遇，是緣分，與水有約，是福分。

晴好的清晨，我在溪畔隨著天然的韻律揮灑四肢，活動筋骨，沁涼清新的空氣灌入衰弱的呼吸道。風從水面流四周，洗滌隔宿的積鬱塊壘、凡慮俗念。或是背倚巨石迎流佇立，凝視激流自綠蔭深處奔騰前來，又自面前沖衝飛越。落葉自肩頭飄墜疾轉，「恍惚自己便是那中流砥柱的岩石，屏息勞塵，泰然自若」，真箇是「山流任意景常靜，花落如頻意自閒」。有時便撿一塊岩石，「獨坐水中央，浸潤于淙淙聲中，朝陽甫映溪水，心靈臨流自照，澄澈明淨。情思順流舒展，悠然怡然。又覺得自己正是：『淺石寒流，清攬細響，盧淡閒靜之人，寂然若無。』中那個盧淡閒靜之人。」（摘自拙著《綴網集》）。

青山長青，溪水自迴轉

有幸生長在歷史悠久的母親之河——大運河、太湖流域，豐沛潺湲的水是生命的滋養，文化的孕育，生活的情調，安詳歲月，純稚童年，身心浸沐吸吮優渥水文化，涓涓滴滴，總是美的養分。

漂鳥無歸，在耄耋之年，僥倖能棲居環山與平原之緩衝地帶，礦溪流域一隅。訪溪朝水，是心靈的陶冶，精神的皈依，思念的釋放。靜悄悄獨自靈修頤養，「任性逍遙，隨緣放曠」。更要感恩的是親水引領我接近周遭的大自然，蘊藏豐富，充滿了神性、魔力、生命力的美妙世界，愛和美的發源地，孕育萬物的母親。只要用心觀察，用愛去體會感受，處處是美的喜悅，新的驚奇，能做個充滿好奇心，以童稚純真的心態，向大自然熱切求知的小學生，是一種幸運。能似大師泰戈爾那樣宣稱：「站在蘊含無限生命的大自然裡面，歌唱宇宙的歡喜。」又是怎樣一種境界！

清清溪流，獨善一脈，小小流域，澤被周遭花草叢林，盡攬自然景物風華，青山長青，溪水自迴轉，願人們多珍惜。

編註：本文原刊於《中國時報・人間副刊》，二〇〇五年八月九日，E7版。

無限美好

——慶祝《文訊》月刊創刊二十五年

那一年，我定居磺溪左岸現在的住處。迄今二十五年。光陰悠悠忽忽自指隙、自筆底流走，格田漫耕，兩鬢黐白，卻已是耄耋之年。

那一年，藝文界崛起一份風格獨特的刊物《文訊》，時間匆匆忙忙自一群編輯群全力開闢墾拓中過去，刊物日益茁壯。今朝，正慶祝它二十五週年。

二十五年，四分之一世紀，漫長的一段歲月。在當時寂寞疏離的文藝圈，《文訊》的創刊為文人作者開發了一片共享共有的園地：一些談文論藝的議題，讓人有了共識；一些人文關懷、人物春秋的報導活動，給人添了共同的回憶；一些文史的追述論說，引起了共同的話題。這片綠意盎然的園地，讓讀者漫步沉思其間，也讓讀者在其間相遇相知而營造出彼此的溝通。

本期專題，最是包羅萬象的欄目，有深奧的、有冷僻的、有熱門的、有嚴肅的、有別出心裁的，題材廣泛，十分精采。難為編者能邀約諸多專家學者為文論述。

「親情圖」（用照片說故事）。「少年十五二十時」（作家年輕時的照片展）。「結婚照」（結婚照片展）。「閱讀繆思的容顏」（作家影像展）。一次次照片展，喚醒兒時親情依偎的甜蜜回憶，年輕時的夢想和奮鬥，結婚成家幸福感。難忘溫暖時光。

訪問資深作家，以及所有作家們的介紹，亦是文友們心中的橋樑，有時認識的友人因缺少聯繫疏遠了，看到報導自然感到欣慰。有時是知名心儀而不認識的作家，讀了文章也會因進一步了解而覺得很有意思。

最使人敬佩的是這樣一本扎實的多元性刊物，只是由總編輯封德屏協同幾位精簡的編輯群在負責。漫長的歲月中，他們投注熱忱、貢獻心力，無怨無悔。其間一度危機。他們仍堅持初衷、奮力搏鬥、莊敬自強。如今，展現在我們面前的是更壯碩瑰麗的《文訊》。

堅持初衷、執著理念，《文訊》的遠景無限美好。

編註：本文原刊於《青年日報・軍中副刊》，二〇〇八年六月二十八日，第十版。

大庾風景線

飛機衝破瀰漫在四周的白雲，經過贛州和南康折向西南飛行時，從二千呎的上空向下俯瞰，便可以看到群山連綿，峰巒起伏中，密地圈圍著的一個小小的白點，這白點便是以產鎢出名的大庾。該城創始於宋朝時原為一城，元朝時發大水，將城沖斷為二，後逐修築圮城，分老城新城兩處，面積約一千四百方公里，人口十萬左右，西南毗鄰廣東南雄，為交通要道，路上有贛庾、雄庾公路，水路則以贛江為主，唯河牀甚淺，又因沙石淤積，春季極易氾溢，民國三十一年曾一度釀成水災，損失約數百萬元。該城因嵌入萬壑叢中，故名勝頗多，最著名者為梅嶺、西華山、丫山、大東山等四處。

梅嶺

又名庾嶺，為贛粵交界之天然屏障。唐朝張九齡先生在此鑿山開路，築成贛粵孔道，並遍植梅花於嶺前嶺後，臘月時節葩蕾吐芳，花瓣展妍，窮豔極麗，宛似一片香雪海，花氣幽甜馥郁，浸人欲醉，盛名久已播揚國內。故一般風雅之士，莫不心嚮神往，不遠千里而來瞻仰觀摩者，頗不乏人。因而有「十月先開嶺上梅」「南枝花落，北枝始開」之詩句，流傳至今日。該嶺自底迄頂，石級連雲，攀登頗易，路旁古木蔥鬱，青藤披蔓，中途有石橋清泉，流水淙淙，令人心曠神怡。半山復築一補青亭，以李仙嶠「青亭為補山」句而名，亭之四圍，亦遍植梅花，清香撲鼻，倍增幽雅，拾級再上，便見兩邊峭壁高峙，怪石嶙峋，一小徑嵌於中間，青苔膩滑，道畔豎有石碑數塊，一刻「梅嶺」兩字，筆勢蒼勁。徑闊達數尺，徑之南端，屹然聳立一關，崢嶸雄偉，上刻「嶺南第一關」，惜為風雨剝蝕，字跡已斑駁模糊，不易辨識。嶺上並生產梅山茶，香味清醇，飲後沁甜，久留口腔，為當地名著之一，旅人若過此關，則即入粵口矣。

西華山

此山童山濯濯，原無風景可言，然因其為產鎢盛地，故名馳環球。鎢沙係製造槍炮不可缺少之物，我國產鎢量占世界第二位，而西華山之產量又為全國之首，其產量之鉅，由此可見。最初發現此項豐富之寶藏者，為一美國傳道師，彼時大塊之鎢沙，在在皆是，該牧師即用賤價雇工挑掘，轉載回國。待我當局知而加以阻止時，大量之國寶，已無代價淪入他國，而該牧師亦由此致富矣。該山離城約十五里，有平坦之公路直達山頂，盤旋而上，宛似一絕之大螺絲，山上房屋櫛比，行人擠擠，嚴然一小市鎮，街分上下兩條，房屋皆依山勢建築，高低不一。昔日妓館林立，賭風極盛，自資委會鎢管處接辦以來，逐代以礦工茶園、礦工讀書會、礦工俱樂部等。此外還有工程處、員工醫院、礦工子弟學校、福利站……一座座簇新之洋房，赫然屹立於低矮簡陋之茅屋中。然亦有孤零零獨踞一處者，全山遍布□洞，有橫貫而進者，有直搗心臟者，深數丈十數丈不等，洞中陰暗濕滑，入內必須穿雨衣雨鞋，民工開採大半仍用土法，先以炸藥炸一窟窿，再以人工開掘，依此為生者，不下數千人，山上亂石如麻，寸草不生，所需蔬菜等植物，皆由山下供給。

丫山

又名雙秀峰，因遠望雙峰並峙，宛似丫字，故得山名。旅人出城沿贛庾公路行二十餘里，便見一摩天巨嶺，巍然在目焉，該嶺即乃丫山。危崖絕壁，峭立千仞，山下澗水汩汩，珠璣四濺，一石板橋橫貫於上，石級蜿蜒曲折，迂迴巉巖中，漸上漸狹，路旁古木蔥蘢，怒石削立，至半山則見一牌坊聳立於前，上鐫鑲「靈巖古剎」四字。內設石桌石椅，供遊人憩息，旅者在此小坐片刻，但聞風過處松濤澎湃，落叫嘯啕，日光透自樹隙，宛如滿地金鱗，石上青苔凝翠茸茸可愛，坊則有一獅子橋，橋下清溪漾碧，湲潺悅耳，憑欄佇立，胸襟為之竟舒，不禁令人有超然出塵之感也。

復前進不遠，但見綠影幢幢，迎風招展，一潔白之粉牆掩映於青翠叢中，正中為一木柵門，如由此向內窺視，則「靈巖古寺」四字之正山門突入眼簾，兩旁刻對聯一副曰：「靈感三千界，巖藏五千僧。」寺前有一廣闊之庭院，其中遍植蔬菜，蔥翠悅目，平日正門不開，出入須經右耳門。寺內之殿堂係按山勢建築，倚山登雲，丞稱幽靜，內有鐘鼓樓及伽藍、關帝觀音、韋馱、彌勒等殿，其中以大雄寶殿為最雄偉壯嚴，方丈室中置有大石一塊，上刻「片石雲飛」，即民間傳言之「騰雲石」。寺後有一羊腸曲徑，可達山頂，荊蓁叢聚，陡險崎嶇，遊山而登臨拯峰者，罕若晨星，相傳山上有巨人跡，然能瞻仰者，迄今無一人。

每屆農曆十月初一至十五，為靈巖寺香火最盛期，幽僻之山陰道上，香客絡續不絕，一般善男信女紛紛來此朝山進香，佛聲喃喃，香煙繚繞而路旁各種販攤，有綿延數百里者，可謂盛極一時。

大東山

不論是去南雄抑是往贛縣，東經庾城時，只見一面一座富麗堂皇之建築物，屹立於寬闊之馬路上，一面則岡巒聳翠，樹靄溟濛，山光水色，風景極為優美，使不稔□山城之旅客，腦中深映一佳好之影象。建築物為大庾車站，寬敞高大，背後直矗一三角形之烈士塔，尖削入雲霄，四周圍以鐵欄，並植齊整之冬青無數，與象鼻嶺上之寶塔斜斜相對。象鼻嶺又名東山，高度皆不及上列三山，然林木蔥鬱，亭閣星羅，有迂迴鳥道，可達山頂堡壘，登此俯瞰，便見良田連綿，阡陌交錯，庾邑城垣，歷歷在目。縱目遠眺，更見萬壑爭流，千巖競秀，晴山縈翠，煙雲蔥蘢，令人起飄然之感。山腰有寺院一座，蒼松覆道，綠竹迎風，雜草叢生，蒙絡搖綴，境地頗清靜。山後水清田綠，屋舍稀疏，美景如畫。今因錫分處、硫酸廠在此建立辦公處，已闢有公路，汽車可直達山中。山麓為名馳贛南之東山公園，山綺水麗，佳境天然，余漢謀駐庾時曾修築亭榭數處，並種植各種花木，章水曲抱，青山在枕，得天地之鍾氣獨厚，較之一般數堆假山，一泓死水之公園，誠有天壤之別。園內設圖書館一座，環境極佳，既可靜坐看書，又能瀏覽風景，園內中極佳之處所，為河心亭兩座，走廊曲折，憑欄則青山綠水，舒展於目前，小坐則鳥語悅耳，花香撲鼻，說不盡風光綺麗。惜年久失修，又遭水災數次，亭榭多半傾圮，花木益復凋零，當局雖有重修之說，然經費浩大，一時恐難實現。

此外有烈士墓，為伐紅軍時陣亡將士葬身之所，石階連雲，建築壯麗，周圍圍以臂膀粗之鐵索，築有堅固之祭台及石亭，墓後石碑累累，均鐫刻陣亡者之姓名，離城約三里餘，每逢假日，往遊者甚眾。老城舊有花園八景，亦頗有盛名，即傳奇小說《還魂記》中杜麗娘埋香之處，牡丹亭舊蹟，自改築鎢業管理處辦公廳後，一般詩人、考古家遂無由憑吊，然故事迄今仍流傳民間，該地土著之老人，皆能縷縷細述故事中之曲折情節。

編註：本文未明出處。

幽默四則

三月不知肉味

星期日例假，兩公務員相偕出遊，他們到一座鄉村邊。

甲：（回顧）喂！老兄，眼前展開著一片這樣優美的風景，你怎麼竟去欣賞一隻老母豬？

乙：（嚥口唾沫）不，我是在估計牠哪裡是精肉哪裡是五花，哪裡該清燉，哪裡該紅燒。（說著呵呵呵地笑了一陣。）

甲：哦！原來如此！你看那河裡的一對昂頸大白鵝有多肥？（饞涎地）如果拿來烤一烤，打半斤回龍酒，那真是……（也呵呵呵地笑了起來）。

分遺產

名作家的兩個兒子。

兄：要是父親萬一不好，他的那支相隨了數十年的「派克」，我想留著做個紀念品。

弟：唔！

兄：還有那件舊大衣？

弟：（不在乎）可以。

兄：還有那條破毯子？

弟：（大方地）你一起拿去好了，我只要保留下父親的遺體。

兄：（肅然起敬）弟弟，你真孝！

弟：（淡淡地）沒有什麼，不過我已同ＥＤ研究院接洽好了。你曉得，他們是不惜用重金收買大人物的頭腦的。

身分證

乞丐：（追逐著）先生，做做好事？

小公務員：（支吾）我沒有零碎錢！

乞丐：（掏出一捲鈔票）多少的？我找你。

小公務員：（摸了半天）哦，我只有一張身分證。

汗與血

血：（鄙夷地）走開些！骯髒東西。

汗：（譏嘲地）老兄，你少神氣吧！在現在這世界上，你也不見得比我高明多少？

血：（勃然）什麼？不比你高明？我在人體內的地位、功績，豈是你比擬得上的？而你，你不過是排洩出來的廢物！

汗：（冷冷地）不錯，你老兄果然是宏大，不過一班文人絞盡了心血，所得的代價，還及不上流流廢物的勞工？

血：……。

編註：據艾雯手記，本文原刊於《青年報》，應寫於一九四一年～一九四七年間。

我人應有的職業觀

一個人的生存是不能脫離社會的，這是顛撲不破的事實，幼年時，各種生活所需雖直接仰給於父母，間接卻仰給於社會，沒有父母，固不能生活，沒有社會，父母又何能為力？所以人的第一大恩人是父母，第二大恩人就是社會，不孝父母是大逆不道，不服務社會，也可算忘恩負義。從道德上講，服務社會該是天職；從生活立場上講，則人既仰給於社會。那麼人就是社會的債戶，自有償債的義務。為了盡這種天職和義務，人們遂有了各式各樣的職業。

一般的職業觀，大體可分為兩種主要的類型，一種是職業的事業觀，即所謂敬業樂業，以及把職業看做終身事業的觀念。一種是職業生活觀，就是為吃飯而到處混混，沒有固定的目的，也沒強烈的進取心，以為職業不過是混飯吃的工具，永遠抱著「有乳就是娘」，「得過且過」的工作態度，像這種消極的服務觀念，不但個人永無成就，且影響到整個國家和社會，生產力的向上與社會的進化，可能因而遲滯，因為一個社會就似一座龐大而繁複的機器，它的推進，全賴各部分機件的健全、靈活，因此只要一點零件的鏽鈍或鬆懈，便能影響整個機器的速率。像這一種的職業觀是歪曲的，我們應該徹底剷除或糾正。

那麼，反過來說職業的事業觀是否就是正確的職業觀呢？卻也不盡然，社會的進化固然是依靠人類的分工和合作，而職業又是一種分工的方法，我人既然通過職業去服務社會，把來當終身的事業看待，該是最正當的觀念了，然而敬業樂業是有其條件的，如果你服務於一個富逸的機構或私營的商號，而把幫上師刮地皮，幫老闆發國難財、建國財認為是終身事業，那就大錯特錯了，這只是一種對雇傭的忠誠，對社會是毫無貢獻可言。而專圖虛名實利，只想升官發財也決無能促進社會的進化。真正的事業觀，是應該放在與國家社會有利的職業上，如小學教師，工程師，地方自治人員，技術人員等，擇定一種後，便永遠站在崗位上，誠心誠意地發揚本位精神，求事業的成就與發展，一旦事業成功，自會「實至名歸」，事業為本，名利為末，如若捨本逐末，又有何成就可言？諺云：「求木之長者，必固其根本，欲流之遠者，必濬其泉源。」用全副精神於終身之事業，其成就當無可限量！

我們不能做社會的寄生蟲，別人的附庸，要做推進社會的力量。

編註：本文未明出處。

願意和應該

朋友：

接到你的信時正值中南部豪雨成災，成日被籠罩在愁雲慘霧裡，心情沉重，連一支筆都不想拈起，這也是為什麼今天才覆你信的原因。同樣的，在我們思想的領空，也有那陰霾密布或晴朗澄清的時候。細讀來信，知道你最近也正由於思想上的一片疑雲——為了寫什麼的問題，陷入苦惱中。你說：我從事學習寫作到現在，一直是遵照文學先進的指示，「寫自己熟悉的材料」，「從自己的生活體驗中去取材」。可是也許是由於自己生活圈子太狹，見識的事情和接觸的人物不太多，雖然我很願意寫那些比較熟悉的題材，但忽然寫去有時自己會感到起膩，而且最重要的是總覺得這樣缺少廣大的意義，如果說文藝果真是「時代的鏡子」，那麼這面鏡子不應該只是照照身邊的瑣事，反映出一些狹隘的情感和思想。而應該照得更遠、更深、更廣，深深地反映出這戰鬥的大時代跳動的脈息，反映出萬花筒似的社會各個角落，以及人民大眾豐富繁複的生活。可是，你知道，這些，卻都不是我所「熟悉」

的……

朋友，使你困惑的正是寫作上兩條不同的路線，「願意」和「應該」。但在我的看法，兩者並不「背道而馳」，而是可以兼容並存的。一點都不錯，開始你選擇從自己熟悉的題材學習寫作，完全正確，這就跟做任何事情一樣：做自己願意做而又熟悉的事，做起來是比較勝任愉快，同時也容易做得好。假如你本來有了豐富的生活經驗，足夠的題材，由此而產生了正確的主題，寫成作品，那當然是最理想的了，但這並不是說一個文藝工作者只限於寫自己熟悉的題材，要是由於某一件事物的感觸，引起了寫作的動機，有如羅曼羅蘭所說：「由於社會責任和你的良心……或某一種內心的情熱所驅使。」——自己認為應該寫點這一方面的東西，雖然以前並不熟悉，題材不夠，只要願意下一番努力，是可以主動地去贏得「熟悉」的。譬如說你覺得配合這戰鬥的時代，應該多寫一點前線戰士們可歌可泣的英勇故事，你覓取題材，正好談到或聽見一些有關「蛙人」的事蹟，那些事蹟使你感動而想把它寫成一篇感人的文章，於是你先開始收集這方面的各種材料，如報導、通訊、特寫，再進而去訪問，隨時記下他們的特徵、習慣、生活及訓練情形，甚至體驗一下這種生活。最後你把從各方面匯集的材料加以剪裁、配製，並塑造人物、結構情節，使它們在心裡醞釀成熟，融貫一氣，一如你原來所熟悉的，再加上感情的渲染，生動地描寫刻劃，一樣可以寫出一篇動人的作品。由此可以說明由「應該」而走向「願意」，並不是辦不到的事。而不熟悉的題材，亦可以由主動地努力去熟悉。而這種努力熟悉的題材，總是比原來熟悉的題材更有意義，更能反映時代，刻劃出大眾的生活。自然，在努力去熟悉題材的過程中，難免會遇到困難，而且經常花費掉不少的時日和耐心。但只要記著托爾斯泰所說的：「寫作的過程，是時時被障礙阻塞著，這些障礙你得要跨過去。」又說：「寫作從來總是困難的，越難結果越好。」

以上二點只是我個人的看法，從事寫作，原來就是不斷地練習和不斷地嘗試，希望你多嘗試，多努力。

編註：據艾雯手記，本文原刊於《中華日報》，未明時間。

發揮散文的感人力量

散文，在文藝的領域中是一種獨特的形式，在題材上，它可以任意選擇。在體裁上，它可以小巧精緻，犀利練達。也可以是瑰麗優美，平易簡潔。它有詩樣的感情，卻醞釀自正確的思想；它有崇高的意境，卻提煉自人類的現實生活；它超越時空，提升性靈，卻永遠聯繫著時代，植根於民族文化。

文藝的流向，始終遵循著歷史的潮流，文藝的命脈，永遠配合著時代的脈膊。雖然散文屬於純性靈的產物，同樣地，也賦有時代的使命，應該具有這時代新的生命氣息，那些風花雪月、無病呻吟、為情煩愁，只是承平時代的綴飾。在今天，做為一個文藝工作者，首先自己要具備積極的、進取的、健全的人生觀；高尚的人格、完美的品德、純正的良知，和嚴肅的寫作態度。在今天我們所需要的散文應該是健康的、啟發性的，不是迎合讀者，娛樂讀者，而是提高讀者的興趣，培養讀者高尚的情操。不僅是發洩一己的感情、表現自我的意識，而是從這時代大眾豐富的生活中去提煉，刻劃出這時代人類的希望和理想。把戰鬥奮發的精神，帶給那有現實生活的人；把發人深思、激勵人向上的意念，帶給那些在苦難煩憂中的人。

今天散文的方向有三大目標：

一、開拓更寬敞的寫作路線，盡量在作品中表現並發揚我國民族的特性：如崇尚道德、仁愛精神、堅忍奮鬥、刻苦耐勞，更進而陶冶民族的人格，喚醒民族的靈魂，提高民族的戰鬥意識。幫助建設心防，不與惡勢力妥協。激發民族的戰鬥精神，加強武裝思想，絕不向現實生活投降。

二、多寫鼓舞人性向上向善的作品，發掘心靈中被生活湮沒的寶藏，如博愛、同情、正直、慷慨、誠摯、容忍、正義感……堅定信心，提高人性的尊嚴，加強生存的勇氣，發揚人性的光輝，轉移世紀末人心頹廢的傾向。

三、多寫擷取人生意義，啟迪人生哲理的作品。人生原是一場戰鬥，生活中更有不少痛苦、煩惱、寂寞。但仔細環顧，低頭審視，原來生活中也充滿了無限情趣，心底竟蘊藏了如許財富——智慧、愛和快活的心地。且從沉滯中喚醒心靈的注意力，自平凡的事物中受得新穎的美，自瑣碎的生活中發現小小的樂趣。今天的散文和明天的散文沒有多少區別，凡是能配合時代、經得起讀者和時間考驗的作品，才是有意義的、可以流傳不朽的作品。

末了，我再強調幾句，真摯的情感，是散文的動人要素。真摯的情感，便是不矯揉，不造作，不為人而造情，一切出於真實懇摯，這種至誠的流露，才能使讀者心中起了無限的共鳴。今日的散文作家，尤其要體認現代是一個工商業的社會，每個人都有寸陰寸金的感覺，即令是喜歡讀書的人，一遇長篇大論，也會畏而卻步，無暇卒讀。因此現代散文首重文筆流暢，其次是簡潔雋永，富有深度。

總之，時代越進步，人們的求知欲望越強，越要充實。一篇散文，如能把握了上述要素，必可受人歡迎，發揮它的力量！

編註：本文未明出處。

生活角度

如果對生活加以詮釋，從古迄今，自賢哲、學者、小市民之流，到一介主婦，可以提供不少答案：

生活，為了要征服它。

為生而生活，不是為生活而生。

生活不是享樂，而是艱苦地工作。

生活是打不完的仗。

生活是無情的考驗和折磨。

生活是一個人的信仰和殿堂。

生活是一些瑣事的總和。

死亡只能埋葬軀殼，生活卻能埋葬靈魂。

生活即藝術。

生活是創造。

……

仁者見仁，智者見智。由於生活背景、環境、經歷以及人生觀不同，各有各的看法。這裡只是略舉幾個例子，不一定是真理，也不一定荒謬，不想加以考證、評價或分析。特別要提到的是其中：

生活是一堆瑣事的總和。

生活即藝術。

乍一眼看去，前者稍嫌貶損，後者格調又太高。兩者似乎各走極端，既不能融通，亦毫無關聯。

要說生活只不過是一堆瑣事的總和，對一般女性來說，倒是很接近實際情況。為了生存，為了責任，為了義務，為了理想的追求，欲望的滿足，甚至為了填塞口腹。為了要活下去，要生活在這機械文明飛躍猛進，大家瘋狂追求物質享受的時代，就有那麼些永遠做不完的繁冗工作，瑣碎俗務。而日常生活又總是千遍一律那一套，天天如此，年年一般。久而久之，不由得令人感到單調、乏味、煩膩、厭倦，懣怨自己成了生活的奴隸。久而久之，瑣事消耗了全部精力，神經緊張，隨時都像綳緊的弦，不知道怎樣鬆弛，更完全忘記了休閒遊息。以致心智不能均衡，動輒煩躁易怒，甚至積勞成疾，後患無窮。

生活，生活難道當真便這般咄咄迫人，枯燥乏味麼？

其實，環境於我們周圍有的是許許多多美好可愛的事物，生活中有的是各種各樣微妙雋永的情趣，盡可以讓人調劑情緒，寄託心靈，陶冶性情，消遣自娛。只要暫時能使「心」為形役中獲得片刻解脫，騰出一點空間，暫時能撂開孳孳操勞奔走的瑣事俗務，抬起頭來，拓擴視野，向四面望一望。只要還保有一份對周遭一切事物的好奇和關切，能改用另一種客觀的眼光去觀察或安排處理生活中平凡的事情，將發現那些美好、可愛、有趣的事物，如同天上的繁星，路旁的野花，礦山中豐富的寶藏，沙灘上閃爍的貝殼一樣，在在皆是，只待每個人自己去發掘、尋取、觀賞、體會領略和培養。

編註：本文為艾雯未刊手稿。

我看《梭羅日記》

梭羅的《湖濱散記》及《札記》一直是我最喜歡的書。作者將他和大自然純真的契機，對所有事物的熱誠和崇敬，全鎔鑄成動人的文章，讓我們從他作品中體會到宇宙萬物的涵博、豐美，與人的息息相關，領悟什麼是超越物質文明的人生價值。

發現《梭羅日記》，更是一大驚喜，那些美得使人心動的照片，不僅與精緻的文字相互融和交輝，反映出作品的內涵和精神，更呈現出文字所不能表達的一片盎然生意和無限情趣。隨著一頁頁清晰、生動、色澤鮮明豔麗的圖片翻過去，可以深切地感覺到生命的躍動和歡欣，原野和森林混合的芬芳青氣飄浮向我，閃亮的浮萍和漣漪正起伏波動。透明的蛛網上閃爍著晶瑩欲滴的露珠，枝椏縱橫盤虬和茂葉華美的樹，儀態萬千。風在蘆葦間細語，冰雪融化，嫩芽萌發，花朵綻放，果實爆裂，以及枯葉的抖瑟聲，彷彿輕微可聞。燕雀自在地舒展，蟲豸在草間蠕動，甫自地穴探身的田鼠帶著那種好奇的眼神。連樹隙香菌、石上苔蘚，也散發出光彩。處處充滿了生命活力，洋溢著美。

「大地是活生生的詩歌」，那動聽的詩歌就飄揚在畫頁翻動間。「大自然是這樣不可描寫的神奇和恩惠」，那神奇和恩惠，正纖毫畢現地展現在眼底。在人們遠離自然，在機械文明不斷摧殘生態環境的今天，能常常翻閱這樣一冊圖文並茂、美不勝收的書，不只是享受美的喜悅，也是一種心靈的滋養，精神的提升。更激發起我們對無垠廣袤自然的嚮往、關懷和崇敬。

編註：本文為艾雯未刊手稿。

行腳偶拾

獨立蒼茫

白雲悠悠，穹蒼深邃，石階直上天際。橫桓其間那一抹莊嚴典雅的軒樑飛簷，是秦時殿堂，抑是唐宋廟宇？湮遠的年代，時空並無記載。且攀登瞻仰，肅穆朝拜。獨立蒼茫，前不見古人。回眸處，時光疾忽流轉。原是當今石門水庫紀念碑。

編註：本文為艾雯未刊手稿。

卡片與我

在我還不懂得從書本中去尋找樂趣的年齡，最早伴著我寂寞童年的恩物，便是那些繪印精緻、色彩鮮明的香煙畫片——那是附在香煙盒裡贈送的小小畫卡，不過登記照大小，畫面都包括了自然、生活、民俗、文字……有美麗的花鳥，可愛的動物，古典和時裝美女。兒童遊戲的百子圖、奇形怪狀的滑稽小丑、模擬人類活動的老鼠世界，形形式式的三百六十行、各國國旗、各種運動，三國誌、封神榜、紅樓夢、平劇中的人物造型，連環圖畫似的火燒紅蓮、水滸傳、濟公活佛、童話故事。從幾十張到二、三百張，都成套成系列地印贈。而且推陳出新、花樣百出，似乎永遠收集不盡，也永遠抱著希望和期待。年幼的我第一次了解什麼叫「迷」，擁有畫片像著寶貝似的，分門別類裝在香煙盒裡，再收藏在木箱中，不時取出來仔細地欣賞把玩，是最大的樂趣。純稚的心靈感到美的喜悅時，也同時獲致美的潤澤、愛的啟蒙，和對事物的認知。抗戰時，隨著故鄉淪陷，摧毀了我所有的寶藏，摧毀不了的是深深鐫刻在心底的印象。

一直到現在，去逛書店書展，卡片架前總是逗留最久的地方。筆筒旁、玻璃杯下、抽屜裡、錦盒中，放置或收藏的各種畫片書卡，來自朋友的關懷，女兒的孝心，年慶佳節的祝賀，和自己的喜歡。美是永恆的喜悅，留住喜悅，也留住一些醇醇的情意，一點溫馨的回憶，一份可貴的紀念，以及無限祝福和美好的期許。

編註：本文未明出處。

艾雯全集5

散文卷五

未結集書簡

作家書簡一

打從屏市開省運會起，我就迭連發病，終日為痼疾糾纏，只得數天花板以作消遣。因此，當貝絲小姐降臨時，一屋子人都起來了，獨我躺在黑地裡，像一個小舟飄浮在驚濤駭浪中。幸好屋子還堅固，未曾把病榻吹上九重天去。因此，除了只曉得園裡斷了三枝樹，外面是怎麼副慘狀，我一概未曾見到，自然，有關這方的文字更無從寫起。

颱風過後，接得不少慰問信，友情畢竟是可貴的，只是精神卻不允許我馬上一一作覆。今天，就打從您這兒開始，再談。

艾雯於屏東

編註：本文原刊於《明天》第六十四期，一九五二年十二月十六日，頁十八。

作家書簡二

今天是年初八，閒話慢說，先給拜上一個年，祝你今年在寫作上有更豐碩的收獲，祝《明天》一年比一年壯大，還有是：今年大家都可以在家鄉守歲！

你給我的信早收到了，我想老回你一封空信怪不好意思的，索性等寫成了稿子一起繳卷吧，沒想一索性就索性了這些日子，還是一封空信！沒奈何，白天裡環境不容許我靜靜地寫，晚上寫多了又怕發病，積下的文債和因此得罪的朋友也不知多少。誰讓我愛塗塗寫寫，偏又塗不快寫不好！不過，最近如能塗成一篇，一定先給《明天》，而不管好壞，你也一定要登載，好不？

大作《莎菲亞》是不是預備出單行本？很想早日得見全貌哩。還有你的《遊美小品》該再版了吧！真氣人，你送我的那本給朋友借去丟了。我本來想買一本寄給你再簽上個名，偏偏屏東買來買去買不著。託人去台中買，結果卻攜來了一本《美遊心影》。不知你那裡是不是還有存書可以再補送我一冊？

你對我的獎飾，實在是愧不敢當，如蒙不棄，希望多從你那兒獲得些寶貴的指示。

艾雯

編註：本文原刊於《明天》第七十期，一九五三年四月一日，頁十五。

作家書簡三

中南先生：

來信收到，多謝您的祝福和鼓勵，給我帶來無限友情的溫暖。我的病原是舊病，時發時癒。十餘年來我一直以對人生的熱愛以及對寫作的熱情和病魔對抗著，從未屈服。在不得不躺下的那些日子，唯有反覆默誦蘇東坡那兩句詩：「因病得閒殊不惡，安心是藥更無方。」聊以慰解。不是嗎？這年頭也唯有靠自己能夠保持心緒的寧靜，才是最經濟而靈驗的特效藥。這也可以說是從多病中獲得的一份體驗，因此筆底下也就不免疏懶了些。但如今一元復始，春天的陽光又使我感到活力充沛，滿懷信心。那簇新的三百六十五個日子正展延在面前，每一天都寓藏著愛情的祝福，工作的榮耀，希望的光輝，每一天都將從工作中獲致新的力量。如果過去的一年中我曾浪費了的正在今年為自己求得補償。在苦難和戰鬥中長成的人們，是永遠不會停止戰鬥生活的，就像一個勇敢的戰士恥於投降，永不妥協一樣。您說是嗎？自然，這還需要友誼的鞭策。我也從未忘記過《文壇》這在戰鬥中倔強地長大的孩子，

絕不會漏掉我給他那微薄的禮物。虔誠祝福為您和《文壇》

艾雯

編註：本文原刊於《文壇》第四卷第三期，一九五六年二月，頁三。

散文是性靈的閃爍

——作家書簡

××兄：

沒想到你這樣棒的身體，近年來竟也似乎向我們這般可憐的藥罐子看起齊來了。每期那麼厚厚的一本《文壇》也虧你在撐的，不過健康才是事業最雄厚的資本，還盼為我們不朽的文化事業多多珍重。

你有心提倡散文，這倒是「冷鍋裡爆出熱栗子」來，近來大家一窩蜂走長篇的路線，這一份最純美的藝術品反被冷落了，寫散文本來是最費心力，最少讀者，而又最少稿費的寂寞事業，只是我一向還是比較看重和偏愛這創純屬性靈的寫作。因此對你的計畫，我是出於衷心的擁護。不過若要我來一個專題按期繳卷，請原諒可不敢答應你，我不想給自己再加一重精神負擔，同時我的健康情形連自己也沒有把握，（答應給《新時代》的散文，寫了二篇，第三篇就沒有按時繳卷）我實在是怕透了打針和吃藥，才實驗出來懶一點可以少嚐點這種苦頭，同時也許是步入中年，記憶力似乎亦越來越差了。因此很多文債不只是欠，常常是

「賴」了，這都是情不得已，先別責備我，我倒並不是存心要賴掉你的債，待過了年能還總得還一些，但願上蒼賜給我足夠的健康和靈感。

別說得那麼悲哀，有信心，病痛是壓不倒人的。

祝福你

艾雯

編註：本文原刊於《文壇》第十九號，一九六二年一月，頁十二。

艾雯望女成鳳

××先生：

原擬趕一篇稿子繳卷，可是為瑣事耽擱了迄今尚未動筆，而限期已屆，真是抱歉！只要我有寫好的文稿，《亞洲文學》總是我記得先要繳卷的一個，請別急！小女恬恬要我替她問一聲：她上次寄給您一篇習作〈朝陽花〉能不能用？要請您給她指教和鼓勵。

日昨一夜狂風暴雨，岡山數處受害，驚魂甫定聽說又一新颱風將臨，趁此風隙匆匆塗上二句請恕我草率

即祝

文安

艾雯

編註：本文原刊於《亞洲文學》第十三期，一九六〇年十月，頁三十六。

艾雯不見《亞文》之面

××先生：

不是外子不曾帶回口信，而是我太疏懶，再說，這許久不見《亞洲文學》玉面，不予提醒，也怪不得有時要忘記。急就章趕寫一篇，希望還得上祝五週歲華誕！　即祝

筆健　並問候那位年青多才的×主編（是否在文藝大隊受過訓而演出過話劇？）

艾雯　上

九月二十五日

編註：本文原刊於《亞洲文學》第五十二期，一九六四年十月，頁五十三。

艾雯宿疾復發

××先生：

惠示敬悉，前幾天正開始要寫《亞文》的稿子，不想舊疾復發，這一下恐怕要好些時候不能動筆了，我自己也為此非常煩惱，一個以寫作為寄託的人，暫停寫作比什麼都不好受。但等我靜養一個時期，只要開了筆，總是會先給你寄稿來的。草草

即祝

快樂

艾雯　上

五月一日

編註：本文原刊於《亞洲文學》第五十八期，一九六五年四月，頁四十三。

書川，安心好走

書川：

深夜電話，一聽是亞維哽咽的聲音，悚然驚懼，堅強的你，究竟敵不過病魔嚴酷的折磨，走了。多少次出院入院，你一篇篇寫下自勉的文字，告別的小詩，面對死亡，勇敢又瀟灑，讓朋友心疼又佩服，人生這一仗，你打得很漂亮。

記得在那草蒙時期，大家都年輕，以文會友。在南台灣，我們一小撮筆耕者因緣際會相識，高雄、岡山、台南偶爾有個雅聚小敘，談文論古，說生活、講理念，就像南台灣淳樸的風氣，高雄港自在吹拂的海風，歲月累積，友誼自然融洽，自南而北，將近半個世紀，文友而成世交。

你為人誠懇、熱心、坦率、隨和，事情不論繁瑣，樂於服務；文友有事相託，全力以赴，我們說到你時都一致稱讚：「王書川人真好！」

書川，我們永遠記得你的好，永遠懷念你。安心好走。

編註：本文原刊於《文訊》第二六三期，二〇〇七年九月，頁四十。

艾雯全集5【散文卷・五】

作　　者　艾雯

編輯顧問　張瑞芬　陳芳明　應鳳凰（依姓氏筆劃排序）

主　　編　封德屏

執行編輯　王為萱

美術設計　不倒翁視覺創意

編輯製作　文訊雜誌社
10048台北市中山南路11號6樓
02-2343-3142

出　　版　朱恬恬
11147台北市忠誠路二段50巷8號
02-2832-1330

排　　版　浩瀚電腦排版股份有限公司

印　　刷　松霖彩色印刷事業有限公司

初　　版　民國101年（2012）8月

定　　價　全10冊（不分售）平裝新台幣4,600元整

ISBN　978-957-41-9323-3（第5冊平裝）
978-957-41-9318-9（全套平裝）

◎財團法人|國家文化藝術|基金會 贊助

台北市文化局 Cultural Affairs Bureau of Taipei 贊助

國家圖書館出版品預行編目資料

艾雯全集 / 艾雯作. -- 初版. -- 臺北市 : 朱恬恬, 民
101.08
冊； 公分

ISBN 978-957-41-9318-9（全套 : 平裝）. --
ISBN 978-957-41-9319-6（第1冊 : 平裝）. --
ISBN 978-957-41-9320-2（第2冊 : 平裝）. --
ISBN 978-957-41-9321-9（第3冊 : 平裝）. --
ISBN 978-957-41-9322-6（第4冊 : 平裝）. --
ISBN 978-957-41-9323-3（第5冊 : 平裝）. --
ISBN 978-957-41-9324-0（第6冊 : 平裝）. --
ISBN 978-957-41-9325-7（第7冊 : 平裝）. --
ISBN 978-957-41-9326-4（第8冊 : 平裝）. --
ISBN 978-957-41-9327-1（第9冊 : 平裝）. --
ISBN 978-957-41-9328-8（第10冊 : 平裝）

848.6 101013788